Le **mythe** de la **fragilité**

Données de catalogage avant publication (Canada)

Dowling, Colette
Le mythe de la fragilité: déceler la force méconnue des femmes

1. Femmes - Psychologie. 2. Différences entre sexes. 3. Femmes - Physiologie. 4. Rôle selon le sexe. I. Titre.

HQ1206.D6814 2001 305.4 C2001-941557-5

DISTRIBUTEURS EXCLUSIFS:

- Pour le Canada
et les États-Unis:
MESSAGERIES ADP*
955, rue Amherst
Montréal, Québec
H2L 3K4
Tél.: (514) 523-1182
Télécopieur: (514) 939-0406
* Filiale de Sogides ltée

- Pour la France et les autres pays:
VIVENDI UNIVERSAL PUBLISHING SERVICES
Immeuble Paryseine, 3, Allée de la Seine
94854 Ivry Cedex
Tél.: 01 49 59 11 89/91
Télécopieur: 01 49 59 11 96
Commandes: Tél.: 02 38 32 71 00
Télécopieur: 02 38 32 71 28

- Pour la Suisse:
VIVENDI UNIVERSAL PUBLISHING SERVICES SUISSE
Case postale 69 - 1701 Fribourg - Suisse
Tél.: (41-26) 460-80-60
Télécopieur: (41-26) 460-80-68
Internet: www.havas.ch
Email: office@havas.ch
DISTRIBUTION: OLF SA
Z.I. 3, Corminbœuf
Case postale 1061
CH-1701 FRIBOURG
Commandes: Tél.: (41-26) 467-53-33
Télécopieur: (41-26) 467-54-66

- Pour la Belgique et le Luxembourg:
VIVENDI UNIVERSAL PUBLISHING SERVICES BENELUX
Boulevard de l'Europe 117
B-1301 Wavre
Tél.: (010) 42-03-20
Télécopieur: (010) 41-20-24
http://www.vups.be
Email: info@vups.be

Pour en savoir davantage sur nos publications,
visitez notre site: **www.edjour.com**
Autres sites à visiter: www.edhomme.com • www.edtypo.com
www.edvlb.com • www.edhexagone.com • www.edutilis.com

L'Éditeur bénéficie du soutien de la Société de développement des entreprises culturelles du Québec pour son programme d'édition.

Nous reconnaissons l'aide financière du gouvernement du Canada par l'entremise du Programme d'aide au développement de l'industrie de l'édition (PADIÉ) pour nos activités d'édition.

L'ouvrage original américain a été publié
par Random House, Inc.
sous le titre *The Frailty Myth*

Dépôt légal: 4e trimestre 2001
Bibliothèque nationale du Québec

ISBN 2-8904-4699-9

Le mythe de la fragilité

COLETTE DOWLING

Traduit de l'américain par
Marie-Josée Chrétien et Louise Chrétien

le jour, éditeur

Introduction

Un soir, peu de temps après le début de la rédaction du présent ouvrage, ma fille Rachel a découvert en rentrant de l'université que le père de son petit ami, une brute qui cachait bien son jeu, avait loué un camion de déménagement et fait transporter ses effets personnels de l'appartement de son fils à un petit studio que j'ai en ville. De l'avis du père, le fils était trop jeune pour cette relation. Il avait le sentiment que son fils lui échappait et il cherchait un bouc émissaire.

Consciente qu'il s'agissait d'une sorte de dérapage, Rachel a loué un entrepôt et a demandé au père de son ami d'y faire transporter ses affaires. Il a refusé. « Il n'y a pas de place dans l'appartement de ma mère », lui a-t-elle dit. Désolée, Rachel attendait devant l'immeuble avec quelques amies lorsque le camion est arrivé. Le père a ouvert la porte de la remorque et a délibérément laissé tomber le téléviseur de Rachel sur le trottoir. Son fils penaud l'accompagnait. Rachel a demandé au portier d'appeler la police, puis elle a sauté dans le camion pour empêcher l'homme de détruire le reste de ses affaires. Elle est restée là les bras étendus jusqu'à ce qu'elle entende la sirène de la voiture de police.

Cette image a eu beaucoup d'effet sur moi. L'audace physique de Rachel sous-entendait une confiance en sa force et en ses droits. Mais c'est la confiance en son corps qui était cruciale. Sa force lui a permis non seulement de défendre ses droits, mais d'en *faire l'expérience.* En quelques minutes, les policiers de la ville de New York étaient sur place. Ils ont escorté le camion, faisant monter Rachel avec eux jusqu'à l'entrepôt, et ont attendu jusqu'à ce que père et fils aient soigneusement retiré tous ses meubles du camion.

Que faut-il pour qu'une femme saute d'un camion et empêche un homme en colère de jeter tous ses meubles dans la rue ? Que se passe-t-il mentalement et physiquement ?

Dans le cas de Rachel, je suis convaincue qu'il existe un lien entre l'audace de se défendre contre une agression et son expérience, dès son plus jeune âge, des sports de compétition. Rachel était l'une de ces millions de petites filles qui ont profité de la modification de la loi sur l'éducation des États-Unis en 1972 (modification appelée Titre IX) rendant obligatoire le financement égal des activités sportives féminines et masculines. Les écoles n'ont *pas obtenu* le financement promis pendant des années (ce qui est encore souvent le cas), mais on sentait un changement dans l'air. Après tout, Billie Jean King avait réussi l'impossible à Wimbeldon en 1973 en ayant raison de Bobby Riggs. À mesure que les athlètes féminines gagnaient en notoriété, des fillettes partout au pays commençaient à déboulonner à partir de la base l'édifice du mythe de la fragilité qui veut que les femmes soient physiquement incompétentes. Les premières se sont distinguées dans des sports jusque-là réservés aux garçons comme le soccer, l'athlétisme, la lutte et même le football américain. Ces *pionnières* étaient souvent la seule fille de leur équipe, comme Rachel dans l'équipe de soccer de son école secondaire.

Si on osait briser ce moule culturel, les avantages seraient considérables. Lorsque Rachel s'était précipitée sur le camion pour défendre ses biens, elle était devenue une femme qui croyait profondément en sa force et en sa capacité de se défendre. Sa compétence physique lui donnait un sentiment de puissance que ne possèdent pas la plupart des femmes de ma génération. Pour nous, l'attitude physique la plus audacieuse consistait alors à marcher au milieu de la rue lorsque nous nous retrouvions la nuit dans un quartier mal famé. Nous avions intégré, comme bien des générations de femmes avant nous, le syllogisme boiteux qui veut que les hommes, contrairement aux femmes, possèdent force, agilité et endurance, et que nous avions besoin de leur protection.

J'ai vu le corps de mes filles se développer et devenir fort, agile et compétent avant de me rendre compte qu'il se passait quelque chose de nouveau, une autre étape de l'émancipation des femmes. À l'âge de dix-sept ans, Rachel a pris un trimestre de congé pour apprendre à survivre en forêt en dormant dans des grottes de neige et en faisant du télémark et de la descente de rapides en évitant les tourbillons, manœuvrant son kayac dans des eaux blanches. Lorsqu'elle est revenue à la maison, elle a rompu avec son petit ami et est retournée au collège. Elle était prête à mordre dans la vie. Au contact de la nature, Rachel avait appris des choses qu'on ne m'avait tout simplement jamais enseignées : qu'en situation de survie, les hommes et les femmes sont également importants ; qu'elle réussissait mieux que les garçons certaines épreuves physiques ; qu'elle pouvait repousser les avances sexuelles d'un moniteur sans l'aide d'un adulte. J'étais fière d'elle lorsqu'elle est rentrée de son voyage. Elle était devenue plus forte, plus confiante en elle-même et plus ouverte sur le plan social.

Je m'étonne aujourd'hui de ne m'être jamais demandé ce que les expériences physiques de mes filles auraient changé en *moi* au même âge. C'était comme si mes filles et moi avions grandi dans des mondes différents.

C'est d'ailleurs le cas et je m'en rends mieux compte à présent que lorsque j'ai commencé cet ouvrage. Pourtant, je n'ai jamais été faible. Adolescente, je ne prisais peut-être pas les cours de gymnastique à l'école, mais j'ai *toujours* aimé bouger. Je faisais la chaîne en patins avec les garçons qui jouaient dans l'équipe de hockey de l'école. Nous nous lancions à l'assaut des patineurs du dimanche et formions une queue formidable dans les virages. Cela m'étonne aujourd'hui, car je l'avais oublié, mais je n'avais pas peur. « Tu pourrais jouer au hockey ! » s'était un jour émerveillé l'un des garçons. Je n'étais pas peu fière, tant du compliment que de ma force. Mais je me sentais à part. Aucune des filles que je connaissais à l'école n'aimait partager les activités physiques des garçons.

Puis, je suis allée à l'université étudier la philosophie et la littérature anglaise, ainsi que les bonnes manières que l'on attendait de la part d'une jeune fille catholique des années cinquante. J'ai abandonné le tennis et le patin, deux sports que j'aimais. Le plaisir que je trouvais à exercer mon corps a disparu et je ne l'ai redécouvert que trente ans plus tard.

Cela n'est jamais arrivé à mes filles. Elles n'ont jamais laissé tomber. Lorsque Gabrielle, mon aînée, est venue à New York pour travailler après ses études, elle s'est plongée dans la pratique du karaté seito. Ses coups de pied et ses tractions « d'homme » jusqu'à s'écorcher les jointures ne m'impressionnaient déjà plus. Après tout, elle avait pris part dès l'âge de treize ou quatorze ans à des compétitions de gymnastique au cours desquelles elle se retournait dans les airs en sautant d'une barre à l'autre. J'avais le cœur dans la gorge chaque fois que j'assistais à ses prestations, mais elle les vivait bien différemment. Ses prouesses physiques la stimulaient et elle commençait déjà à apprendre à avoir confiance en son corps. Quand elle a décidé, alors qu'elle atteignait la trentaine, de se mettre au patin à roues alignées, je me suis dit : « Évidemment, elle va continuer à faire ce genre de choses toute sa vie, cela fait partie de sa personnalité. »

J'ai été très étonnée lorsque j'ai moi-même commencé, dans la cinquantaine, à vouloir me remettre au patin. À l'époque, c'était des patins à glace. Dorénavant, je voudrais faire en patins à roues alignées les pirouettes que je faisais sur la glace lorsque j'étais jeune fille. Je n'aurais probablement jamais osé n'eut été des encouragements de Gaby. « Allez, Maman, tu peux y arriver », m'avait-elle dit en m'entraînant sans me le dire à un cours pour débutants à Chelsea Piers, un immense centre sportif sur la rivière Hudson.

Miracle suprême, je n'étais pas la personne la plus âgée de la classe. Non seulement ai-je survécu à ma première leçon, mais j'ai triomphé, apprenant à faire du slalom entre des cônes de plastique dès mon premier essai. Après le cours, il y avait une séance de patin libre au son assourdissant de la musique de James Brown. Nous étions à l'extérieur et la rivière Hudson, rendue écarlate par un magnifique coucher de soleil, s'étalait à nos pieds. J'étais revenue à mon corps de seize ans, éprouvant la force de mes quadriceps et le rythme électrisant qui me propulsait autour de l'ovale. Ce n'était pas un sentiment « nouveau » pour moi, mais il me ramenait au corps que j'avais reçu à la naissance et que j'avais négligé au profit de ce que je croyais être les règles de bienséance de la femme adulte. Les jeunes femmes de ma génération n'ont jamais su clairement ce qu'on attendait d'elles, mais je peux affirmer que, au cours des années soixante, être une « vraie femme » n'avait rien à voir avec le football. Aujourd'hui, les filles peuvent se mesurer aux garçons sur le terrain sans qu'on les prenne pour des aberrations de la nature. Au contraire, elles peuvent continuer à être populaires et sexuellement attirantes, comme cela a été le cas de deux jeunes filles de l'équipe de football d'une école secondaire qui ont été couronnées reines de beauté, et de bien d'autres qui jouent au football, au hockey ou au soccer.

Ces jeunes athlètes démontrent de manière spectaculaire que la compétence physique ne compromet pas la féminité. En fait, toute personne doit croire en sa compétence physique, tant pour sa santé mentale que pour sa sécurité physique, son épanouissement dans ses relations et son succès dans son milieu de travail. Pourtant, pendant des siècles les femmes ont été contraintes de se percevoir comme des êtres faibles et inefficaces.

Dans les années quatre-vingt-dix, il est devenu évident que les attitudes envers la force et la compétence physiques étaient sur le point de changer lorsque les idées des femmes sur leur apparence physique ont commencé à évoluer. Une étude portant sur des étudiantes de première année à l'université a montré que la grande majorité d'entre elles avaient pour idéal un corps « mésomorphe » dont le degré de musculation du torse ne peut être obtenu sans exercices vigoureux. La honte d'avoir des hanches, des seins et l'apparence d'une femme sexuellement mature commence à disparaître.

Les athlètes féminines étaient le fer de lance de ce nouveau mouvement. Florence Griffith Joyner, la plus grande coureuse de toute l'histoire, avait un corps magnifique et ne se privait pas pour le montrer. Les gymnastes n'étaient plus appréciées parce qu'elles étaient « menues ». Les jeunes patineuses artistiques parlaient ouvertement des modifications qu'elles doivent apporter à leur technique pour compenser les déséquilibres qu'entraîne la croissance des seins et des hanches. Elles ne tentaient plus de retarder leur croissance pour accommoder le sport comme le faisaient les gymnastes et les patineuses il n'y a pas si longtemps. Au contraire, c'est maintenant le sport qui doit s'accommoder de leur corps en croissance.

« Il y a quelque chose de très libérateur là-dedans », a dit Shana Sundstrom, vingt ans, dans une entrevue qu'elle accordait à un magazine féminin au sujet du rapport qu'elle et ses sœurs, toutes patineuses de vitesse, entretiennent avec leur corps. « Nous ne modelons pas nos corps pour la société comme Kate Moss. Nous avons de gros derrières. »

Le look « affamé » a disparu et a été remplacé par le look athlétique. Mais il ne s'agit pas que d'une mode passagère. La musculation et l'adoption d'une alimentation suffisante pour maintenir la masse musculaire sont devenues l'expression d'une nouvelle façon de comprendre la « féminité ». La compétence physique est maintenant au cœur de l'estime de soi des femmes. Comme l'a écrit la championne de volley-ball Gabrielle Reece dans son ouvrage intitulé *Big Girl in the Middle,* la seule chose qu'une femme ose dire pour se mettre en valeur est « Je suis sexy ». « Pourquoi ne pas affirmer : "Je suis très intelligente et audacieuse et je peux vous faire mordre la poussière" ? » demande-t-elle.

Et pourquoi pas ? Les jeunes femmes des années quatre-vingt-dix ont assisté avec joie à l'effondrement des vieux stéréotypes physiques à mesure que des pionnières comme Reece démontraient une confiance et une force physique à toute épreuve. Les filles ont commencé à suivre les prouesses de leurs modèles comme les groupies suivent les vedettes du rock. Lors d'un exercice d'échauffement, avant une partie des Dukes de Duluth, Ila Borders, la première femme à faire partie d'une équipe masculine de base-ball professionnel, a réussi à faire scander « I-la, I-la » à des milliers de femmes dans les gradins.

« Ila est ma préférée, sans aucun doute, a dit une fillette de treize ans à un journaliste du *New York Times,* parce qu'elle prouve qu'on peut le faire. »

Même si on est une fille ! Les femmes qui pratiquent des sports autrefois réservés aux hommes sont non seulement considérées comme « normales », mais elles sont une source de fierté. « Ila va se rendre jusque dans les ligues majeures », affirmait le propriétaire de l'équipe dans laquelle Ila évolue et dont la propre fille pratiquait la lutte dans l'équipe masculine de son école. « Elle sera comme Jackie Robinson, le premier noir à jouer dans les ligues majeures, ou comme Chuck Yeager, le premier homme à franchir la barrière du son. »

Les jeunes femmes d'aujourd'hui se donnent les moyens de se tenir debout — littéralement — pour faire respecter leurs droits. Ce n'est pas la force brute qui leur permet de le faire, mais un dynamisme psychologique beaucoup plus important, qui vient de *l'estime de soi sur le plan physique.* La force, le courage et la compétitivité fournissent aux femmes la possibilité de vivre différemment dans ce monde, de se départir de leur timidité et d'apprendre à se défendre elles-mêmes. Nous acquérons un sentiment de sécurité nouveau qui découle de notre propre agilité, de notre temps de réaction et de notre force physique. Cela ne peut qu'entraîner des changements sociaux.

Lorsqu'elle a commencé à sortir en patins à roues alignées dans les rues de Manhattan, Rachel m'a expliqué sa technique pour voir la circulation qui venait derrière elle. Elle regarde constamment dans les rétroviseurs latéraux des camions. « J'apprends à prendre ma place, Maman. » La seule pensée qu'elle zigzaguait dans la circulation new-yorkaise m'étourdissait, mais je comprenais ce qu'elle voulait dire par prendre sa place. Il suffit de déambuler dans une rue achalandée un jour de semaine pour se convaincre que les hommes sont prêts à tout pour dominer dans les espaces publics. Sur le trottoir, c'est presque toujours la femme qui s'écarte du chemin d'un homme lorsqu'il y a risque de collision.

Les hommes ne changent pas de trajectoire pour éviter une collision avec une femme ; ils *s'attendent* à ce qu'elle le fasse. Peut-être est-ce un autre signe de leur suprématie. Mais, comme l'a écrit la féministe Sandra Lee Bartky : « Une chose est claire. Le langage corporel d'une femme exprime de façon éloquente, bien qu'en silence, son état subordonné dans la hiérarchie des sexes. » C'était le cas pour ma génération et celles qui l'ont précédée.

De nos jours cependant, les femmes utilisent un langage corporel beaucoup plus assuré pour communiquer. Une femme dans la vingtaine m'a dit qu'elle a cessé de céder le passage aux hommes lorsqu'elle marche dans les rues de New York : « Je les laisse me rentrer dedans s'ils ne s'écartent pas ! » La femme est bousculée, mais l'homme aussi. « La plupart des hommes cèdent le passage à la toute dernière minute, a-t-elle ajouté. Mais certains ne le font pas. »

Est-ce en raison du pouvoir croissant des femmes sur les plans social et économique que les hommes se comportent de plus en plus ouvertement comme des mufles ? On a l'impression que les hommes se sentent libres de rudoyer les femmes dans l'anonymat des canyons urbains, alors qu'ils sont incapables de dominer à la maison ou au bureau. Quoi qu'il en soit, la survie sur les trottoirs des grandes villes est devenue comme une partie de hockey collégial sans équipement de protection.

Les hommes dont le pouvoir est menacé par l'indépendance économique et juridique croissante des femmes réagissent de façon défensive. Cette réaction se manifeste par la popularité grandissante de la « mentalité machiste » et par une réaction sexiste envers les athlètes féminines. On sent pourtant que l'attitude de domination physique subtile et moins subtile des hommes envers les femmes n'a plus le même pouvoir qu'auparavant. Les femmes de la génération de Rachel trouvent les moyens de se tenir debout pour revendiquer leurs droits et les faire respecter.

La reconnaissance des capacités physiques des femmes remet en question de vieilles idées sur la nature même de l'homme et de la femme, des idées qui ont été utilisées pour établir et perpétuer la croyance en la supériorité physique des hommes sur les femmes. Cette supériorité faisait d'eux des êtres autosuffisants, ce qui les rendait *indispensables* aux femmes, non seulement pour l'amour, l'intimité et l'amitié, mais surtout pour leur survie. La faiblesse des femmes était le fondement de leur complète infériorité physique, émotionnelle et mentale.

Heureusement, les femmes commencent à apprécier leur corps pour sa fonctionnalité et pour le plaisir qu'il leur procure. Elles commencent à se sentir plus fortes dans les rues des grandes villes et sur les routes de campagne. Elles ont le sentiment de savoir se défendre, ce qui élargit énormément leurs horizons. Elles se sentent attirantes, non pas comme objets, mais en raison de la vitalité physique qu'elles dégagent.

Certains changements sociaux devront toutefois se produire avant que les femmes deviennent fortes et puissantes, et qu'elles aient confiance en elles-mêmes sur le plan physique. Encore aujourd'hui, des enseignants et des parents inconscients du tort qu'ils font empêchent les filles de développer pleinement leur potentiel physique. De nombreuses fillettes tentent de rapetisser leur corps en *évitant* le développement physique dans le but d'être plus « féminines » et plus attirantes pour les garçons. De même, de nombreuses femmes adultes se maintiennent dans un état de faiblesse anormal et, par conséquent, se rendent physiquement vulnérables, victimes de la présumée force supérieure des hommes. Mais s'accrocher à un modèle périmé de féminité finit par leur coûter cher : insuffisamment développées et inutilement dépendantes des hommes, les femmes n'osent pas se libérer physiquement ; elles restreignent ainsi leur vie et finissent parfois par la perdre.

Le présent ouvrage vise à libérer les femmes de leurs peurs inutiles pour qu'elles puissent prendre leur place dans le monde. Il traite de l'histoire des contraintes qui rendent si difficile la réalisation de cet objectif. Il porte sur les croyances ayant maintenu la femme dans un état d'infériorité en raison de sa prétendue faiblesse et sur le ressac non reconnu qui s'est produit au siècle dernier à mesure que les femmes ont fait tomber les obstacles à leur développement physique. Ce mouvement s'est poursuivi jusqu'à ce qu'on commence à constater qu'en fin de compte, contrairement à la nudité de l'empereur, il n'y a *pas* de différence appréciable entre la force des hommes et celle des femmes. Comme dans le cas de la supposée supériorité intellectuelle des hommes, il s'agit encore là d'un accès insuffisant à la formation et d'un manque d'occasions de prouver de quoi elles sont capables. De nouvelles méthodes d'évaluation de la performance, dont je traiterai ultérieurement, soulèvent clairement cette hypothèse.

Une chose est certaine. Le concept de la fragilité féminine, qui trouve son origine dans la médecine du XIXe siècle, a eu pendant très longtemps des effets dommageables sur la santé et les statuts social et professionnel des femmes. En me basant sur des études du développement moteur, de l'évaluation de la performance et de la physiologie des sports, je démontrerai qu'en *restant physiquement sous-développées,* les jeunes filles et les femmes ont elles-mêmes endossé le mythe du sexe faible.

Peu importe le degré de liberté sociale qu'acquièrent les femmes, tant et aussi longtemps qu'elles ne trouveront pas de force, d'endurance et de *plaisir* dans leur corps, cette liberté demeurera limitée. Elles refuseront les défis physiques en se réfugiant dans une croyance non fondée quant à leur fragilité. À l'adolescence, elles réprimeront leur sexualité de peur d'être blessées ou exploitées, et elles vivront leur vie comme si leur corps avait besoin de protection.

N'est-ce pas ce que nous avons fait pendant que nos os devenaient poreux et que notre peur de la force physique des hommes prenait des proportions quasi hystériques?

Les effets psychologiques du mythe de la fragilité sont encore plus dévastateurs que ses effets physiques. C'est cette reconnaissance qui a tiré les larmes à tant de femmes qui ont regardé les finales de soccer au cours de l'été 1999. Si elles étaient étonnées des prouesses physiques des joueuses, elles étaient surtout impressionnées de constater que ces femmes n'avaient fait aucun compromis et qu'elles avaient démoli ce mythe de la fragilité. Quand j'ai regardé le match entre les États-Unis et le Brésil, j'étais à la maison avec ma belle-fille et mon petit-fils de treize ans. Tout était surprenant dans ce spectacle, jusqu'à la publicité de Monistat qui clignotait sur le panneau de pointage au-dessus des gradins. Un traitement des infections vaginales à la vue de tous! Pour moi, c'était là le symbole de tout ce qui a changé dans la façon de voir le corps des femmes. La foule immense, les milliers et milliers de jeunes filles, les pères qui criaient aussi fort que leurs filles, c'en était presque trop.

Mais c'est seulement lors de la finale contre la Chine, la semaine suivante, que j'ai vraiment compris ce qui se passait. Le match contre le Brésil n'était pas le fruit du hasard. Ces femmes, qui s'entraînaient et jouaient depuis près de dix ans, étaient représentatives d'une vague de fond qui a des répercussions sur toute notre culture. En effet, les femmes commencent à être reconnues mondialement pour leurs prouesses physiques, leur habileté à prévoir le jeu de l'adversaire et à le devancer, leur vitesse, leur agilité, leur agressivité, leur endurance et leur grâce, même sous pression. Je me suis aussi rendu compte que je ne m'attendais pas à voir cela de mon vivant, ce qui m'a donné un choc presque physique. Mais j'en ai aussi été très enthousiasmée.

Une liberté révolutionnaire a modifié la vie de mes filles et de leurs contemporaines, ce qui force les autres femmes à examiner leur vie et à voir leur corps de manière différente. Des femmes de tous les âges ont commencé à troquer la « féminité » contraignante du passé pour un nouveau dynamisme. Aujourd'hui, des femmes de quatre-vingts ans courent le marathon. À mesure que tomberont les croyances sur lesquelles s'appuyait le mythe de la fragilité, il se produira un tournant majeur qui modifiera la façon dont les femmes prennent leur place sur cette planète.

Chapitre premier

Le mythe de la fragilité

Il y a cent ans, les femmes ont subi un recul tout à fait particulier. Juste au moment où elles commençaient à revendiquer le droit à l'éducation et au pouvoir économique et politique, elles ont été privées de leur pouvoir sur leur corps ; juste au moment où elles commençaient à lutter pour la justice, on a exigé, avec toute la persuasion du mouvement moral, qu'elles cultivent leur fragilité. On a fait croire aux femmes du XIXe siècle qu'elles étaient faibles de nature. Il ne s'agissait pas d'une conspiration, aucun groupe ne pouvait être pointé du doigt. Le concept tenait son pouvoir de la multiplicité des appuis qu'il recueillait, des divers groupes dont les intérêts avaient été réunis en une seule philosophie au sujet de la place des femmes sur la planète. Cette philosophie, que certains universitaires appellent le « mythe de la fragilité », restreint le développement physique des femmes, les contraint à des demi-mouvements, les isole dans des pièces protégées du soleil et les menace du pire de tous les châtiments – la privation de leur pouvoir reproducteur – si elles refusent de se soumettre.

Voici la théorie qui sous-tend le mythe de la fragilité : on ne peut pas permettre aux femmes de s'adonner à des activités physiques et intellectuelles parce qu'elles doivent consacrer toutes leurs énergies à leur fonction reproductrice. Elles n'avaient pas le choix. Au XIXe siècle, le confinement des femmes était considéré comme une nécessité sociale. Pour le bien des générations futures, les femmes ne devaient cultiver que leur fertilité, pas leur esprit ni leurs talents artistiques, et encore moins leur corps. C'est ce qu'on appelait le « culte de la véritable féminité ». Les éducateurs, les psychologues, les hommes d'Église et les médecins, plus particulièrement les gynécologues et les obstétriciens, en étaient les plus ardents défenseurs. Les hommes étaient convaincus que les femmes devaient être « tenues en laisse », sinon c'est l'espèce même (ou la « race » comme on disait autrefois) qui était menacée. Ils ont façonné un rôle féminin appelé « féminité » et défini une personnalité et une apparence « appropriées ». Ainsi armés, ils ont persuadé les femmes que leur raison d'être, pour le moins héroïque, justifiait tout ce à quoi elles devaient renoncer.

Pendant des années, mon image des femmes de l'époque victorienne se limitait à des stéréotypes. On m'avait appris que les femmes de la fin du XIXe siècle étaient des créatures frêles et surprotégées, qui ne faisaient pas grand-chose de leur vie. La moindre activité semblait leur demander des efforts inouïs. Jeune femme, quand je lisais des livres sur les « dames » victoriennes, je m'imaginais empêtrée dans leurs blouses et leurs pantalons bouffants en train d'essayer de nager dans l'océan. Leur lutte quotidienne pour endurer les pires corsets, leurs efforts pour marcher, oublions courir, avec leurs immenses jupes et leurs larges chapeaux, tout cela me semblait pathétique. Ces femmes vivaient leur vie selon des règles bizarres faites de courtoisie et de restriction. Le sang menstruel était épongé avec des torchons. L'épanouissement sexuel était rare, car les hommes de l'époque victorienne étaient ignorants des parties de l'anatomie féminine qui procurent le plaisir. On a du mal à imaginer que les Gay Nineties aient pu être très folâtres.

À cette époque, j'avais une attitude plutôt désinvolte. Penser que des femmes en chair et en os vivaient de cette façon, imaginer les divans durs et sans pitié sur lesquels elles tentaient de comprendre leurs maladies exigeait plus d'imagination que je n'en possédais. Je ne me reconnaissais pas en elles, tout comme je ne me reconnaissais pas en ma mère. Sa vie me semblait trop étrange et trop différente pour que nous ayons quoi que ce soit en commun. Elle était d'une autre époque, on pourrait même dire d'un autre pays. Je voulais me protéger de la vie rurale qu'avait connue ma mère au Nebraska, avec ses quinze frères et sœurs, sa mère ravagée par le diabète, la ferme qui avait fait faillite parce qu'il n'y avait pas assez de garçons pour exécuter les gros travaux. En décidant de croire que ma mère et moi n'étions pas tout à fait pareilles, comme je le pensais de ces étranges dames victoriennes, j'ai vécu pendant des années sans apprendre les choses importantes qui auraient renforcé mon appréciation de ma propre féminité et m'auraient permis de m'identifier à une famille, non seulement une famille personnelle, mais la famille historique de mon sexe.

Les vieilles habitudes ont la vie dure. En retraçant le mythe de la fragilité jusqu'au XIXe siècle, j'ai d'abord voulu faire abstraction du lien indéniable que je commençais à percevoir entre la femme de la fin de ce siècle et la femme moderne, un continuum d'oppression physique réelle auquel nous avons toutes été assujetties. Je voulais pouvoir situer l'ère de l'épanouissement du mythe de la fragilité dans les dernières décennies du XIXe siècle et passer à autre chose. Mais en fouillant davantage dans des revues, des études et des journaux féminins de l'époque, il m'est clairement apparu que les femmes avaient été privées d'un élément essentiel à leur croissance et à leur développement, et que cette lacune se perpétuait jusqu'à nos jours. J'ai commencé à mieux me rendre compte que le mythe de la fragilité n'était pas mort, mais qu'il était devenu souterrain. Je voulais comprendre les forces qui privent les femmes de leur corps, de leur force physique et de leur âme.

Le Mythe de la fragilité traite de la domination sociale du corps des femmes et de l'inhibition de leur développement physique.

Il traite aussi des moyens utilisés pour perpétuer chez les femmes le modèle imposé par les médecins, les éducateurs et même les leaders religieux, c'est-à-dire celui d'un être limité sur le plan physique. Les femmes sont incapables de courir de longues distances ou de jouer cinq sets de tennis, encore moins de construire une grange ou de réparer une automobile (une fois celle-ci inventée). Elles sont incapables de se promener seules en forêt, bref incapables d'exister sans la force musculaire et le secours physique de l'autre moitié de l'espèce.

Pendant des siècles, les femmes se sont perçues comme des êtres faibles et incapables. Sur le plan psychologique et cognitif, cette perception correspond à avoir le corps enchaîné. Le mythe de la fragilité féminine a été tellement bien enraciné qu'on pourrait parler d'un canular. Mais un canular vise délibérément à tromper, tandis que les mythes sont souvent tenus pour vrais. Le secret de leur succès est à la fois complexe et invisible. Le mythe de la fragilité est l'œuvre du désir réprimé des hommes de préserver leur pouvoir. Pour que le mythe soit viable, la société a mis au point toutes sortes de moyens dans le but de couper les femmes de leur force en les transformant en victimes et en leur enseignant qu'elles ne peuvent pas aspirer à autre chose.

Avant la fragilité

Historiquement, les femmes n'ont été encouragées à être fortes que lorsque l'économie le requérait, en temps de guerre, par exemple, quand les hommes étaient absents ou pour coloniser de nouveaux territoires. Mais, comme les intellectuelles féministes l'ont montré au cours des dernières décennies, la vie des femmes du premier millénaire était autrement plus compliquée et plus exigeante qu'on ne pourrait l'imaginer si on se limitait à l'image de la « véritable féminité » à laquelle les femmes étaient restreintes au XIXe siècle. Il a été fascinant d'apprendre à la fin des années quatre-vingt-dix que la femme de l'ère paléolithique n'était pas séquestrée dans une caverne à balayer la pierre et à donner le sein à ses petits, comme les anthropologues mâles l'avaient toujours prétendu. Selon Olga Soffer, l'une des spécialistes mondiales des chasseurs cueilleurs de l'ère glaciaire, cette vision des habiletés physiques des femmes n'est possible que si l'on évite de se poser certaines questions. Les recherches qu'ont menées le Dr Soffer et d'autres féministes dans les années quatre-vingt-dix ont mené à la découverte selon laquelle les femmes du paléolithique étaient fortes et physiquement actives, pourvoyant aux besoins de la famille en nourriture dans une proportion de 70 %. Et elles ne faisaient pas seulement la cueillette des noix et des petits fruits. Les femmes de l'ère paléolithique chassaient le petit gibier à l'arc et utilisaient des filets pour le gros. Même les enfants participaient à ces chasses. Les femmes et les enfants « tendaient des pièges, repéraient le gibier et participaient à la charge et à l'encerclement des proies, des méthodes de chasse qui ne mettaient en danger ni les jeunes mères ni leur progéniture », a écrit Heather Pringle dans un article intitulé « New Women of the Ice Age » publié dans *Discovery*. « À l'occasion, elles chassaient même avec les pointes de flèche qu'on pensait réservées aux hommes. »

Ces recherches remettent en question la notion voulant que, de tout temps, la survie des femmes et des familles ait dépendu de la force des mâles. Même la chasse tant vantée de très gros animaux pour leur viande, longtemps associée à la supériorité de l'homme de l'ère glaciaire, était rare, principalement en raison de la difficulté de venir à bout d'un pachyderme de 2750 kg au moyen d'une lance de courte portée, explique Mme Soffer. « Si l'un de ces hommes du Paléolithique tuait un mammouth, et cela arrivait, ils en parlaient probablement ensuite pendant dix ans. »

La force des femmes était appréciée et mise à contribution dans de nombreuses autres sociétés. Dans la société minoenne de l'île de Crête en Grèce (entre 6000 av. J.-C. et 1450 av. J.-C), il existait une forme de « rodéo » très populaire parmi les jeunes aristocrates. Or, on a appris récemment que les filles comme les garçons pouvaient faire partie des équipes. Ils prenaient des tours, l'un agrippant les cornes de la bête pendant que l'autre tentait de rester sur son dos. « Le partenariat égal entre hommes et femmes qui semble avoir caractérisé la société minoenne est particulièrement bien illustré dans ces jeux sacrés au cours desquels filles et garçons jouaient ensemble et remettaient leur vie entre les mains de l'autre », a écrit Riane Eisler dans *The Chalice and the Blade*. Vous en doutez peut-être, mais de nombreuses urnes et autres artefacts montrent des femmes participant à ces sortes de rodéos. Pourtant, l'existence de ces amazones était inconnue jusqu'à très récemment.

Dans la Grèce et la Rome antiques, les femmes chassaient, montaient à cheval, nageaient, couraient et conduisaient des chars. À Sparte, dont l'organisation sociale différait de celle des cités-états grecques, les hommes et les femmes vivaient séparément dans des casernes militaires jusqu'à l'âge de trente ans. Forcées de vivre seules, les femmes devenaient entièrement indépendantes. On encourageait évidemment les jeunes filles à développer leur force. Les jeunes Spartiates apprenaient la course à pied, la lutte et le lancer du disque et du javelot.

Au Moyen Âge, les femmes faisaient souvent preuve d'un grand courage athlétique. Elles se battaient à cheval avec des lances et certaines étaient des archers redoutables. D'autres s'affrontaient dans un jeu précurseur du jeu moderne de dards au cours duquel elles lançaient des projectiles de 45 cm de longueur. Mais, même les plus compétentes n'atteignaient jamais les niveaux supérieurs de compétition. On leur demandait parfois de tenir le score ou de présenter des prix. Il arrivait même qu'elles soient données en prix ! Mais, comme toute compétition importante leur était inaccessible, elles ne connaissaient jamais le plaisir de la victoire. Même lors des tournois, si importants dans la vie médiévale, les femmes n'étaient guère plus que des « meneuses de claque de la chevalerie » comme l'ont exprimé deux historiens des sports. L'exclusion des femmes des compétitions sportives importantes a continué jusqu'aux Jeux olympiques modernes.

Laissées à elles-mêmes, les femmes ont joyeusement plongé dans la compétitivité. Selon Roberta J. Park, qui a écrit abondamment sur l'histoire des sports, il existait au XVIIIe siècle des combats entre femmes et aussi, étrange menuet conjugal, des combats au cours desquels mari et femme se battaient contre d'autres couples à l'épée ou à la perche pour gagner des prix. Il y avait même parfois une lutteuse. Selon Mme Park, Margaret Evans, du Nord du pays de Galles, avait la réputation d'être une lutteuse tellement redoutable que même à l'âge de soixante-dix ans « peu de jeunes hommes osaient se mesurer à elle ».

Au XVIIIe siècle, les activités préférées des femmes étaient la course à pied et la marche athlétique. En 1765, une jeune femme a parcouru en deux jours les 115 kilomètres séparant Blencogo en Écosse de Newcastle. En 1806, le journal *Sporting* juge digne de mention qu'une marcheuse dans la quarantaine ait été « victorieuse » d'un homme plus jeune. En fait, les femmes avaient déjà commencé à faire leur place parmi les champions de marathons d'endurance. À l'époque, des femmes avaient exécuté des prouesses comme marcher pendant un mois sans prendre plus de 10 ou 15 minutes consécutives de repos, marcher et courir plus de 640 kilomètres pendant six jours consécutifs et vaincre tous les participants masculins lors de marathons d'endurance.

Selon un chercheur, les courses athlétiques féminines étaient « significativement *plus* fréquentes que les mêmes courses pour hommes ». Dans les années 1820, des jeunes filles et des femmes britanniques et écossaises de sept à quatre-vingt-cinq ans gagnaient de l'argent pour leur famille et acquéraient une certaine notoriété publique en faisant de la course à pied. Dans les années 1850, des femmes de New York et du Midwest donnaient dans des saloons des spectacles au cours desquels elles marchaient pendant des heures sur des planches en bois de 5 à 10 mètres.

Vers la fin du XIXe siècle, les sports sont devenus encore plus populaires à mesure qu'augmentait la couverture médiatique des athlètes féminines. Entre 1876 et 1881, des compétitions féminines de marche et de course se tenaient sur des pistes ovales en sciure de bois dans toutes les principales villes des États-Unis. Selon Dahn Shaulis, une chercheuse de l'université du Nevada qui a étudié les efforts d'endurance des femmes du XIXe siècle: «Partout, dans des salles de concert, des arènes intérieures et des casernes militaires, des femmes marchaient contre des hommes, participaient à des compétitions féminines de plusieurs jours et faisaient parfois de la marche en solitaire pour briser les records d'endurance.» Des auditoires payants de plusieurs centaines et même de milliers de personnes assistaient aux compétitions et pariaient sur les athlètes féminines. Selon les journalistes de l'époque, pour attirer les foules, les femmes devaient tenter des prouesses de plus en plus difficiles, comme de marcher 400 mètres toutes les 15 minutes pendant trente à quarante jours consécutifs. Les autorités religieuses condamnaient en chaire les sports pédestres, les qualifiant de «mauvais» et de «communs». En 1879, la Brooklyn Women's Temperance Union a protesté contre les marches des femmes tenues le dimanche, la consommation d'alcool et de tabac et les paris des spectateurs, et la police de New York a tôt fait d'interdire les courses. En 1880, l'industrie des «sports pédestres» s'était pratiquement effondrée. Les écoles et les universités ont banni les femmes des courses et des marches d'endurance. Les femmes ont en outre été exclues de toute compétition de course aux Jeux olympiques jusqu'en 1928.

Les activités physiques n'avaient pas toutes un but récréatif. Dans l'Amérique du XVIIIe siècle, les femmes qui participaient à la colonisation de nouveaux territoires effectuaient de très lourds travaux. Un grand nombre d'entre elles «se sont jointes au mouvement pour le défrichage de nouvelles fermes et la fondation de nouvelles villes dans les arrière-pays de l'Ouest, écrit l'historienne Nancy Struna, ce qui signifiait abattre des arbres et planter des champs sans compter sur des voisins». Dans le Sud, le développement des plantations exigeait souvent des femmes des efforts égaux à ceux des hommes. On dit que la force de Mme Francis Jones, qui avait aidé son mari à défricher une plantation dans un territoire sauvage de la Virginie, avait complètement sidéré le vérificateur des bornes des propriétés. Pourtant, devait-il écrire dans son rapport, «elle avait conservé la délicate féminité que les hommes craignent de voir disparaître chez les femmes fortes.» Bien qu'il n'y ait «rien de rustique ou d'impudique dans son attitude», écrivait le vérificateur dans son rapport de 1770, non seulement Mme Francis Jones travaillait-elle aux champs, mais elle savait «prendre un fusil et chasser le cerf... attraper et attacher le porc, abattre les bœufs à la hache et exécuter toutes sortes d'exercices d'homme.»

À la suite du passage d'une société agraire à une société industrielle lors de la révolution industrielle, des millions de femmes et d'enfants avaient migré vers les villes pour s'adonner à des tâches serviles et souvent dangereuses dans les usines et les moulins. Encore une fois, l'époque reconnaissait et appréciait les capacités physiques des femmes et leur contribution à l'économie, surtout qu'on pouvait les payer une fraction de ce que gagnait un homme pour faire le même travail.

On peut aussi penser à l'histoire incomplète et ignorée des femmes soldats. La capacité de se battre a longtemps été considérée comme la preuve de la supériorité masculine et de la dépendance des femmes envers les hommes. Pourtant, quand il le faut, on n'hésite pas à laisser les femmes se sacrifier pour défendre la nation. Certaines, comme Jeanne d'Arc, deviennent de véritables héroïnes. D'autres restent dans l'ombre une fois leur prouesse accomplie. Aux XVIIIe et au XIXe siècle, les femmes qui composaient le corps d'élite du royaume africain du Dahomey étaient entraînées dès leur plus jeune âge à manier les armes, à être fortes et à supporter la douleur. «Elles souhaitaient le combat et s'y lançaient en poussant des cris perçants. Elles se battaient avec furie et courage sans ressentir la moindre peur», a écrit l'historien britannique Stanley B. Alpern, en 1999. Pour se préparer au combat, les amazones du Dahomey se retiraient dans la forêt pendant des jours pour apprendre à supporter la faim, la soif, les blessures et les animaux sauvages. Elles étaient aussi « solidement musclées que les guerriers noirs mâles » et faisaient preuve d'une « force musculaire supérieure ». Leurs armes étaient des mousquets, des machettes et des gourdins et elles se servaient rarement de boucliers.

Les amazones du Dahomey, qui vivaient à l'écart des hommes, ce qui pourrait expliquer leur farouche indépendance sinon l'existence même de leur clan guerrier, ont disparu au début du XXe siècle.

Ces femmes, nous dit l'écrivain Antonia Fraser, s'estimaient souvent être des « mâles honoraires ». Pour elles, être considérées comme des hommes était le compliment suprême. Cela signifiait qu'elles étaient « fortes, braves, déterminées, courageuses, disciplinées, loyales et fiables ».

Ces mêmes qualités se retrouvent aujourd'hui chez les femmes africaines d'Érythrée, qui luttent aux côtés des hommes. Dans l'interminable guerre contre l'Éthiopie, tous sont mis à contribution. Toutes les jeunes filles érythréennes apprennent le maniement des armes et étudient les tactiques militaires et les techniques de survie. Lorsqu'elles ont atteint l'âge d'aller se battre, elles transportent des bombes, des fusils automatiques et des grenades propulsées par des fusées aux côtés des meilleurs soldats masculins. Les jeunes Érythréennes d'aujourd'hui avaient un modèle en leurs mères qui ont combattu lors de la guerre d'indépendance contre l'Éthiopie qui a duré trente ans et qui n'a été gagnée qu'en 1991. « Nous avons libéré le pays. Maintenant, c'est à vous de le défendre », leur ont appris leurs mères. Les femmes soldats d'Érythrée estiment qu'elles font avancer la cause de l'émancipation de la femme dans leur pays. Après la guerre de leurs mères, les femmes ont obtenu pour la première fois le droit d'entrer à l'assemblée nationale et ont eu accès à des postes politiques. Ce sont des femmes qui occupent les postes d'ambassadeur auprès de l'Union européenne et de ministres de la Justice et du Travail. Une fois qu'elles ont acquis la maîtrise de leur corps, il devient plus difficile d'empêcher les femmes d'accéder à une plus grande part de pouvoir social.

Voici le culte de l'invalidité

Pendant les périodes où la société n'a pas besoin du travail des femmes, ni sur le plan économique ni pour défendre le territoire, son attitude envers elles change complètement. La force, le courage et l'audace de prendre des risques perdent tout caractère féminin. La fragilité devient féminine. Les prouesses physiques sont l'apanage des hommes. C'est ce qui est arrivé aux femmes après la Révolution industrielle, laquelle avait eu un effet réducteur sur l'identité masculine. Une fois les travaux agricoles et manufacturiers exécutés par des machines, la force physique a perdu de son attrait. Pour sauver le sentiment de domination masculine qui commençait sérieusement à vaciller, on a encouragé les femmes à limiter leur développement physique et à se transformer en créatures réprimées aux « membres mous et à moitié formés », comme l'a écrit la féministe britannique Mary Wollstonecraft. Dans son célèbre traité publié à la fin du XIXe siècle, *A Vindication of the Rights of Women*, Mary Wollstonecraft déplorait le sous-développement des filles. Dans les pensionnats britanniques, elles n'avaient pas le droit de s'adonner librement à des jeux comme les garçons, « mais étaient forcées de faire stupidement les cent pas dans une large allée, la tête droite, les orteils pointés vers l'extérieur, les épaules rejetées en arrière ».

La jeune narratrice d'un roman autobiographique publié en 1899 enviait tristement les garçons, mais pour des raisons qui n'avaient rien à voir avec leur pénis :

Les garçons avaient de la chance. Ils faisaient de la gymnastique. Ils avaient le droit de courir librement dans les rues et les squares. En hiver, ils avaient la neige et la glace, en été le lac.

Nous, les filles, ne faisions pas de gymnastique, n'avions pas le droit de nager ni d'aller en chaloupe. Nous n'avions pas le droit de faire des combats de boules de neige, ni même de patiner. Le tricot était encore très populaire.

Les filles restaient à la maison pour tricoter les chaussettes que les garçons portaient pour patiner.

Mary Wollstonecraft était convaincue que l'éducation physique était aussi importante que l'éducation de l'esprit. Selon elle, en empêchant les filles et les jeunes femmes de développer « la force physique sur laquelle la force mentale dépend dans une si large mesure », on les affaiblissait anormalement. On les *privait* de leur plein développement physique. D'ailleurs, personne ne savait ce que représentait le plein développement physique des femmes. « Ce n'est que lorsque les femmes auront les mêmes chances de développer leur potentiel physique qu'on saura jusqu'où s'étend la supériorité naturelle de l'homme », a-t-elle écrit. (Son emploi de l'adjectif « *naturel* » est ironique, évidemment !)

Au XIXe siècle, le sport était utilisé pour séparer les forts des faibles, le prolétariat de l'élite. S'ils voulaient devenir des hommes d'affaires prospères, les garçons qui fréquentaient les prestigieuses « public schools » anglaises devaient démontrer des talents pour le rugby. Plus le siècle avançait, plus le rôle du sport dans le maintien de la hiérarchie entre les sexes devenait important. Les hommes étaient des guerriers qui pouvaient subir toutes sortes de brutalité au jeu et en redemander. Les femmes blêmissaient rien que d'y penser. Lorsque les sports d'équipe organisés sont apparus, les femmes en ont été exclues et confinées à l'équitation, au bowling et à une occasionnelle partie de tennis au cours de laquelle elles s'empêtraient dans leurs longues jupes et étouffaient dans leurs corsets.

On ne saurait exagérer l'influence de la médecine sur le mythe de la fragilité féminine. Les médecins du XIXe siècle s'étaient donné pour mission de protéger les fillettes pubères contre tout excès d'activités physiques et mentales. Dans un ouvrage médical publié en 1879 maintes fois cité, Thomas Emmet recommande que « les jeunes filles soient mises au repos l'année avant la puberté et les deux années qui la suivent ». Les menstruations doivent être endurées en « position couchée » jusqu'à ce que leur organisme s'accommode de « ce nouvel ordre des choses ».

Un autre conseiller médical mâle recommandait aux jeunes filles d'éviter tout exercice. « Elles peuvent acquérir suffisamment de force dans la cuisine, la salle de bains et le jardin, gymnases naturels pour les jeunes adolescentes », affirmait-il cavalièrement. (Elles avaient intérêt à profiter de cette gymnastique car, une fois adultes, elles auraient besoin de toutes leurs forces pour la « gymnastique domestique » des travaux ménagers.) Les tissus et organes immatures des filles étaient considérés comme particulièrement instables et vulnérables aux blessures. La fatigue de la moindre partie du corps pouvait entraîner une fatigue généralisée. Si la croissance des os devançait celle des muscles, il pouvait en résulter un stress. Si la croissance du cœur était lente, les filles pouvaient s'affaiblir et souffrir d'évanouissements.

En outre, le sport avait pour les femmes le potentiel inquiétant de les « masculiniser ». Trop d'activité de « nature masculine rend le corps féminin semblable à celui de l'homme », a même proclamé un éducateur inquiet qui n'était pas seulement soucieux de leur apparence. L'excès d'exercice a un effet négatif sur tout, écrivait-il, et plus particulièrement sur « les organes génitaux car ils ont tendance à se putréfier ».

Il n'est pas étonnant que les filles se soient retirées au salon, préférant petit point, broderie et autres arts féminins à la possibilité de la putréfaction génitale ! Évidemment, ayant cessé de courir, de sauter et de grimper aux arbres, les fillettes de l'époque victorienne ont commencé à montrer des signes de faiblesse de constitution. La médecine a fait soudain volte-face et a commencé à s'inquiéter de « l'affaiblissement si commun chez les fillettes pubères », comme l'a affirmé un médecin qui proposait qu'elles se fassent des forces « en sautant, en jouant au cerceau et en prenant des bains glacés ». Trop fragile pour aspirer à autre chose que la « grâce » (gage de santé pour les femmes de l'époque), les jeunes filles devaient néanmoins se préparer aux assauts de la maternité. Des promenades tranquilles, à pied, en chaloupe ou en voiture, voilà les sports que pratiquaient les femmes du XIXe siècle, sauf pendant les menstruations, période pendant laquelle respirer était pratiquement le seul exercice permis. Toutes les précautions possibles étaient prescrites pour empêcher les filles de trop en faire. Tous se mettaient de la partie, médecins (même les femmes médecins), familles et institutions d'enseignement. Au collège Vassar, on interdisait formellement aux jeunes filles de s'adonner à quelque activité physique que ce soit pendant les deux premiers jours de leurs menstruations, y compris monter et descendre les escaliers. En fait, on mettait en garde les parents de ne pas laisser leurs filles menstruées aller à l'école si elles devaient monter plus de deux escaliers pour se rendre en classe, car elles pourraient mettre leur vie en danger en montant jusqu'au troisième étage.

Les femmes qui prenaient la liberté d'être trop actives pouvaient « se déplacer l'utérus et priver les générations futures », comme l'a affirmé un médecin. Voilà la noble préoccupation derrière laquelle la médecine se cachait pour légitimer sa mainmise sur le corps des femmes. La possibilité que l'exercice physique vigoureux auquel les hommes s'adonnaient puisse affaiblir leur capacité de produire des enfants n'a jamais été évoquée. Seules les femmes devaient sacrifier leur développement physique pour la plus grande gloire de l'espèce. Selon l'historienne Patricia Vertinsky, c'était « le prix à payer pour avoir un corps féminin ».

Les promoteurs et organisateurs de sports et de jeux décourageaient les femmes d'y participer. Il n'y avait ni installations adéquates ni programmes, on se moquait des efforts sportifs des femmes et on brandissait le spectre du « suicide de la race » à celles qui s'entêtaient. Si les femmes consacraient toutes leurs énergies à la pratique de sports vigoureux, elles mettraient en danger non seulement leur santé mais « l'avenir de la race blanche». Les autorités n'avaient pas à se soucier des organes reproducteurs des femmes noires, car les Noirs étaient encore plus complètement exclus du sport organisé que les femmes.

Vers le milieu du XIXe siècle, on surveillait étroitement l'exercice de toutes les femmes, pas seulement des jeunes filles. Les médecins prescrivaient aux femmes des régimes spéciaux pour les empêcher de s'épuiser, mais capables de leur permettre de devenir suffisamment robustes pour supporter l'enfantement et l'éducation des enfants (un équilibre difficile à atteindre). De l'adolescence à l'âge de quarante ans, une femme pouvait compter dépenser 20 % de son énergie aux fonctions reproductrices comme les menstruations, la grossesse et l'allaitement. Les Victoriens croyaient qu'une quantité calculable d'énergie était dispersée chaque fois qu'une femme était menstruée et chaque fois qu'elle donnait la vie.

Notons que les médecins et les auteurs de l'époque étaient convaincus que leurs opinions avaient des fondements scientifiques. Des études sur les animaux avaient montré que les mâles ont un métabolisme très actif (catabolique) auquel les évolutionnistes attribuaient le développement de plus gros cerveaux. C'était le destin biologique des femelles d'être portées à «la paresse et à la passivité (anabolique), à avoir un métabolisme plus lent et moins variable, et un comportement émotionnel et irrationnel», disaient deux évolutionnistes extrêmement respectés. En effet, dans leur ouvrage intitulé *The Evolution of Sex*, Patrick Geddes et J. Arthur Thompson prétendaient que la distinction hiérarchique entre les sexes (distinction selon laquelle l'homme est supérieur à la femme) «trouvait son fondement dans la biologie catabolique-anabolique qui ne pouvait être renversée». Les femmes étaient destinées à demeurer inférieures à jamais.

De nombreuses femmes médecins se sont jointes à leurs collègues masculins pour faire la promotion de l'inactivité physique pour leurs patientes. «La plupart des femmes font suffisamment d'exercice en vaquant à leurs occupations domestiques», affirmait le Dr Elizabeth Scovil dans son populaire ouvrage intitulé *Preparation for Motherhood Manual,* et « une longue promenade n'apporte pas assez de bienfaits pour compenser la fatigue qu'elle cause ».

Les notions associées au corps féminin sont devenues de plus en plus bizarres. Par exemple, un médecin a écrit dans le *Popular Science Monthly* qu'à la puberté, « le bassin change de forme... ce qui rapproche les genoux et est responsable de la façon maladroite qu'ont les femmes de courir ». (Apparemment, personne n'a eu l'idée que cette faiblesse des genoux pouvait être due au manque d'exercice.) Les médecins des deux côtés de l'Atlantique préconisaient une théorie de l'invalidité menstruelle qui accentuait le stéréotype du sexe faible. Les femmes elles-mêmes ont commencé à considérer les menstruations comme une infirmité, sinon une maladie.

Pourtant, au moment même où la société disait aux femmes de rester à la maison à manger des bonbons, un groupe de réformatrices moralistes commençait à faire entendre un autre son de cloche. Ces femmes essayaient de faire honte aux « jeunes filles alanguies » de la bonne société pour leur manque de forme physique. Pauvres jeunes filles de l'époque, elles ne devaient plus savoir sur quel pied danser ! Catharine Beecher (sœur de Harriet Beecher Stowe, auteur de *La Cabine de l'oncle Tom*) a été l'une des premières réformatrices et l'une des plus influentes. Elle a inventé une forme de gymnastique, a écrit un ouvrage sur sa méthode et a ouvert en 1824 une école pour filles à Hartford, au Connecticut. Mais elle n'était pas féministe, au contraire. Elle croyait en la subordination des femmes et en l'importance de leur rôle de « ménagères ». Sa méthode d'exercice visait uniquement à corriger la forme féminine et à rendre les femmes plus aptes au travail domestique. La méthode d'exercice de Mme Beecher était typique des efforts déployés au XIXe siècle pour donner aux femmes un sentiment d'importance tout en les maintenant à leur place.

Un siècle après que la féministe Mary Wollstonecraft ait émis pour la première fois un doute sur la supériorité physique des hommes, une féministe américaine a repris le flambeau de la cause du développement physique des femmes. Charlotte Perkins Gilman, née en 1860 au Rhode Island, s'est intéressée au développement physique dès son plus jeune âge. Elle n'était qu'une adolescente lorsqu'elle a réussi à convaincre le professeur de gymnastique local d'ouvrir un gymnase réservé aux femmes. Elle y passait plusieurs heures par jour à soulever des poids, à faire de la gymnastique et à courir le mille (1,6 km) en sept minutes.

Charlotte Gilman était en avance sur son temps car elle refusait l'idée de se confiner à une vie étroite et monotone une fois mariée. Elle sentait intuitivement que la force physique lui serait utile à cet égard. De plus, elle était portée à broyer du noir, une autre raison qui pourrait avoir motivé sa pratique quotidienne de l'exercice. Elle a fini par se marier et avoir un enfant. Après son accouchement, elle a sombré dans une profonde dépression. C'est ainsi qu'elle a recommencé à faire de l'exercice, espérant améliorer son attitude devant la vie. Elle se rendait au gymnase à six heures tous les matins. Elle adorait aussi l'aviron et épatait son mari en parcourant 4 milles (6,4 km) en moins de 50 minutes sans montrer la moindre fatigue. Pourtant, quelque chose clochait. Bien qu'elle ait tenté consciemment de contrer ces épisodes dépressifs par un exercice vigilant (une technique qu'utilisent toujours les femmes de la fin du XXe siècle), elle finissait toujours par y succomber malgré tout. D'après les connaissances actuelles sur les troubles de l'humeur, elle souffrait sans doute d'une affection sur laquelle elle n'avait aucune emprise. Elle a d'ailleurs souffert d'épisodes dépressifs pendant toute sa vie. Mais aucun traitement n'a été aussi décourageant ni aussi caractéristique de la façon dont les médecins « traitaient » la « nouvelle femme » libérée que la cure de repos que lui a prescrite le Dr S. Weir Mitchell, qui avait la réputation d'être le plus grand neurologue des États-Unis.

La cure de repos, une prescription de plus en plus populaire, était un régime d'extrême immobilité conçu spécialement pour les femmes. Selon l'historienne Patricia Vertinsky, réputée pour ses études sur les effets de la médecine sur la socialisation des femmes du XIXe siècle, le soulagement de tous les symptômes dont une femme se plaignait à son médecin passait par la « resocialisation », laquelle visait à lui faire abandonner toutes ses ambitions et à se contenter de ses obligations domestiques. Une « nouvelle femme » nerveuse était confinée au lit avec l'interdiction de s'asseoir, d'utiliser ses mains ou de lire. Le « traitement » pouvait durer jusqu'à huit semaines. Imaginez être privée de lecture, empêchée d'écrire ou d'avoir toute activité, y compris la visite d'amis !

Les auteurs féministes racontent souvent l'histoire de Charlotte Perkins Gilman, car elle illustre éloquemment le genre de contrôle qu'exerçait la médecine sur la vie des femmes, un contrôle qui n'a commencé à se relâcher qu'au cours du XXe siècle. Les femmes de l'époque de Mme Gilman faisaient ce que le médecin leur prescrivait, même si ces conseils étaient restrictifs et parfois carrément insultants. Le Dr Mitchell a conseillé à Charlotte Gilman de rentrer chez elle, de renoncer à toute activité physique et à tout contact social et de se concentrer sur sa vie domestique. « Gardez votre enfant auprès de vous en tout temps... Allongez-vous une heure après chaque repas. Ne consacrez que deux heures par jour à des activités intellectuelles. Ne touchez jamais à une plume, un pinceau ou un crayon jusqu'à la fin de vos jours. » Elle a suivi ces instructions pendant des mois sans constater le moindre soulagement.

Ce ne sont pas les appuis qui manquaient au Dr Mitchell. Selon la convention médicale de l'époque, les problèmes physiques et émotionnels dont se plaignaient les femmes découlaient tous de la plus grande liberté qu'elles commençaient à acquérir. De plus en plus de médecins axaient leur pratique sur les nombreuses femmes que les menstruations, la grossesse et la ménopause rendaient « nerveuses et irritables ». La profession médicale était parfaitement consciente de son pouvoir. En 1867, lors de la réunion de la Société d'obstétrique, un médecin a pontifié ainsi : « En tant que corps professoral pratiquant auprès des femmes, nous nous sommes constitués en défenseurs de leurs intérêts et, dans bien des cas, en gardiens de leur honneur. Nous sommes, en fait, les plus forts et elles les plus faibles. Elles sont obligées de croire tout ce que nous leur disons et nous pouvons par conséquent dire que nous les tenons à notre merci ».

Plus tard, Charlotte Perkins Gilman a écrit un livre sur une femme qui devient folle en raison du désœuvrement auquel l'avait condamné un médecin qui la tenait à sa merci. Inspiré par son expérience désastreuse de la cure de repos du Dr Mitchell, son premier roman, *The Yellow Wallpaper*, a connu un immense succès. Tout ce qu'elle devait écrire par la suite mettrait l'accent sur l'importance de la mobilité physique pour les femmes. Son plus important ouvrage, *Women and Economics*, véritable réquisitoire contre la restriction patriarcale du développement physique et intellectuel des femmes, a attiré l'attention des deux côtés de l'Atlantique. Elle est devenue une intellectuelle de premier plan dans le jeune mouvement des femmes. On peut se demander combien de temps le « culte de l'invalidité », comme l'ont appelé les historiens, nous aurait maintenues dans la fragilité si une petite poignée de féministes, des femmes qui avaient assez de vision pour se rendre compte qu'il s'agissait d'un système et reconnaître l'effet débilitant qu'il avait sur elles, n'avaient pas fondé un mouvement contre ce système.

L'eugénisme était un élément particulièrement terrifiant et influent de ce système. L'un de ses principaux défenseurs était le psychologue américain G. Stanley Hall, un gros canon de l'éducation, auteur d'ouvrages et d'articles et conférencier en haut lieu. Fondateur de la soi-disant étude des enfants, Hall déclarait être en possession de questionnaires, de sondages et de *faits* étayant ses proclamations. Et il ne se privait pas pour en faire. En 1903, dans une allocution devant la National Education Association, une assemblée de directeurs d'écoles publiques, Hall a non seulement appuyé la notion que le devoir de la femme était de se reproduire, mais il est allé encore plus loin. Par l'intermédiaire d'un programme d'entraînement physique national et d'une politique de reproduction sélective, annonçait-il, les femmes seraient capables de faire monter la race d'un cran dans l'échelle évolutive, mais pour ce faire, elles devaient se transformer en l'instrument le « plus apte possible à améliorer la race ». Cet entraînement était une responsabilité énorme. Selon Hall, ni les médecins, ni les pasteurs n'étaient équipés pour aider les femmes à accomplir ce tour de magie évolutif. C'était une tâche qui lui revenait, à lui et à d'autres comme lui. Seul un psychologue expérimenté, pénétré du « sens génétique » et comprenant l'importance de la santé et de la culture musculaire, pouvait conduire le développement physique et l'éducation de la femme à « la contrainte et à la joie de l'obligation pure ». En retour, une merveilleuse surprise attendait la femme. Son rôle serait exceptionnel, elle serait rien de moins que «le conduit par lequel "l'âme humaine" pourrait un jour devenir "surhomme" dans un "super-état". » Pouvait-on laisser les femmes régler elles-mêmes leurs pratiques d'hygiène corporelle en vue de cette aventure transcendante ? Certainement pas. C'était le scientifique, le psychologue et le pédagogue, disait Hall, qui devaient « d'abord connaître et ensuite contrôler » les méthodes par lesquelles les femelles pourraient produire une race d'hommes plus avancée. La suprématie nationale était un puissant moteur de cette philosophie. Hall était convaincu que « le pays le plus fécond... la nation qui se reproduit le mieux, qu'elle soit mongole, slave, teutonne ou saxonne, dominerait l'avenir ».

Le contrôle médical des femmes était tellement enraciné dans les mentalités qu'un autre siècle s'écoulerait avant que le mythe de la fragilité soit complètement déboulonné. Même dans les années cinquante et soixante, les mères prévenaient leurs filles de se tenir tranquilles pendant leurs menstruations. Le mois précédant mon départ pour l'université, ma mère m'a emmenée à la mer pour de courtes vacances en tête-à-tête. C'était une merveilleuse idée, qui n'a été gâchée que par son insistance à m'interdire de me baigner de peur que je prenne froid (j'avais mes règles), ce qui me causerait des crampes menstruelles insupportables pour le restant de mes jours. Évidemment, je me suis rebellée et me suis lancée dans les vagues. Après mon arrivée à l'université, mes premières menstruations ont été tellement douloureuses que j'ai pensé que ma mère m'avait jeté un sort ou, pire encore, qu'elle avait raison.

Au XIXe siècle et jusqu'au milieu du XXe siècle, on apprenait aux femmes à voir leur corps et leurs fonctions naturelles de manière particulière, dit Vertinsky. Elles évaluaient les bienfaits et les risques de l'activité physique de la même manière que les médecins, les psychologues et les éducateurs victoriens. « Les femmes sont devenues les sujets d'un système conçu pour produire des êtres dociles, dit-elle, et de méthodes qui encourageaient la docilité dès le plus jeune âge. »

La crise de la masculinité

« Pour le bien de la race », voilà l'argument qu'invoquait Hall et d'autres dans le but de déguiser une peur trop dévastatrice pour que la société la reconnaisse : si les femmes n'étaient pas empêchées de développer leur potentiel physique, la « virilité » des hommes serait en péril. La virilité n'était après tout qu'une notion aussi fragile que la féminité. Elle avait certainement besoin d'un coup de pouce après la révolution industrielle et les premières étapes de l'émancipation des femmes qui avaient amené les hommes à s'interroger sur le but même de leur existence. Tant en Angleterre qu'aux États-Unis, des changements dans le travail et la famille, l'urbanisation et la domination croissante des femmes dans les écoles ont conduit à ce que les historiens et les sociologues appellent aujourd'hui une « crise de la masculinité ». Si l'identité masculine se portait bien au début du XIXe siècle (l'expansion géographique et la croissance rapide de l'industrialisation « alimentaient un optimisme viril », a écrit un auteur de l'époque), vers le milieu du siècle, l'urbanisation faisait des ravages et écrasait les agriculteurs et les petits commerçants, privant ainsi de nombreux mâles de leur rôle de pourvoyeur. Comble de malheur, au même moment, le mouvement des femmes commençait à voir le jour des deux côtés de l'Atlantique. Ambitieuse, féministe et active sexuellement, la « femme nouvelle » annonçait « la fin de la chasse gardée des hommes aux urnes, à l'université et dans les écoles professionnelles ». Les notions de supériorité des hommes du XIXe siècle étaient clairement en danger.

La fondation des Boy Scouts en 1910 fut un effort américain pour « renverser le déclin appréhendé de la virilité », un déclin que le commissaire américain à l'éducation a décrit avec une intuition très juste du rôle central de la violence physique dans la masculinité : « Les garçons américains ne sont pas élevés à taper sur la tête des autres ni à supporter les coups de manière saine et honorable... Les hommes commencent à avoir un air étrange et indéfinissable, une tendance vers... une forme de pensée commune et asexuée. »

En disant « asexué », le commissaire voulait dire sans distinction entre les sexes. Les hommes perdaient même leur avantage intellectuel et se laissaient aller à un état de mollesse intellectuelle longtemps considérée comme typiquement féminine. Non seulement les sports aiguisaient-ils les facultés intellectuelles des hommes, mais ils étaient censés renforcer le « caractère ». La pratique du sport devait apprendre aux hommes « le courage, la virilité et la maîtrise de soi ». À mesure que s'écroulaient les vieux bastions qu'étaient les différences sociales, économiques et intellectuelles, les hommes pouvaient toujours se rabattre sur leur force physique. La taille, la puissance musculaire et le courage d'affronter qui que ce soit dans une épreuve sportive étaient des qualités mâles avec un grand M. À la fin du XXe siècle, ces distinctions aussi auraient disparu.

Dans une tentative pour ragaillardir leur ego chancelant, les hommes ont même voulu prendre Dieu à témoin de manière à s'identifier à l'Être suprême. Après tout, les femmes ne peuvent pas s'identifier à Dieu, pas vrai ? Un mouvement appelé le « christianisme musclé » a transformé l'image de Jésus. On a fait du « béatifique, délicat et doux défenseur des pauvres un être viril et musclé qui encourageait les forts à dominer les faibles ». Vous avez sans doute deviné que G. Stanley Hall appuyait le mouvement du christianisme musclé. « Nous sommes des soldats du Christ, nous développons nos muscles non pas contre un ennemi étranger, mais contre le péché en nous et autour de nous, » a proclamé Hall dans un article sur le christianisme et la culture physique.

Les défenseurs britanniques et américains du christianisme musclé assimilent la virilité au stoïcisme, au courage, à la tolérance à la douleur et à la vivacité d'esprit sous pression. Les hommes ont commencé à faire de l'haltérophilie, ce qui a donné naissance au mythe du « vrai mâle ». Si les femmes étaient déterminées à se comporter en hommes, ceux-ci faisaient monter les enchères. Un homme pourrait *toujours* développer une plus grande masse musculaire, menace à peine voilée à tous ceux qui remettaient en question la suprématie mâle. C'est le plus fort qui a raison.

Alors que la société mettait l'accent sur le physique masculin, les connaissances sur la santé des femmes demeuraient absurdement primitives, surtout quand on pense qu'elles ne remontent qu'à cent ans. Les femmes elles-mêmes n'avaient pratiquement aucune connaissance du fonctionnement de leur corps, de leur physiologie et même de leur sexualité. Les médecins mâles avaient la mainmise sur le peu de connaissances disponibles. Souvent, les femmes n'avaient pas confiance en ces médecins et préféraient taire leurs maladies plutôt que de s'exposer littéralement et métaphoriquement. Le traitement abusif de ces médecins mâles, particulièrement quand il s'agissait de problèmes gynécologiques, a fini par provoquer la rébellion des femmes.

En 1877, un article de Mary Putnam Jacobi (publié anonymement) a obtenu le prestigieux prix médical Bolyston de Harvard.

Celle-ci démontrait empiriquement que rien d'inhérent aux menstruations ne justifiait la mise au repos des femmes ayant leurs règles. Nombreux furent ceux qui accusèrent l'*establishment* médical de « se servir de son autorité professionnelle pour réprimer les femmes et limiter leurs activités en exagérant, prolongeant et même encourageant leurs maladies, réelles ou imaginaires », a écrit Patricia Vertinsky dans *The Eternally Wounded Woman*, son étude sur la médecine et les femmes du XIXe siècle.

Le piège du mythe de la fragilité reposait sur le même raisonnement que celui de l'esclavage qui veut que les esclaves soient d'abord *rendus dépendants* de leur maître et subséquemment décrits comme des êtres impuissants et faibles d'esprit. Les médecins étaient les maîtres au XIXe siècle et on peut facilement imaginer qu'ils ne voulaient pas voir les femmes envahir leur domaine. Mais les femmes avaient soif de connaissances et plus rien ne pouvait les arrêter.

Depuis le milieu du XIXe siècle, des femmes essayaient sans grands encouragements de devenir médecin. Aux États-Unis, Harriett K. Hunt a été la première femme à vouloir étudier la médecine, devenant apprentie dans différents cabinets médicaux et refusant de se laisser décourager après que sa demande d'admission ait été refusée deux fois par la faculté de médecine de l'université Harvard en 1847 et 1851. Les premières manifestations du mouvement féministe prenaient de l'ampleur. Les femmes commençaient à s'intéresser à la possibilité que des femmes médecins les traitent. Lors du premier congrès des femmes tenu en 1874, Mary Putnam Jacobi a suscité beaucoup d'intérêt en soulignant « l'immense influence » que les femmes médecins pourraient exercer « pour dissiper les préjugés stupides qui ont été utilisés depuis si longtemps pour cacher aux femmes les connaissances physiologiques générales qu'il est si important pour elles de connaître ».

Ai-je dit « préjugés stupides » ? Les choses allaient commencer à changer.

La fin du confinement

Les féministes et les médecins de la fin du XIXe siècle avaient des attitudes diamétralement opposées quant au développement physique et à la santé des femmes; les féministes protestaient ouvertement contre l'absurdité de toutes les restrictions. « Nous sommes physiquement plus faibles que les hommes, admettait la vicomtesse Harberton, mais pourquoi exagérer cette faiblesse en nous emprisonnant dans des vêtements tellement serrés que les muscles de certaines parties du corps s'atrophient au point de devenir inutiles ? » « Des vêtements adaptés », voilà le nouveau slogan des réformatrices comme la vicomtesse Harberton, qui se plaignait des longues jupes, des tissus lourds et des corsets qui mettaient la santé des femmes en danger et les rendaient plus vulnérables aux accidents. Sitôt devenus populaires, les culottes bouffantes, les *knickerbockers* et autres tenues pour aller à bicyclette ont été délaissés en faveur de la jupe courte.

Au sommet de sa popularité à la fin des années 1890, la bicyclette promettait à « la femme nouvelle une grisante liberté ». « C'est l'aube d'une nouvelle ère, l'aube de l'émancipation, et c'est la bicyclette qui nous la vaut », pouvait-on lire dans un article du magazine *Lady Cyclist*. « Libre de pédaler, de se promener dans la glorieuse campagne, libérée de tout chaperon ou admirateur mâle indésirable, la jeune fille d'aujourd'hui peut se sentir véritablement indépendante et, tout en développant une meilleure constitution, elle développe son esprit. »

La bicyclette a permis aux femmes de se débarrasser de leurs corsets et de fortifier leurs muscles abdominaux. Des jambes fortes, leur disait-on tout à coup, amélioreraient le tonus du bassin. Même les muscles utérins seraient fortifiés, rendant l'accouchement plus facile. C'est ce que promettaient — du moins provisoirement — les médecins de l'époque. Soudain on pouvait compter sur la bicyclette pour « sauver des milliers de femmes qui auraient autrement été invalides », avait annoncé un médecin. « La pratique de la bicyclette avait apparemment été inventée juste au bon moment pour réhabiliter les femmes anglaises et américaines », commente Patricia Vertinsky. Mais, peu de temps après que la police de la santé ait approuvé la pratique de la bicyclette par les femmes, sa popularité a causé de nouvelles inquiétudes. Une fois encore, les médecins se préoccupèrent de la propension des femmes à exagérer. Ils ont commencé à tenir la bicyclette responsable des difformités de la colonne vertébrale et de l'épuisement cardiaque. Certains prétendaient que les femmes étaient trop faibles pour faire porter tout leur poids sur les poignets ou pour supporter leur poids sur le pédalier.

Le débat médical le plus enflammé portait bien entendu sur les effets de la bicyclette sur les capacités reproductrices des femmes. La pratique de cette activité pendant les menstruations pouvait causer des « torts irréparables ». Le déplacement de l'utérus et le choc vertébral étaient d'affligeantes possibilités. Une selle défectueuse pouvait endommager le périnée et la vulve. Les muscles abdominaux maintenant raffermis étaient soudainement devenus mauvais pour l'accouchement. Sous prétexte de moralité, les médecins ont même exprimé la préoccupation que la friction de la selle pourrait encourager les femmes à se masturber.

L'exercice physique pouvait avoir une autre conséquence négative, soit « l'expression figée du visage » qui ne correspondait pas à la physionomie « tendre et aimante » que les hommes trouvaient si apaisante. Mais il était trop tard pour ces avertissements sinistres. Même la peur de se rendre laide ne faisait pas le poids comparée aux effets euphoriques de monter à bicyclette et de prendre la clé des champs. La technologie a joué un rôle dans l'émancipation des femmes. En 1885, une bicyclette plus basse dite « de sécurité » a remplacé l'ancien modèle à l'énorme roue avant, ce qui a procuré aux femmes la mobilité pour pouvoir se déplacer pour la première fois. Elles ont bientôt troqué leurs jupes contraignantes pour des culottes bouffantes et elles ont pris leur envol.

Les femmes n'ont pas mis beaucoup de temps à commencer à s'adonner à des activités plus vigoureuses. En 1890, deux ans seulement après la première ascension du Mont Rainier, Fay Fuller a été la première femme à en atteindre le sommet. Peu de temps après sa fondation en 1892, le Sierra Club comptait presque autant de membres féminins que de membres masculins. En 1905, une expédition du Sierra Club qui comptait quarante-six femmes a réussi l'ascension du Mont Rainier. Les femmes ont conquis tous les pics un à un, leurs ascensions étant toutes dûment relatées dans les journaux des clubs et les magazines populaires.

Les femmes avaient la piqûre de l'exploration. En 1910, le premier groupe de femmes est entré dans le Grand Canyon en empruntant un sentier appelé Bright Angel (ange resplendissant) vêtues de jupes fendues pour accommoder le transport sur mules. Les nouvelles prouesses réveillaient d'anciennes craintes au sujet des femmes qui refusent la fragilité. « Les sports sont-ils en train de masculiniser les filles ? » s'interrogeait le *Ladies Home Journal* en 1912. L'allusion était claire : une femme « masculine », c'est-à-dire forte et aventureuse, risquait de ne pas trouver à se marier.

Même les meneuses de claque étaient mal vues lorsqu'elles ont commencé à vouloir envahir ce territoire jusque-là masculin à l'époque de la Première Guerre mondiale. En effet, cette activité, qui avait vu le jour à la fin du XIXe siècle, était réservée aux hommes et considérée trop exubérante pour les femmes, qui risquaient de se « masculiniser ». Dans les années quarante et cinquante, les hommes ont abandonné cette activité en masse, probablement parce que l'arrivée des femmes mettait leur machisme en péril. Être meneuse de claque est devenu dès lors une activité « naturellement » féminine. Ce changement de « genre » d'une activité sportive illustre le caractère artificiel de la division des sports en activités masculines et féminines. Depuis la nuit des temps, l'athlétisme était considéré comme *la* compétition sportive masculine par excellence, presque aussi macho que le football. Pour qu'elle demeure « mâle », il fallait en exclure les femmes, ce qui a été fait. Je traiterai de l'exclusion systématique des femmes des sports « masculins » au chapitre 5, « Laissez-moi jouer ! La lutte pour être de la partie ». Pour l'instant, il suffira de dire que l'ego chancelant des hommes les a motivés à faire tout ce qu'ils pouvaient pour empêcher les femmes de paraître leurs égales sur le plan physique.

Les extrêmes auxquels ils sont allés semblent ridicules maintenant qu'on a vu à quel point les femmes peuvent être physiquement éblouissantes. On s'est servi de n'importe quel argument pour prouver que les femmes ne faisaient pas le poids physiquement. L'effet dévastateur des sports sur la capacité des femmes à enfanter était sans cesse remis sur le tapis. Le hockey (sur gazon seulement, pas le hockey sur glace) pouvait priver les filles de leur capacité d'allaiter. On n'expliquait jamais *comment* cela se produisait, mais on peut penser que les coups de bâton aux seins y étaient pour quelque chose.

Les seins des femmes ont été le symbole de leur fragilité à travers les âges. On pense que le mot « amazone » vient d'*a-mazos*, qui signifie « sans seins » et qu'il découle du mythe voulant que les amazones guerrières s'amputent un sein pour mieux tirer à l'arc. Malheureusement, les femmes elles-mêmes ont succombé au mythe et se sont convaincues que les seins restreignaient la performance sportive. Violette Gouirand-Morriss, championne nationale de France au lancer du poids en 1917, s'était fait enlever les deux seins dans l'espoir que cette intervention améliore sa performance.

À la fin du XIXe siècle, les femmes pratiquaient des sports plus variés et plus vigoureux que nul n'aurait pu imaginer un siècle plus tôt. Elles vivaient plus longtemps et avaient moins d'enfants ; elles étaient en meilleure santé et recevaient de meilleurs soins. Malgré les effets décourageants du mythe de la « vraie féminité » et du culte de l'invalidité, ou peut-être en raison de la nature débilitante et extrême de ces cultes, la première vague de féminisme qui a commencé au début du XIXe siècle a cédé la place à une deuxième vague au début du XXe siècle, laquelle préconisait un « nouveau modèle de femmes vigoureuses ».

À mesure que le siècle avançait, les énormes pressions sociales qu'entraînait la guerre mettraient temporairement en veilleuse la crainte qu'avaient les hommes de perdre leur masculinité. Quand il s'agit de défendre la patrie, non seulement encourage-t-on les femmes à faire du travail d'hommes, mais on s'y attend de leur part. C'est ce qu'on appelle leur « effort de guerre ». La Première Guerre mondiale a offert aux femmes des occasions qu'elles n'avaient jamais eues auparavant. Elles étaient soudainement assez fortes pour exercer des métiers dont elles avaient été exclues. Les hommes partis à la guerre, qui travaillerait dans les usines pour faire tourner le pays et la machine de guerre ? La protection de la nation prenait le pas sur les différences entre les sexes, et c'est ce qui a permis aux femmes de faire leur entrée dans le monde et d'acquérir de nouvelles compétences sans menacer la sécurité des hommes. La fragilité comme symbole de féminité venait de s'envoler en fumée.

Mais l'image de la femme en temps de guerre, celle qui construit et fabrique des machines, n'était greffée que de manière très ténue à l'image de la madone. Aux États-Unis, le symbole national de la femme patriote, Rosie la riveuse, était une petite femme dont les boucles blondes dépassaient joliment de son fichu de travail tandis qu'elle brandissait son fer à souder. Les femmes étaient utiles quand on en avait besoin, mais elles ne représentaient pas une menace physique.

C'est ainsi que la Première Guerre mondiale a oblitéré les différences entre les sexes. Toutes sortes d'emplois indépendants de l'effort de guerre et autrefois réservés aux hommes s'ouvraient soudainement aux femmes. Les vastes parcs nationaux qui avaient été jusque-là organisés et gardés par des hommes ont pour la première fois été confiés à des femmes. Embauchées comme gardes forestiers et directrices de parc, elles ont été bien sûr d'excellentes administratrices et l'expérience solitaire de la nature sauvage les a radicalisées. Ces femmes ont bientôt encouragé les jeunes filles à relever les défis de la vie en dehors du giron familial dans l'espoir qu'elles acquièrent « indépendance et témérité ». Les camps pour filles enfouis dans les forêts des grands parcs nationaux étaient considérés comme des « pépinières » vouées au développement d'une « femme nouvelle ». Mais, à la fin de la guerre, les femmes ont dû rendre leurs emplois aux hommes et des projets aussi radicaux que le conditionnement des filles à devenir indépendantes et téméraires ne devaient refaire surface que lors de la troisième vague du féminisme à la fin des années soixante et au début des années soixante-dix.

Vers le milieu du XIXe siècle, les programmes d'éducation physique dans tous les collèges et les universités pour femmes de l'est des États-Unis offraient des cours de sport ou de gymnastique. Les professeurs d'éducation physique féminins avaient décidé qu'elles savaient mieux que quiconque ce qui était dans le meilleur intérêt des jeunes filles. Leur pouvoir (semblable à celui des mères sur leurs filles, a observé un historien) ne doit pas être sous-estimé. Elles envisageaient un monde de « sports féminins » qui serait différent de celui des hommes, un monde qu'elles pourraient créer et contrôler. Sans le savoir, ces professeurs féminins ont contribué au mythe de la fragilité. Pour diverses raisons, dont certaines étaient intéressées, ces éducatrices ne voulaient pas que les filles développent tout leur potentiel. Elles voulaient illustrer les *distinctions* et non les ressemblances entre sportives et sportifs, en partie pour montrer que leur travail était unique et qu'il ne pouvait pas être fait par des hommes. On a inventé des règles pour les filles. Les règles du basket-ball, un sport populaire auprès des jeunes filles, ont été rendues plus faciles au point de ne donner qu'une version édulcorée du sport pratiqué par les hommes. « Les jeux brutaux et vicieux semblent pires de la part d'une femme », faisait remarquer Senda Berenson, entraîneuse au Smith College, où le basket-ball féminin a commencé en 1892… « et les prouesses égoïstes d'une star qui dribble d'un bout à l'autre du terrain » ne devaient pas être tolérées. Les jeunes filles jouaient sur un demi-terrain et n'avaient droit qu'à trois dribbles avant de devoir passer le ballon. Pas question de laisser émerger une *star*.

Après 1880, les professeurs d'éducation physique féminins avaient mis en place un réseau très structuré qui a persisté dans les écoles pendant des décennies. Selon l'historienne Joan Hult, « elles réussissaient à conserver un quasi-monopole sur les sports pratiqués par les filles et les femmes dans les institutions d'éducation supérieure et, à un degré moindre, dans les écoles secondaires et les écoles publiques. » Leur but ? Limiter la compétition, conserver le contrôle des programmes sportifs féminins entre les mains des femmes et encourager une « approche féminine » dans le sport.

Ces enseignantes n'étaient pas contre *toute* compétition, seulement contre la mauvaise. En 1923, un sondage a révélé que 93 % d'entre elles étaient opposées aux compétitions intercollégiales féminines. Les femmes n'étaient pas faites pour la compétition, disaient-elles, en insistant sur le fait que « le jeu pour le plaisir du jeu » était supérieur à la compétition que pratiquaient les mâles. La compétition mettait l'accent sur la victoire et l'élitisme aux dépens de la majorité.

Il est difficile de distinguer la part de contestation de l'agressivité du modèle sportif mâle attribuable à la philosophie d'une approche plus douce dans les sports féminins et la part attribuable à la volonté des professeurs d'éducation physique de protéger leur territoire. Ces femmes « se voyaient comme les gardiennes de l'éducation physique des femmes sur tous les campus, a écrit Joan Hult. Elles étaient animées d'un zèle missionnaire visant à écarter les femmes des ouvertures collégiales et olympiques qui pourraient se présenter ».

Ironiquement, à mesure que le sport est devenu plus populaire auprès des filles, les hommes ont commencé à s'infiltrer dans le sport féminin, spectre que les professeurs d'éducation physique féminins avaient tenté d'éloigner. Des entraîneurs masculins de l'Amateur Athletic Federation ont commencé à offrir des programmes à l'intention des femmes. Les éducatrices et d'autres personnalités féminines, dont Lou Henry Hoover, l'épouse du président Hoover, ont commencé à s'alarmer. En 1928, la division féminine de la National Amateur Athletic Federation, dirigée par Mme Hoover, s'est opposée à la participation des femmes aux Jeux olympiques. Ce groupe s'inquiétait plus particulièrement des méthodes d'entraînement physique potentiellement « dangereuses » et enjoignait les éducatrices et les filles de suivre leurs normes prudentes. Il a publié des pamphlets contre les compétitions inter-collégiales et olympiques et a fait la promotion d'un modèle « récréatif » d'athlétisme.

Rétrospectivement, il peut sembler étrange que les professeurs féminins se soient opposés aussi férocement à la compétition féminine. Mais c'est sans compter l'enracinement profond du mythe de la fragilité. Si les femmes médecins y souscrivaient encore au début du XXe siècle, il n'est guère étonnant que les éducatrices y aient adhéré. Mais toutes les tentatives pour écarter les femmes des sports de compétition devaient se révéler futiles, peu importe leur motivation.

Les années de la Deuxième Guerre mondiale devaient être cruciales dans l'évolution de l'attitude des femmes envers le sport. Comme le marché du travail avait besoin de femmes fortes et en santé, le gouvernement a encouragé des compétitions de condition physique. Le secrétariat de la guerre appuyait les sports de compétition qui produisaient des athlètes féminins et masculins de haut niveau. Dans les forces armées, les jeunes recrues féminines participaient aux compétitions sportives. À la fin des années quarante, les éducatrices, l'establishment du sport amateur et la culture populaire étaient tous en faveur de la participation des femmes aux sports de compétition. Même les très protégés gymnases des écoles privées pour filles ont ouvert leurs portes à la compétition.

Dès 1950, les élèves des écoles secondaires pour filles participaient à des ligues et à des championnats sportifs. À l'école secondaire catholique pour filles que j'ai fréquentée, nous avions des cours de gymnastique et de natation plusieurs fois par semaine. Il y avait des parties de hockey sur gazon entre les collèges et les filles enroulaient du ruban adhésif autour de leur bâton pour atténuer les coups. Nous avions des compétitions de natation et de basket-ball. Toutes étaient organisées et réglées par une seul prof et entraîneuse. Avec ses petites jambes musclées et sa démarche gauche, Miss Smits était unique en son genre. Elle portait le même uniforme que nous, une tunique marron portée sur des culottes bouffantes, ce qui ne faisait qu'accentuer notre désir de ne pas lui ressembler. Miss Smits, avions-nous découvert, n'était pas mariée. Il nous arrivait parfois de nous poser des questions peu charitables à son sujet. Nous ne savions rien de l'homosexualité féminine à l'époque ; le pire que nous pouvions imaginer était que la pauvre Miss Smits dormait avec ses chaussures de tennis. De plus, elle ne semblait pas vraiment s'intéresser à nous. Alors qu'elle s'évertuait à arbitrer nos parties, nous hurlant de nous dépêcher et faisant sans cesse retentir son sifflet, elle ne jouait pas auprès de nous le rôle de l'adulte encourageant et empathique. Non, elle semblait plutôt flotter dans un monde de prof de gym rien qu'à elle.

Malgré tout, je pense que nous avons eu de la chance d'avoir Miss Smits. Dans certaines écoles catholiques pour filles, les religieuses dispensaient elles-mêmes les cours d'éducation physique. Parlant des énormes changements qui sont survenus dans les sports féminins au cours des dernières décennies, la mère d'une fillette de neuf ans qui joue au soccer a dit : « J'ai grandi au Moyen Âge. La religieuse qui nous entraînait remontait ses longues manches bleues, tenait un manuel d'instruction devant elle, et priait. »

Au moins, Miss Smits connaissait les règles. Elle et ses milliers de collègues dans des écoles partout au pays représentaient une force culturelle aux États-Unis, une force qui militait en faveur d'une éducation physique professionnelle, bien que « féminisée », pour les jeunes filles. Il faut toutefois reconnaître que l'éducation physique des filles faisait alors partie d'un mouvement qui devait conduire à d'autres changements. Il nous y a fait goûter et nous en avons voulu davantage.

Au début des années soixante, la révolution culturelle qui déferlait a fini par influencer l'attitude de la société envers les femmes et le sport. L'accent que mettait la contre-révolution sur la liberté physique, le plaisir corporel et les loisirs a indirectement encouragé les sports féminins et les activités de mise en forme. À la même époque s'ouvrait l'ère de la télévision qui devait rendre le sport plus populaire que jamais. Une économie de consommation en pleine expansion a créé une industrie multimilliardaire. Presque tous ces milliards ont été consacrés aux sports masculins, mais les temps changent. Un article publié dans le magazine *Ms* en 1973 ayant pour titre « Combler l'écart musculaire » (traduction libre) établissait un lien entre les prouesses athlétiques des femmes et un changement révolutionnaire dans les relations entre les sexes : « En développant pleinement son pouvoir, toute femme, de la championne olympique à la sportive du dimanche, peut se mesurer à n'importe quel homme. Mieux encore, elle hérite d'une source essentielle de confiance en soi, soit la fierté et la maîtrise de son corps. Cela représente en soi une révolution ».

L'idée que n'importe quelle femme puisse un jour se mesurer à n'importe quel homme était prémonitoire, mais il devait encore s'écouler un quart de siècle avant que les femmes ne commencent à « combler l'écart musculaire ». Des vestiges du mythe de la fragilité ont persisté même après que les filles ont pris d'assaut les sports d'équipe dans les années soixante-dix, même après les prouesses olympiques des athlètes féminines dans les années quatre-vingt et même après que les femmes ont commencé à surpasser l'endurance des hommes au marathon dans les années quatre-vingt-dix, et à se tailler une place dans les sports de contact comme le hockey sur glace, le football et le rugby, si longtemps considérés comme une chasse gardée « mâle ». Comme je le montrerai dans les chapitres qui suivent, les hommes ont souvent été ambivalents, au mieux, au sujet de la compétence physique des femmes et de leur entrée dans la compétition de haut niveau.

Lors d'un dîner pendant l'été 1999, je m'enthousiasmais sur le développement physique extraordinaire des femmes d'aujourd'hui, un sujet que je n'estimais pas controversé, surtout que l'équipe féminine de soccer des États-Unis venait de remporter la Coupe du monde. Mon hôte, un gynécologue, a froncé les sourcils et déclaré: « C'est bien beau, Colette, mais ces femmes font toutes de l'ostéoporose. »

Pardon? « Ces » femmes? *Toutes?*

« Seulement les femmes qui pratiquent des sports d'endurance extrême, l'ai-je corrigé. Et pas *toutes.* »

Il voyait bien que j'allais discuter et, pour ne pas gâcher le dîner de sa femme, il a préféré laisser tomber. Mais ce genre de souci généralisé au sujet d'un danger médical pour toutes les femmes me paraît trop zélé et restrictif, carrément d'un autre siècle. En rentrant chez moi après le dîner, je me suis dit que le culte de l'invalidité était loin d'être mort.

Pour en finir avec le mythe des menstruations

Le mythe que les femmes doivent restreindre leurs activités physiques par crainte que celles-ci ne compromettent leur capacité à enfanter a persisté pendant une bonne partie du XXe siècle. Mais c'est seulement lorsque des millions de femmes ont commencé à suivre le nouveau mouvement sportif que la médecine a formalisé ses exigences. En 1985, un panel de l'American College of Obstetricians and Gynecologists a émis pour la première fois des lignes directrices sur l'exercice pendant la grossesse. Selon ce document, le rythme cardiaque d'une femme enceinte ne devait pas dépasser 140 battements par minute, la pratique d'activités physiques vigoureuses ne devait pas dépasser 15 minutes, il ne fallait faire aucun exercice sur le ventre après le quatrième mois, la manœuvre Valsalva (forcer en retenant son souffle) devait être évitée et la température interne du corps maternel ne devait pas dépasser 38 °C. Bien que les membres du panel aient affirmé que leurs lignes directrices avaient de solides fondements médicaux, leurs détracteurs s'y sont opposés en affirmant qu'elles ne reposaient pas sur des données empiriques. Par exemple, il semblait particulièrement déraisonnable de demander que le rythme cardiaque d'une femme enceinte ne dépasse jamais 140 bpm, surtout que cette recommandation n'avait fait l'objet d'aucune étude en laboratoire ni d'aucune étude clinique contrôlée.

Comme cela se produit souvent en médecine, au lieu d'être utilisé comme guide pour les individus (comme l'a suggéré plus tard la corporation professionnelle), le document est devenu la norme à laquelle tous les programmes d'exercice étaient tenus d'adhérer. Toutefois, cette controverse a déclenché neuf années d'expérimentation et de nombreuses études qui ont contraint la profession médicale d'admettre qu'il n'y avait aucune preuve que l'exercice était néfaste dans le cas d'une grossesse normale. En fait, les nouvelles données démontraient clairement que les risques de complication ne sont pas plus élevés chez les femmes qui font de l'exercice pendant leur grossesse que chez celles qui n'en font pas et qu'ils pourraient même être plus faibles. En 1994, l'American College of Obstetricians and Gynecologists a publié un « bulletin technique » révoquant ses conseils précédents pour affirmer : « Il n'existe aucune donnée sur les humains qui indique que les femmes enceintes devraient restreindre l'intensité de leur activité physique et viser à réduire leur rythme cardiaque en raison d'effets potentiellement nocifs, incluant tout effet nuisible sur le fœtus. » En réalité, (devinez quoi) l'exercice contribuait à prévenir les problèmes de santé associés à la grossesse, la prise de poids excessive, la résistance insulinique et l'intolérance au glucose, la mauvaise posture et les douleurs lombaires, de même que la propension à l'anxiété et à la dépression.

Le mythe de la vulnérabilité reproductrice, qui avait englobé l'exercice pendant et après la grossesse et pendant les menstruations, ne pouvait pas être renversé de manière plus spectaculaire qu'à l'occasion du Marathon de Boston de 1996 par l'Allemande Uta Pippig. La course est un événement spectaculaire et Pippig était favorite pour l'emporter une troisième fois, ce qui constituerait une première. Cependant, « fait sans précédent », tous les spectateurs ont pu voir le sang menstruel de l'athlète et être témoins de sa douleur, comme l'a écrit Elizabeth Kissling dans le *Sociology of Sport Journal*. « Les menstruations de la coureuse ont commencé tôt dans la course et elle a souffert tout au long de crampes et de diarrhée. »

Elizabeth Kissling, sociologue à l'université Eastern Washington, s'est intéressée plus particulièrement aux comptes rendus de l'événement dans la presse et à l'embarras des commentateurs masculins, qui ne savaient plus quoi dire ni comment l'exprimer. L'expérience de Uta Pippig a complètement déboulonné le vieux tabou voulant qu'on ne parle pas de ces choses-là. Comment les journaux pouvaient-ils ne pas le mentionner ? Elle, si souvent décrite comme blonde, belle et « féminine », n'a pas mis fin à sa course lorsqu'elle a commencé à saigner ni quand elle a souffert de crampes et de diarrhée. Elle se nettoyait de son mieux à chaque point d'eau, mais elle a continué à courir jusqu'à la fin, même après avoir été dépassée par la Kenyane Tegla Loroupe. Puis, après le mille 24, Uta Pippig est revenue de l'arrière pour coiffer Tegla Loroupe et arracher la victoire pour une troisième fois consécutive. Elle a gagné, mais dans un état « dégoûtant », comme l'a décrite un reporter.

Mme Kissling a étudié les pages sportives de quarante-cinq journaux, « évaluant soigneusement le ton employé pour en dégager les attitudes, présomptions et valeurs sous-jacentes ». Elle a découvert que les journaux avaient traité les menstruations de trois façons. La première consistait à ne pas mentionner les règles comme source des problèmes de Mme Pippig ; la deuxième faisait appel à un langage tellement technique qu'on avait l'impression de lire un rapport clinique ; et la troisième consistait à insister exagérément sur les effets débilitants des règles. Fait intéressant à noter, près de la moitié des journaux ne mentionnaient pas les règles dans leur couverture, à l'exception d'une phrase anodine comme celle-ci tirée du *Los Angeles Times*: « Uta Pippig a été malade pendant près de 25 milles (40 km) lundi, mais les encouragements des Bostonnais l'ont remise sur pied. »

Les articles d'autres journaux (parmi lesquels le *Boston Herald* et le *Washington Post*) restaient vagues, attribuant les problèmes de Uta Pippig à des troubles de l'estomac. Le *Newsday* et le *Detroit News* affirmaient que Uta Pippig avait envisagé d'abandonner la course en raison de crampes, mais sans préciser qu'il s'agissait de crampes menstruelles. Il y avait enfin les hystériques qui célébraient la victoire de Pippig sur les menstruations plutôt que sur les autres athlètes. Dans son article publié dans le *Boston Herald*, Michael McGee déclare le corps de Pippig « dysfonctionnel » et ses troubles menstruels un « motif d'abandon ». Un autre auteur écrivait dans le même journal: « Il n'y a pas de façon délicate de le dire. Mme Pippig a eu des problèmes féminins au pire moment, elle souffrait et était dans un état dégoûtant. »

Des troubles féminins. Cette expression apparemment anodine en surface, mais méprisante, n'est guère moins offensante que « le métabolisme quiescent et une tendance à avoir un comportement émotionnel et irrationnel » auxquels faisaient référence les auteurs de *The Evolution of Sex* cent ans plus tôt en 1889. Elizabeth Kissling a conclu que la couverture médiatique de la course de Uta Pippig a perpétué le mythe des menstruations, non seulement dans son langage mais aussi dans ses insinuations, comme l'a fait Michael McGee en suggérant que Uta Pippig aurait dû « faire la chose sensée et se retirer sur le côté ».

Abandonner la course, quoi! Se plier au motif d'abandon, au nom du décorum féminin.

Malgré tout, la course de Uta Pippig et sa couverture dans les médias représentent une victoire pour les femmes. Les quarante-cinq journaux ont tous souligné que la douleur de Mme Pippig ne l'a pas empêchée de gagner le Marathon de

Boston de 26 milles (41,6 km) et cela en soi constituait une percée importante. « La victoire de Uta Pippig mettait du plomb dans l'aile de ceux qui prétendaient que les menstruations étaient débilitantes ou qu'elles empêchaient les femmes de participer à des compétitions sportives », a écrit Mme Kissling.

Les femmes de la génération qui ont précédé celle de Uta Pippig — la mienne — apprenaient non seulement à restreindre leurs activités pendant les menstruations, mais à en cacher les moindres signes au risque de la plus grande honte. Ce genre de leçon ne s'oublie pas facilement, surtout la honte. Pour ma part, je suis profondément convaincue que la honte des menstruations est liée au sentiment d'infériorité physique des femmes et à leur acceptation de ce statut secondaire. La honte des menstruations n'est pas uniquement une question de sexe ou de physique, mais la honte de son identité. Les comptes rendus des journaux sur le courage de Uta Pippig qui a fait fi de toute prudence pour atteindre son but font exploser les mythes. Rien qu'à penser qu'elle a couru pendant des milles devant les reporters, les spectateurs et les caméras de télévision, souillée et sanguinolente, j'étais toute remuée. J'avais envie de la prendre dans me bras.

Quand j'avais seize ans, je jouais au badminton intercollégial à mon école catholique pour filles sur une colline près de Baltimore. Lors d'une partie mémorable contre une autre école, je me suis complètement investie dans le jeu, virevoltant sur le terrain dans mes shorts blancs, accumulant les smashes et les volleys, excitée par le mouvement, la sueur et la victoire ultime. Après la partie, en retournant au vestiaire, j'ai remarqué avec horreur une tache d'un rouge éclatant sur mes shorts. J'ai immédiatement revu en esprit les gradins remplis d'autres élèves, de garçons et, pire encore, de religieuses qui me regardaient jouer avec la marque de la Bête sur mon derrière.

Rien n'aurait pu être plus mortifiant pour moi. Je n'avais personne à qui parler de l'incident. Cela aurait été admettre une trop grande faiblesse, une grave lacune et une immense stupidité. Si elles ne réussissaient pas à faire autre chose dans la vie, on attendait au moins des filles qu'elles sachent cacher leur sang menstruel. Cette honte découlait des connotations culturelles sur les menstruations et non de la modestie. Saigner tous les mois ! Pouvait-il y avoir un signe plus éloquent de la fragilité féminine ?

Le mythe de la fragilité a eu de profonds effets physiologiques, psychologiques et émotionnels. Un grand nombre de femmes ont grandi en étant prisonnières de leur corps, en ignorant l'ampleur de leur force et de leur endurance et sans oser chercher à la connaître. Mais, comme la faiblesse physique est apprise, on peut aussi la désapprendre. C'est ce qui est en train de se passer aujourd'hui, à mesure que les femmes se rendent compte du prix à payer pour leur corps affaibli — elles refusent dorénavant de le payer.

À la fin du XXe siècle, le mythe des menstruations avait pratiquement disparu grâce à des femmes comme Uta Pippig, le Dr Mary Putnam Jacobi et la féministe Charlotte Perkins Gilman. Les femmes ont dû protester pour que les effets des menstruations sur le corps fassent l'objet d'études médicales. Comme nous l'avons vu, au cours de leurs recherches sur les phases du cycle menstruel et l'exercice, les scientifiques ont découvert que celui-ci n'est pas une menace pour le processus menstruel et qu'au contraire il aide même à le réguler.

La pratique de l'exercice pendant la grossesse ne menace ni la mère ni l'enfant. En fait, le manque d'exercice rend la femme enceinte plus vulnérable à des problèmes de santé qu'elle peut éviter en étant en forme.

Le lien entre l'aménorrhée (absence ou suppression anormale des règles) induite par l'exercice et la densité osseuse (à laquelle le gynécologue faisait référence quand il a déclaré : « Ces femmes font toutes de l'ostéoporose ») est compliqué et encore mal compris. Il est préférable de résoudre ce problème en testant les taux hormonaux et la densité osseuse d'athlètes individuelles plutôt qu'en émettant des proscriptions générales. L'exercice est excellent pour la santé des femmes qui en font et il faut faire attention de ne pas trop mettre l'accent sur le cas des femmes qui se font du tort en tombant dans l'excès. Comme nous le verrons dans le chapitre qui suit, les filles physiquement actives réduisent leurs chances de souffrir de maladies chroniques plus tard dans la vie. Elles font aussi diminuer leurs risques de cancer du sein et remplissent l'objectif crucial d'atteindre une masse osseuse maximale à l'adolescence.

Aujourd'hui, les femmes découvrent les effets à long terme qu'ont la compétence et la force physique sur leur vie. « J'ai appris en faisant du sport que je pouvais me relever immédiatement quand on me poussait par terre, dit une prof d'université et joueuse de crosse. Cette réalisation me donne une capacité presque terrifiante de réussir. »

La ténacité et le cran sont les plus grands avantages que procure la destruction du mythe de la fragilité. Les femmes se sentent nettement plus fortes lorsque leur corps est plus fort. Elles n'ont plus besoin d'homme pour les protéger. Elles sont leurs propres guerrières, capables de se défendre elles-mêmes, de se mesurer à n'importe qui et de faire tout ce qu'elles désirent. Des chances égales de se développer sur le plan physique et la capacité de se sentir aussi en sécurité ou confiantes que les hommes sont les derniers remparts pour les femmes. Tout cela semble évident aujourd'hui, mais c'est peut-être parce que les femmes se sentent physiquement égales pour la première fois. Tant et aussi longtemps que nous demeurons physiquement opprimées, nous ne pouvons pas être libres.

Chapitre 2

L'incroyable rétrécissement de la femme

Les journaux en ont fait leurs choux gras ! La Première Dame s'était exercée avec le Président pendant tout le week-end dans le Rose Garden, mais lorsqu'elle a lancé la première balle de la saison de base-ball de Chicago en 1994, Hillary la dure, celle qui l'emportait toujours sur son mari, a avancé le mauvais pied et manqué son coup. La faiblesse de son lancer faisait peine à voir, surtout en comparaison de celui de son mari. Et les médias n'ont pas manqué de les comparer. Le *New York Times* et le *Washington Post* ont publié à la une deux photos côte à côte. L'une montrait Bill reculant légèrement avant de s'avancer pour lancer la première balle pour Cleveland ; l'autre montrait Hillary le même jour, l'air pathétique à Chicago. Digne d'un sportsman avisé, une évaluation du duo parue dans le *Atlantic Monthly* décrivait le Président comme un gaucher. « Il avait tourné les épaules parallèles au marbre pour se préparer, a écrit James Fallows. Tenant la balle d'une main placée derrière la nuque, il avait ramené le bras en avant pour effectuer son lancer d'un geste net et efficace. » Comparaison cruelle, Hillary se tenait face au marbre. « Droitière, le coude de son bras droit se trouvait pointé devant le marbre. Son avant-bras était penché vers l'arrière, vers son épaule. La balle reposait dans sa paume tournée vers le haut. »

Mon Dieu ! ai-je pensé en lisant cela. J'imaginais sans mal comment les choses s'étaient passées. La Première Dame avait raté son lancer et de petits sourires à peine voilés étaient apparus un peu partout dans le stade, unissant les hommes dans leur joviale supériorité. Après tout, Hillary n'était pas si dure, concluaient-ils. Elle lance comme une fille !

Lorsque j'ai commencé à travailler sur le présent ouvrage, je voulais découvrir comment la fragilité féminine était devenue et demeure encore dans une large mesure une notion tellement fondamentale qu'on la considère comme une évidence, une réalité aussi indéniable que le piètre lancer de Hillary Clinton. Comment ce mythe a-t-il été transmis aux filles et qui le leur a transmis ? Je voulais le savoir parce que j'avais commencé à m'apercevoir combien ce mythe de la fragilité m'avait fait du tort.

J'ai fait partie de la première génération de femmes intellectuellement éduquées (dans la foulée du mouvement en faveur des études universitaires, qui a commencé dans les années cinquante). Je n'ai *pas* fait partie de la première génération de femmes *physiquement* éduquées. Mes filles sont de cette génération. L'éducation de leur corps est allée au-delà des exercices physiques habituels et du basket-ball, bien au-delà. Elle leur a donné la chance de profiter d'une formation d'élite, de la compétition et du plein développement de leur musculature. Le monde entier a pu voir pour la première fois un corps ainsi développé lorsque Brandi Chastain a enlevé son maillot, ne gardant que son soutien-gorge de sport noir, lorsque l'équipe de la Coupe du Monde américaine a marqué le point de la victoire sur la Chine. C'était là un corps digne de la couverture d'un magazine, ont décidé les éditeurs de *Newsweek,* un corps avec des quadriceps, des biceps et des latéraux saillants, un corps façonné non pas par un simulateur d'escalier, mais par la pratique véritable d'un sport et par les poids et haltères. Un corps qu'on ne pouvait assimiler à un objet. Sur la grande bannière en travers de la couverture de *Newsweek* on pouvait lire : « LES FILLES RÈGNENT ! »

À mon époque, il aurait été inconcevable qu'une femme ait un corps comme celui de Brandi Chastain. Même si on avait pu imaginer qu'une femme puisse avoir de tels muscles, on aurait considéré qu'elle était monstrueuse. Cédant aux exigences des notions de féminité de notre époque, nous refusions de développer nos muscles. Demeurer « menues » était le legs que nous avait laissé le XIXe siècle. Si le culte de l'homme viril et celui de la femme fragile sont apparus au XIXe siècle, ils se sont perpétués pendant une bonne partie du XXe siècle. Pour que ces cultes survivent, les hommes *devaient* se rendre virils, tandis que les femmes *devaient* se fragiliser. Pour que la distinction entre les hommes et les femmes reste éminemment apparente, pour que la division des sexes soit claire comme de l'eau de roche, il fallait creuser un fossé entre leurs habiletés. Au XIXe siècle, on croyait que le cerveau des femmes était plus faible que celui des hommes ; on croyait aussi la même chose de leur corps. Bien entendu, ni l'une ni l'autre de ces suppositions n'est vraie. L'égalité intellectuelle des femmes a lentement été reconnue au cours du siècle dernier. Il en va tout autrement de leur égalité physique.

Qu'est-ce que je veux dire par égalité physique ? Je veux dire des chances égales de profiter d'une éducation physique ; des chances égales de prendre part à des compétitions sportives ; et, enfin, des chances égales d'apprendre à se défendre. Ne vous y trompez pas, la résistance de la société à la pleine égalité physique des femmes est énorme. Si les femmes devaient démontrer qu'elles ont autant de force, d'agilité et d'endurance que les hommes, ce serait la fin du monde.

Être féminine : l'effet du sexe

Les différences entre les sexes constituent un sujet fascinant car une très grande part du débat est fondamentalement déterminée par une « construction sociale » ou de l'invention pure. Ces idées fabriquées sur les sexes influencent tout, des notions sur le comportement au sexe qui a le dessus. Personne ne sait vraiment quelles sont les différences, s'il y en a, entre *l'essence* de ce qu'est être une femme et *l'essence* de ce qu'est être un homme. Cependant, notre conditionnement sur les sexes et la nature ténue des distinctions entre ceux-ci créent un malaise (comme nous le verrons). On nous motive à voir les gens comme des personnes de sexes opposés, aussi vraisemblablement « différentes » que possible.

Après la révolution industrielle, la société a vu diminuer l'importance de la différence de force entre les hommes et les femmes, tout en assistant à l'intensification de la notion de l'homme viril et de la femme invalide (comme le montre le dernier chapitre). Nous avons été tenues sous l'emprise de ces concepts déformés du masculin et du féminin pendant la majeure partie du XXe siècle, c'est-à-dire jusqu'à ce que Ken et Barbie sortent de la matrice de plastique de Mattel en 1960, si ce n'est plus longtemps. Les mères féministes ont toujours déploré l'exagération des côtés respectivement macho et fragile de Ken et Barbie et ne voulaient pas d'eux dans leur maison. Quelle défaite ! Les petites filles *veulent* ces caricatures de « l'homme » adulte et de la « femme » adulte – Ken le fort et Barbie la faible (peu importe l'allure qu'on leur donne). L'opposition extrême de leur personnalité sexuée semble rendre ces jouets réconfortants.

Vers la fin des années quatre-vingt-dix, cependant, certains spécialistes des sciences sociales (sinon les petites filles elles-mêmes) ont semblé vouloir mettre à la poubelle toute la notion de « différence ». Peut-être ne cherchaient-ils pas à la détruire entièrement, mais ils voulaient assurément remettre en question toutes les vieilles suppositions qui en découlaient. Les hommes et les femmes ont-ils réellement des traits psychologiques différents, des façons différentes de se sentir et de réfléchir aux choses, se sont-ils demandé ? Les hommes et les femmes ont-ils des capacités physiques différentes ? Se fatiguentils et récupèrent-ils à des rythmes différents ? Un sexe a-t-il plus d'endurance que l'autre ? Un sexe est-il plus courageux, plus audacieux ou plus enclin à prendre des risques que l'autre ? Au début, il m'a paru étrange qu'on soulève de telles questions, l'équivalent psychologique pour une femme élevée dans la religion catholique qui, après avoir donné naissance à une douzaine d'enfants, apprendrait que le Pape vient de donner son aval à la contraception. Quoi ? C'est *maintenant* qu'on me le dit ! Pendant des années, les femmes de ma génération ont tenté de s'ajuster aux restrictions jugées appropriées pour leur sexe. Maintenant, les spécialistes des sciences sociales suggèrent que la féminité et la masculinité sont des concepts sans grande signification, du moins comme arbitres du comportement social. *Il y a* une différence entre la semence et l'ovule. Mais la féminité et la masculinité ? Ce sont là des concepts fabriqués de toutes pièces.

Jeune femme pendant les années soixante, je me demandais avec inquiétude si je saisirais un jour ce qu'était l'essence de la féminité. Dans ma génération, les vêtements, le comportement et les sentiments étaient aussi bien circonscrits que l'était le sexe, mais les « règles » de la féminité changeaient constamment. La mode disait que les costumes pantalon étaient « à la mode » ; la tradition et (de nombreux patrons) n'étaient pas d'accord. Le travail des femmes était « in » aussi, mais pas au détriment du fragile ego masculin. On parlait beaucoup de sexe et on se demandait si les femmes avaient de « véritables » orgasmes. Tout cela nous gardait sur le qui-vive.

Nous accordions de l'importance à l'élusive féminité surtout parce que nous la croyions indispensable pour attirer des hommes convenables, matures et pleinement développés sur tous les plans. (Le mouvement féministe en est cependant venu à la désolante conclusion que de tels hommes sont terriblement rares). Être suffisamment « féminine » était un concept qu'on nous inculquait dès le berceau. (Être suffisamment « masculin » était naturellement une exigence que les hommes devaient satisfaire tout aussi rigoureusement.) On ne considérait jamais qu'une femme avait atteint sa pleine maturité si elle n'avait pas acquis en cours de route les mystérieuses caractéristiques de la féminité. Une femme ne savait jamais exactement *quand* elle y était parvenue ou *si* elle y était parvenue. Pourtant, le mandat était clair : la féminité signifiait accepter son sort et toutes ses limites. C'était une question de hiérarchie, de position, qui s'accompagnait d'une vérité irréfutable : les femmes devaient se faire à l'idée de venir en deuxième, faute de quoi elles ne pourraient jamais avoir de « véritables » orgasmes. Les « véritables » orgasmes étaient les orgasmes vaginaux, le vagin étant le dernier avant-poste de la « véritable féminité ». Vous croyez que ces orgasmes clitoridiens sont bien, disaient certains thérapeutes à leurs patientes, mais ils ne le sont pas. Cliniquement, les orgasmes provoqués par la stimulation du clitoris sont considérés infantiles. L'auteur de cette terrible et menaçante notion, qui a fini par s'imposer, est Freud. Il a écrit que « le clitoris doit céder au vagin sa sensibilité et son importance, en partie ou en totalité. C'est une des choses qui doit se produire pendant le développement de la femme. »

Le pompeux orgasme « véritable » était réservé aux femmes qui avaient « transféré » à leur vagin la sensibilité de leur clitoris. Pour y arriver, elles devaient faire une espèce de tour de magie psychologique. Essentiellement, elles devaient renoncer à toute idée de passer en premier. Elles devaient apprécier les hommes et leur faire confiance au lieu d'essayer de les imiter. Ce rétrécissement de leur position sociale et de leur pouvoir potentiel était le prix qu'elles devaient payer pour être sexuellement épanouies.

Ce n'est que dans les années soixante, lorsque les féministes — et les sexologues William Masters et Virginia Johnson — ont enfin commencé à reconnaître l'importance du clitoris dans la sexualité des femmes que les orgasmes féminins sont devenus moins mystérieux. Au laboratoire de Masters et Johnson à l'université de Washington à St. Louis, on a finalement pu les étudier à l'aide de minuscules caméras insérées dans le vagin. Et vous savez quoi ? Le petit clitoris (un genre de simili pénis, selon les freudiens) compte en réalité un plus grand nombre de terminaisons nerveuses que le pénis ! Dans leur ouvrage sur la sexualité, qui a ébranlé le monde entier, Masters et Johnson concluent que la « capacité physiologique de réponse sexuelle des femmes est infiniment supérieure à celle des hommes. » L'année 1966 a été une grande percée pour les femmes. Elles pouvaient être les reines des orgasmes multiples (si seulement les hommes s'y connaissaient assez), et connaître des nuits entières de plaisir !

On peut comprendre que les hommes aient voulu les soumettre. On peut aussi comprendre pourquoi le clitoris est devenu, une fois découvert, un organe ayant une portée politique. Les féministes s'étaient rendu compte que ce n'est pas par manque d'information que l'épanouissement sexuel des femmes a été compromis pendant des lunes. Les mythes sur la réponse sexuelle « inadéquate » des femmes donnent un certain pouvoir aux hommes. Dans certaines sociétés, on a même recours à l'ablation chirurgicale du clitoris afin de contrôler la réponse sexuelle des femmes (et diffuser leur pouvoir potentiel). On peut aussi la contrôler par une méthode plus « civilisée », qui consiste simplement à ignorer ou à déformer la vérité sur la sexualité des femmes.

Quoi qu'il en soit, la différence est ce qui importe avant tout. Sans différence, il ne peut y avoir de hiérarchie, c'est-à-dire de sexe supérieur. La hiérarchie est un moyen de maintenir l'inégalité sociale et la « masculinité » et la « féminité » y sont assujetties. Des différences prétendues « naturelles » entre les hommes et les femmes servent à valider des différences de pouvoir. On évoque aussi le corps — le corps « plus fort » des hommes et le corps « plus faible » des femmes — pour expliquer les différences de comportement, qui servent à leur tour à expliquer pourquoi les hommes détiennent le pouvoir et en ont besoin davantage. Les différences de pouvoir hiérarchisées sont les tenaces bêtes noires qui suscitent l'intérêt des chercheurs pour ce qu'on appelle la « théorie des sexes ». Aujourd'hui, les « différences entre les sexes » utilisées depuis tellement longtemps comme fondement de la hiérarchie (ou ce qu'on appelait autrefois le « patriarcat ») éclatent comme de fragiles ballons. Et cela nous permet de mieux comprendre pourquoi le corps des femmes était contrôlé et leur développement physique restreint. Il s'agissait de protéger les intérêts des hommes comme « sexe fort ».

Dans un effort pour saisir les notions fuyantes de « masculinité » et de « féminité », les chercheurs en sciences sociales se conduisent comme les astronomes qui cherchent des trous noirs et créent constamment de nouvelles échelles, comme l'échelle Bem sur les rôles sexuels, l'échelle des comportements et des rôles sexuels et ainsi de suite. Ces échelles servent d'outils d'évaluation pour déterminer où se situe un individu sur un supposé continuum masculinité-féminité. Comme les échelles produisent peu de données significatives, les chercheurs tentent constamment de trouver de nouvelles façons plus « sensibles » de mesurer la masculinité et la féminité, explique Anne Beall, psychologue à l'université Yale. Lorsqu'il se fonde sur des suppositions antérieures, le travail des chercheurs est moins rigoureux. Lorsque les échelles sur les rôles des sexes ont été restructurées pour l'Inventaire multiphasique de la personnalité du Minnesota (MMPI), personne n'a pensé à vérifier si elles demeureraient valides pour les dix prochaines années. Les chercheurs indépendants qui ont finalement procédé à cette vérification ont constaté que les échelles tant vantées du MMPI révélaient davantage les traits de caractère que la masculinité et la féminité. « Dans l'ensemble, ont avoué les chercheurs plutôt enclins à minimiser la chose, elles ne sont pas aussi prometteuses que nous l'avions espéré. »

Voilà ! Mais *quelle* était donc la promesse magique devant découler de toutes ces échelles ? Plus de 40 % des hommes obtiennent des résultats supérieurs à la médiane pour des traits de caractère considérés féminins tandis que 40 % des femmes obtiennent des résultats supérieurs à la médiane pour des traits de caractère considérés masculins — ce qui brouille considérablement les pistes lorsqu'on cherche des attributs pour définir la féminité et la masculinité. Selon Mme Beall, les chercheurs qui étudient les différences entre les sexes ont élaboré ces échelles en choisissant d'y intégrer des questions auxquelles les hommes et les femmes n'avaient pas répondu de la même manière. « Les réponses des hommes ont été jugées masculines, tandis que celles des femmes ont été jugées féminines », a écrit Mme Beall, cherchant à dénoncer les faiseurs d'échelles qui *créent* essentiellement les différences qu'ils sont censés mettre au jour. Elle explique que les concepts de « masculin » et de « féminin » qui nous viennent du XIXe siècle demeurent bien ancrés au XXe siècle parce que les chercheurs *n'ont jamais remis en question* « la justification théorique de ces traits de caractère, supposant simplement que la masculinité et la féminité existent, même si de nombreuses échelles ne sont pas fiables sur le plan quantitatif ». De cette façon, les psychologues peuvent à la fois créer et valider leurs propres théories.

Les « inventaires sur les sexes », comme les appellent les chercheurs en sciences sociales, ne réussissent pas à prédire grand-chose au sujet du fonctionnement psychologique, mais on continue quand même à les utiliser pour diagnostiquer les anomalies psychologiques des gens. Ainsi, l'état de santé mentale réel des gens est évalué à l'aide d'artifices. Pendant la majeure partie du XXe siècle, on a cru que la santé mentale des *femmes* dépendait de leur degré de féminité — *lequel* dépendait de l'idée qu'elles se faisaient de l'importance d'avoir un pénis. Vous souvenez-vous de l'ancienne théorie de l'envie du pénis ? En réalité, non seulement subsiste-t-elle encore, mais elle est très étroitement liée au mythe de la fragilité en ce sens qu'elle pose pour principe que les femmes sont moins puissantes que les hommes. Dans cette invention de l'envie du pénis, le *pénis* était une espèce de code expliquant la supériorité physique des hommes, qui leur conférait un pouvoir presque divin. Le corps des hommes était supérieur à celui des femmes. Selon les psychanalystes, puis les psychologues en développement humain, la tâche psychologique centrale de la femme consistait à accepter sa place inférieure, à cesser d'envier le pouvoir plus grand des hommes et à comprendre qu'elle trouverait son véritable épanouissement uniquement en acceptant son sort et en se consacrant à la seule grande possibilité qui lui était ouverte, celle de devenir mère.

Comme vous pouvez le constater, cette façon de penser différait peu de la théorie de la « femme reproductrice » si chère au cœur des eugénistes du XIXe siècle. Au XXe siècle, les psychoéducateurs ont affaibli les notions de superman de G. Stanley Hall et de ses adeptes, mais l'idéologie de la supériorité de l'homme est toujours restée en filigrane dans tout ce qu'on a écrit, dans tout ce qu'on a vu et dans toutes les nuances des rapports des femmes avec les hommes, qu'ils soient intimes ou professionnels.

Nietzsche a décrit la force comme « un sentiment de domination dans les muscles... un sentiment de force comme plaisir dans la preuve de la force, de bravade, d'aventure, d'absence de peur et d'indifférence à la vie et à la mort ». On ne peut pas dire qu'il pensait aux femmes lorsqu'il a écrit ces mots. L'identité des hommes repose non seulement sur leur force, mais aussi sur leur pouvoir de donner l'impression qu'ils sont forts, c'est-à-dire sur « leur pouvoir de projeter une présence physique qui respire le pouvoir latent », pour reprendre l'expression des nouveaux sociologues du sport qui se penchent sur les différences entre les sexes.

Pour apprendre aux petites filles à devenir des femmes, on leur enseigne à projeter une présence physique qui évoque une vulnérabilité latente. Pour le moment, les chercheurs étudient l'étrange déclin des compétences physiques qui survient chez les filles à mesure qu'elles vieillissent. Certains attribuent ce déclin à ce qu'ils appellent la « féminité accentuée ». Ils entendent par cela une féminité exagérée, une retenue que les femmes s'imposent et une fausse faiblesse.

Dans le présent chapitre, ce sont les retombées du mythe de la fragilité qui m'inquiètent, c'est-à-dire ce que les jeunes filles et les jeunes femmes voient, entendent et font, bref ce qui les garde sur la voie de la faiblesse apprise et compromet à la fois leurs ambitions physiques et leur vie tout entière. Je pense à tout ce qui les encourage à se rapetisser – *ce qui leur dit ensuite qu'il est dans leur nature d'être rapetissée.*

La faiblesse apprise

La « féminité accentuée » commence au berceau et c'est une notion que l'on enseigne aux petites filles. Une étude portant sur l'interaction des parents avec leurs enfants de 20 à 24 mois a montré qu'ils traitaient les garçons et les filles différemment, c'est-à-dire de diverses façons significatives. Par exemple, ils laissaient plus volontiers les garçons s'amuser seuls et intervenaient de manière neutre. En revanche, ils adressaient constamment des commentaires positifs ou négatifs aux filles, comme s'ils ne se sentaient pas à l'aise de les laisser explorer le monde par elles-mêmes. En général, ils réagissaient positivement lorsque leur petit garçon jouait avec des blocs de construction, mais négativement lorsqu'il cherchait à s'amuser avec des poupées. Les petites filles recevaient pour leur part une réaction positive lorsqu'elles jouaient avec des poupées, demandaient de l'aide ou regardaient passivement la télévision. *Courir, sauter et grimper leur valaient cependant des réactions négatives.* Faut-il s'étonner d'apprendre que les garçons ont plus de pouvoir et de force, même à l'âge de deux ans et demi !

Les parents ne se doutaient pas qu'ils renforçaient la passivité chez leurs filles. « Les parents ne sont pas pleinement conscients des méthodes qu'ils utilisent pour socialiser leurs jeunes enfants », souligne l'auteur de cette étude.

Lorsqu'on ne donne pas aux filles les mêmes chances de s'amuser ou lorsque celles-ci ne profitent pas de ces chances parce qu'on leur a appris ce qu'il était « approprié » de faire, elles prennent du retard dans le développement d'aptitudes motrices. Après tout, la force et l'agilité se développent par *l'action.* « Le sens de soi comme personne active se développe précisément par des expériences visant à maîtriser son corps et à réaliser ses intentions grâce à des mouvements spatiaux », a écrit le philosophe français Maurice Merleau-Ponty. *Je, je peux* et *je ne peux pas* sont toutes des expériences concrétisées. Nous *sentons* dans notre corps que nous sommes incapables ou que nous sommes capables de faire une chose. Or, nous éprouvons ces sentiments en faisant des mouvements.

De nombreuses filles comprennent tôt que les réussites sportives ne font pas partie des attentes qu'on entretient à leur égard. Elles ne se sentent pas physiquement compétentes au départ et à moins que quelqu'un ne se donne la peine de les convaincre du contraire, elles supposent que leur fragilité est innée. Les garçons sont plus forts, plus agiles et plus doués pour les sports. C'est la nature, dit-on, une différence de plus entre les garçons et les filles.

Compte tenu de la dynamique de pouvoir entre les sexes dans notre société, faut-il s'étonner qu'on enseigne aux enfants que leur position sociale exige qu'ils respectent des frontières sexuelles très nettes, des frontières qui leur imposent des restrictions quant à l'apparence, la voix, l'habillement et le comportement ? « Les médias, les parents, les enseignants et les pairs font sentir aux enfants de toutes sortes de manières évidentes ou subtiles que si les garçons sont comme ci, les filles sont exactement le contraire », a expliqué Margaret Carlisle Duncan, professeur à l'université du Wisconsin, au President's Fitness Council on Girls and Sport. Les enfants commencent à savoir utiliser des étiquettes sexistes entre l'âge de 21 et de 44 mois. Ils intègrent alors les catégories sexuelles qui leur sont présentées et « s'exercent » à adopter les comportements appropriés, imitant les rôles que la société tient pour féminins ou masculins. À l'âge de trois ans, ils connaissent les règles du comportement sexué et se mettent à croire qu'il est mal de s'adonner à des activités propres au sexe opposé. À quatre ans, ils savent déjà que les poupées, les fleurs et les cordes à danser conviennent aux filles, tandis que les sports et les bagarres sont réservés aux garçons. En fait, ce n'est que récemment que les chercheurs ont commencé à examiner ce que coûte aux filles en particulier cette extrême insistance sur les différences entre les sexes, dit le Dr Duncan, une insistance qui fait fondre leurs attentes sur le plan physique, *à moins que* leurs parents, leurs professeurs et les autres personnes ayant une influence sur elles fassent d'immenses efforts pour contrer ce conditionnement.

En moyenne, les filles ont deux ans de plus que les garçons lorsqu'elles commencent à s'adonner à des sports. Cela signifie qu'elles accusent dès le départ un retard d'apprentissage des habiletés nécessaires pour développer des compétences physiques. Ce désavantage, perçu comme « naturel », suffit à décourager de nombreuses filles, qui n'osent pas persévérer. Soixante-dix pour cent des enfants rejettent les sports organisés avant l'âge de treize ans, mais le taux de rejet chez les filles est six fois plus élevé que chez les garçons.

La « menace du stéréotype », comme l'appellent les sociologues, peut sérieusement miner la performance. Par exemple, si vous insistez sur le sexe d'une jeune fille qui est bonne en maths, elle réussira moins bien aux examens dans cette matière. Les stéréotypes de races ont le même effet. Pour abaisser les résultats scolaires d'un enfant brillant de race noire, il suffit de lui remettre avant les examens un bref questionnaire sur lequel on lui demande d'indiquer sa race.

La « menace du sexe » comme je l'appellerai, produit cet effet. Laissez entendre à une fille qu'elle se conduit comme un garçon et vous la verrez inhiber ses mouvements comme une tortue voulant rentrer dans sa carapace. Comme les grands mouvements vigoureux qui demandent beaucoup d'espace sont codés « masculins », les filles les évitent. Elles adoptent leurs propres gestes et mouvements, qui représentent une espèce de répertoire de la fragilité: mouvements délicats et retenus (croiser les jambes, croiser les bras) et, inconsciemment, elles prennent le moins d'espace possible.

Les garçons d'âge préscolaire manipulent *plus* d'outils, lancent *plus* de balles, construisent *plus* de ponts en Lego, érigent *plus* de tours en blocs et s'amusent avec *plus* d'objets mécaniques que les filles. Les loisirs auxquels s'adonnent les enfants lorsqu'ils arrivent en première année sont déjà nettement déterminés par leur sexe. Une étude sur les activités d'environ trois cents garçons et filles de quatrième année dans la cour d'école a révélé que les garçons privilégiaient les activités en équipe, comme le base-ball, tandis que les filles bavardaient en groupes de deux ou trois. Je trouve absolument extraordinaire que rien n'ait changé depuis que j'ai commencé à lire ce genre d'études il y a vingt ans. De nos jours, cependant, les chercheurs commencent à s'apercevoir que les différences entre les sexes ne sont pas « naturelles », qu'elles ne découlent pas de quelque structure hiérarchique biologiquement déterminée. Pour la première fois, ils soupçonnent que les préjugés sur les sexes influencent le développement moteur des filles.

De nombreuses données confirment que l'on encourage peu les filles à bouger physiquement. On savait depuis longtemps que les pères avaient davantage de contacts physiques avec leur fils qu'avec leurs filles et cette situation ne semble pas avoir changé. Dans les années quatre-vingt-dix, les chercheurs ont observé que les pères s'amusent avec leur bébé garçon, mais qu'ils tiennent sagement leur bébé fille. En outre, les deux parents continuent à trop aider leurs petites filles. Dans le cadre d'une étude, on a disposé des coussins autour de papas et de mamans assis en cercle au milieu d'une pièce. Leurs jeunes enfants laissés à l'extérieur de la barricade de coussins essayaient de la franchir. Les chercheurs ont observé que les parents cherchaient à encourager les petits garçons à grimper par-dessus la barricade, mais qu'ils soulevaient simplement les petites filles pour les aider. « Des ensembles différents de comportements au jeu commencent à évoluer très tôt chez les petits garçons et les petites filles, principalement sous l'influence des parents et des pourvoyeurs de soins », notent Tonya Toole et Judith Kretzschmar, professeurs de sciences du mouvement, dans une analyse d'études comparant les compétences motrices des enfants selon leur sexe. « Dès l'enfance, les deux parents cherchent davantage à susciter des comportements moteurs élémentaires chez leur fils que chez leur fille. »

Même à l'âge préscolaire, les garçons reçoivent plus de commentaires positifs lorsqu'ils s'adonnent à des jeux exigeant de larges mouvements et beaucoup d'espace. Comme ils n'ont pas été entraînés à jouer à « petite échelle », ils inventent des activités sollicitant leurs compétences motrices, croient les chercheurs. En revanche, les filles d'âge préscolaire évitent généralement les activités à grand déploiement de mouvements. On reconnaît enfin qu'à moins que ces activités ne soient intégrées dans le programme scolaire, les filles n'obtiendront jamais la stimulation musculaire dont elles ont besoin. Il faut les encourager si on veut qu'elles soient suffisamment stimulées physiquement pour se développer normalement. Mais on ne les encourage pas, du moins pas dans les écoles. Un certain nombre d'études réalisées dans les années quatre-vingt-dix ont montré qu'il existait des préjugés sexistes à l'égard de l'éducation physique et que les enseignants faisaient des évaluations plus positives des compétences physiques des garçons que de celles des filles. Les perceptions des enseignants, même si elles sont erronées, minent le sentiment de compétence des filles et leur envie de participer à des activités physiques. Une étude réalisée en 1992 par Sheila Scraton a démontré que malgré que les filles soient reconnues comme « différentes mais égales » dans les écoles du Royaume-Uni, l'éducation physique est encore considérée moins importante pour elles que pour les garçons. Mme Scraton voulait déterminer si les préjugés historiques à l'égard du développement physique des filles (le culte de l'invalidité féminine était très répandu des deux côtés de l'Atlantique pendant une partie du XXe siècle) avaient toujours cours dans l'enseignement contemporain. Ses entrevues ouvertes avec des conseillers en éducation physique, des chefs de départements d'éducation physique et d'autres membres du personnel enseignant lui ont permis d'arriver à la désolante conclusion que les contenus et les méthodes des cours d'éducation physique d'aujourd'hui demeurent « traditionnels », c'est-à-dire qu'ils sont essentiellement centrés sur les soi-disant standards de comportement et d'apparence qui seyent aux filles. Les enseignants qu'elle a interrogés avaient de solides préjugés quant aux différences apparentes entre les capacités physiques « naturelles » des garçons et des filles - des préjugés qui influençaient directement leur enseignement. De manière générale, ils acceptaient une division sexuelle du travail et croyaient fondamentalement que la fonction « naturelle » de la femme était la maternité, a observé Mme Scraton. À leurs yeux, les femmes étaient moins puissantes, moins dynamiques, moins actives et moins fortes que les hommes - ce qu'ils jugeaient soit « naturel » ou simplement culturellement inévitable. En conséquence, ils attribuaient la tendance des filles à abandonner l'éducation physique aux changements qui se produisaient dans leur corps.

Choquée par la prépondérance de ces croyances limitatives, Mme Scraton a conclu son étude par un appel au changement dans l'éducation physique. À son avis, cependant, il fallait aussi réclamer l'inclusion de cours destinés aux enseignants en éducation physique pour les sensibiliser aux préjugés sexistes qui limitent l'intérêt des filles pour les activités physiques et leur performance dans ce domaine.

Les parents comme les enseignants essaient généralement d'étouffer l'agressivité chez les filles et de l'encourager chez les garçons. Ainsi, les garçons développent le sentiment de pouvoir dominer et ils ont davantage tendance à le faire. Les chercheurs ont observé que dès la quatrième année du primaire, les garçons ont déjà commencé à associer leur estime d'eux-mêmes à des gestes agressifs et à se sentir moins coupables de ces gestes que les filles.

Grâce aux sports, les garçons apprennent à utiliser leur corps de manière efficace, ce qui leur donne une idée assez juste de leurs capacités et de leurs limites physiques. Ils apprennent non seulement à faire des mouvements efficaces et bien coordonnés jusqu'au bout, mais aussi à utiliser leur avantage physique. Les filles font souvent des mouvements incomplets parce qu'elles n'ont jamais eu la chance d'apprendre à bouger correctement pour faire un lancer, un balancé ou un plaqué. Ne maîtrisant pas les mouvements de torsion (et n'allant pas jusqu'au bout), elles n'arrivent jamais à mettre tout leur corps en mouvement. Très souvent, elles se retiennent de faire de grands mouvements complets. Bien qu'elles n'en soient pas généralement conscientes, elles apprennent en fait à réprimer leurs mouvements, ce qui les amène à développer « une timidité physique qui s'accroît avec l'âge ». Dans une collection d'essais très souvent cités intitulée *Throwing Like a Girl,* Iris Young décrit cet état de retenue des mouvements comme une « volonté inhibée ». À mesure que les filles deviennent des jeunes femmes, on renforce chez elles cette retenue physique. « Des vêtements près du corps » et des « postures distinguées », des reproches chaque fois qu'elles parlent ou rient fort — tout cela contribue à "rétrécir" leurs comportements », a écrit une analyste des mouvements dans un ouvrage sur l'histoire des femmes dans le sport.

Selon le National Council on Research for Women des États-Unis, deux filles sur trois ne participent pas aux sports scolaires. Et seulement la moitié suit des cours d'éducation physique. Entraînées à interrompre le développement de leur corps à la puberté, la culture leur interdisant d'être fortes, les filles se rendent elles-mêmes anormalement faibles. À l'adolescence, la plupart d'entre elles cessent de se servir de leur corps et se mettent à utiliser leur apparence pour obtenir le peu de pouvoir qu'elles réussiront à exercer dans le monde. La majorité des filles au secondaire s'intéressent à une forme différente de culture physique. Au détriment de leur corps, elles adoptent des « pratiques disciplinaires » qui leur donnent un corps d'une certaine taille et d'une configuration particulière, qui semble dire : « je m'effondre à rien ». Malheureusement, ces filles n'ont aucune idée du compromis qu'elles font, et encore moins des conséquences qu'il entraîne.

C'est la féminité qu'on enseigne aux femmes qui les amènent à vouloir être « petites, étroites et inoffensives », note l'auteur féministe Sandra Lee Bartky, qui a consacré sa carrière à l'étude des différences entre les sexes. Elle illustre son point à l'aide de photographies fascinantes prises dans les années quatre-vingt par la photographe allemande Marianne Wex, qui aimait montrer les postures que les hommes et les femmes adoptent dans la vie de tous les jours. Par exemple, elle a observé des femmes attendant le train à la gare. Ces femmes avaient les bras croisés serrés près du corps, les mains jointes sur les genoux, les orteils pointés droit devant elles ou vers l'intérieur et elles tenaient consciemment les jambes fermées. Sur les photos de Marianne Wex, souligne Mme Bartky, les femmes sont tendues et leur corps occupe peu de place, tandis que les hommes se « répandent » dans l'espace, s'asseyant les bras et les jambes bien écartés, l'entrejambe visible, dans une position qu'elle appelle la « position de la preuve ». Les femmes essaient de cacher leur sexualité, tandis que les hommes cherchent à l'exhiber.

On peut faire des comparaisons semblables en regardant marcher des hommes et des femmes, note un spécialiste des mouvements corporels. Un homme à « le pas plus rebondi et plus rythmé ; il marche les orteils pointés vers l'extérieur et tient les bras plus éloignés de son corps, les faisant balancer plus loin ; il a tendance à pointer toute la main dans la direction dans laquelle il se dirige ». Par contraste, la femme circonspecte ramène les bras plus près de son corps, ses paumes l'effleurant. « Si elle s'est infligé la contrainte additionnelle de porter des chaussures à talons hauts, écrit Mme Bartky, son corps est poussé en avant et déséquilibré : la difficulté de marcher dans ces conditions raccourcit son pas. »

C'est la formation sexiste qu'elles reçoivent qui amène les filles à être obsédées par la féminité, à se priver d'utiliser leur corps et à ne pas connaître le plaisir de le faire. À l'adolescence, elles se sentent obligées d'exagérer les différences qui les distinguent des garçons, croyant cela nécessaire pour être acceptées socialement. Comme un garçon populaire se veut par définition fort, athlétique et doué pour les sports, bon nombre de filles éviteront de développer ces caractéristiques. En fait, la faiblesse apprise qui faisait partie de l'éducation des filles à l'époque victorienne persiste encore aujourd'hui, même si elle est moins excessive. Elle met en péril le développement physique d'un trop grand nombre de filles et influence tout le reste de leur développement.

« Les activités physiques et sportives ne sont pas simplement des choses que les filles font *en plus* de leurs autres activités ; elles font plutôt partie d'un ensemble interdépendant de processus physiologiques, psychologiques et sociaux qui peuvent influencer et soutenir à divers degrés leur croissance et leur développement », signale le Center for Research on Girls & Women in Sport à l'université du Minnesota.

Comme nous le verrons, le développement moteur stimule le développement cognitif. Le cerveau a besoin d'activité physique pour créer les circuits neuronaux qui permettent la pensée complexe. Il n'est pas nécessaire de devenir une athlète d'élite pour avoir l'esprit vif, mais il *faut* pour cela bouger beaucoup et respirer à fond. Bref, il faut utiliser son corps. Le cerveau ne peut pas se développer dans une coque vide.

Lancer comme un gars : la mystique de l'habileté innée

Une vieille notion sur les habiletés motrices, encore très répandue chez les gens qui ne sont pas au courant des recherches, veut qu'elles soient le résultat d'une seule habileté englobant toutes les autres, une espèce du QI du corps. « L'habileté physique », la « coordination », « l'habileté motrice » — peu importe le terme utilisé — la conséquence étant la même : si une personne possédait de solides habiletés motrices générales, elle s'acquitterait avec succès de presque toute tâche faisant appel à des habiletés motrices. Ainsi, si Johnnie pouvait lancer, on concluait automatiquement qu'il pouvait attraper, botter et même mettre un adversaire hors jeu s'il le fallait. Si un garçon réussissait bien dans un domaine, on supposait qu'il avait le « pouvoir » et on l'encourageait souvent à développer d'autres compétences. Le contraire était réservé aux filles. Si Jenny était *incapable* de lancer une balle (de la frapper ou de l'attraper), on supposait qu'elle n'avait aucun talent pour le sport. Ainsi, Jenny n'avait pas la chance d'essayer d'autres sports — en partie parce que ses enseignants ne lui croyaient aucun talent et en partie parce qu'elle non plus ne croyait pas en avoir.

La notion d'habilités motrices « générales » est née des recherches sur les habiletés cognitives menées dans les années trente, qui ont débouché sur le concept d'intelligence « générale » — la capacité d'agir intentionnellement, de penser rationnellement et de composer efficacement avec le monde. Cette hypothétique capacité mentale « générale » — qu'on croyait pouvoir mesurer et qu'on appelait le « quotient intellectuel » ou le « QI » — était considérée comme importante pour réussir dans tous les domaines de la vie intellectuelle. En fin de compte, comme nous le savons, la théorie du QI n'a pas tenu le coup lorsque les chercheurs ont commencé à mieux comprendre le fonctionnement du cerveau. « Au lieu d'une seule dimension appelée l'intellect, d'après laquelle les individus pouvaient être classés, il existe de grandes différences entre les forces et les faiblesses intellectuelles des gens et entre la façon dont ils abordent leurs activités cognitives », écrit Howard Gardner dans *Multiple Intelligences.* Gardner, psychologue de la cognition à l'université Harvard, a été le premier à parler de l'existence de ce qu'il a appelé

« l'intelligence kinesthésique corporelle » et que j'appelle moi-même l'intelligence physique. Grâce à cette intelligence, notre corps peut apprendre des choses et nous transmettre son savoir.

La notion d'une intelligence rigide et unidimensionnelle a commencé à s'effriter dans les années cinquante et soixante lorsqu'on s'est rendu compte des limites et de l'inexactitude des concepts d'intelligence générale et de capacité motrice générale. Franklin Henry, psychologue à l'université de Californie à Berkeley, a découvert non seulement que différentes habiletés motrices sont spécifiques à des tâches particulières, mais aussi qu'elles fonctionnent indépendamment les unes des autres. Par exemple, on peut être très doué pour lancer une balle, mais n'avoir aucun talent pour la couture. En outre, comme le brillant neurochirurgien Charlie Wilson (dont le *New Yorker* a fait le portrait en 1999), on peut avoir effectué trois mille résections de tumeurs de l'hypophyse ne mesurant pas plus de 18 millimètres de diamètre et demeurer incapable de bien jouer au tennis. Wilson est doué pour d'autres sports, mais il semble qu'il ait un problème d'imagerie mentale lorsqu'il joue au tennis. Il n'arrive tout simplement pas à *voir* le match en esprit.

Les gens peuvent *voir* un match de tennis en esprit, mais ils ne le verront pas nécessairement tous de la même façon, ce qui s'explique en partie par les compétences particulières qu'ils ont développées. Composer avec le vent, par exemple, est une chose qu'un joueur peut avoir apprise, mais qu'un autre ignore. Comme l'a dit un spectateur en voyant les balles de tennis rebondir comme des cerfs-volants de haute voltige au U. S. Open qui a suivi l'ouragan Dennis, Martina Hingis a réussi à se « recalibrer » dans un « tunnel aérodynamique virtuel ». Son adversaire, Anke Huber, n'avait pas appris à le faire. Hingis attribue sa finesse de jeu à son entraîneur, sa mère, Melanie Molitor, qui la conseille depuis sa plus tendre enfance. C'est une compétence apprise qui permet à Martina de suivre la trajectoire erratique de la balle sous l'effet du vent. « On ne naît pas avec ce genre de compétence », a-t-elle dit à un journaliste. « On l'acquiert. »

Le « contrôle moteur » détermine la façon dont le système nerveux central organise les mouvements avant qu'ils ne soient exécutés. L'étude scientifique de ce phénomène remonte au début des années 1900, à l'époque où les chercheurs faisaient des études de temps-mouvements dans le but d'augmenter l'efficacité des travailleurs sur les chaînes de montage. Les éducateurs physiques ont commencé à s'intéresser aux premières notions de contrôle moteur à cause de leurs répercussions sur la performance sportive. Peu après, les premières études sur la croissance, la maturation et la performance motrice ont mené à l'émergence d'un sous-domaine, le « développement moteur », axé sur la façon dont les mouvements sont *appris*. Pendant des dizaines d'années, cependant, les spécialistes du comportement, qui se penchaient sur les formes complexes de la performance motrice, et les chercheurs en neurophysiologie qui examinaient comment les neurones du cerveau contrôlaient les mouvements, ont travaillé dans des camps totalement différents.

La fusion entre la recherche sur le contrôle neuronal et la recherche sur le comportement moteur ne s'est accomplie que dans les années soixante-dix. Percevant l'important rapport entre *la façon dont les gens bougent et ce qui se passe dans leur cerveau*, les chercheurs se sont mis à examiner la manière dont les humains codent et stockent les données sur les mouvements, les représentations des mouvements dans la mémoire, et le traitement de l'information sur les « erreurs » motrices afin d'en tirer des leçons. Plus tard, les études sur le comportement moteur ont amené les chercheurs à conclure que les compétences physiques supérieures des hommes résultent principalement de l'apprentissage et de la pratique. Elles ne sont pas attribuables à une physiologie « supérieure ».

Pendant les années quatre-vingt, les personnes qui étudiaient les compétences motrices ont commencé à s'intéresser au rôle des sexes dans l'acquisition de ces compétences. Pour comparer les compétences motrices des hommes et des femmes, il semblait pertinent de faire une distinction entre la capacité d'*apprendre* un mouvement et la capacité de le *reproduire*. Comme on avait découvert que les compétences en matière de performance étaient apprises, une importante question se posait : dans quelle mesure les résultats aux tests d'habiletés motrices étaient-ils influencés par des différences entre ce que les sujets avaient *appris* et dans quelle mesure reflétaient-ils des différences « naturelles » entre les habiletés des hommes et celles des femmes ?

Premièrement, les spécialistes du développement moteur ont dû préciser ce qu'était une habileté. Ils ont décidé qu'il s'agissait d'une caractéristique relativement stable liée d'une certaine façon au processus de croissance et de maturation, et que la pratique la laissait à peu près inchangée. En comparaison, une *compétence* se modifiait par la pratique. Une compétence était essentiellement apprise. Le talent tant vanté d'un lanceur représentait en fait une compétence acquise. Les garçons ne sont pas de bons lanceurs de naissance.

La mystique de la supériorité motrice ayant finalement été éclaircie, on a développé une compréhension plus démocratique de ce que les gens pouvaient accomplir sur un terrain de base-ball, qu'ils soient hommes ou femmes, blancs ou noirs. L'individu moyen qui n'a pas appris à lancer une balle aura un mouvement « ipsilatéral », c'est-à-dire qu'il n'utilisera qu'un côté de son corps. S'il est droitier, il aura tendance à avancer le pied droit pour lancer la balle. La plupart des filles et des garçons auront des mouvements ipsilatéraux lorsqu'ils commenceront à lancer des balles. Il faut leur enseigner à lancer, explique Marty Ewing, psychologue des sports dans l'état du Michigan. « Lorsque les filles apprennent à lancer une balle, on se dit que ce sont des filles et on n'y pense plus. Si les garçons se montrent aussi maladroits, cependant, leur père s'empresse d'intervenir pour leur montrer à ne pas lancer comme une fille. Les pères expliquent à leur fils qu'il faut avancer l'autre pied et faire une rotation du tronc. C'est là le précieux conseil dont ils ont besoin, car il leur permet d'adopter la technique contre-latérale qui produit toute une série de mouvements puissants.» L'utilisation de la technique contre-latérale ne fait pas partie de la mystique mâle. Il s'agit d'une compétence acquise que toute personne peut maîtriser si elle l'apprend et l'exerce.

Des études menées au cours des années cinquante ont montré que les garçons ont de meilleures aptitudes pour les mouvements intégrés lorsqu'ils lancent, attrapent ou bottent un ballon. Cependant, nous savons maintenant que c'est parce qu'on le leur a appris et non parce que c'est inscrit dans leur code génétique. Comme on avait déjà observé des différences dans la façon dont les garçons et les filles âgés de trois ans lancent une balle, les chercheurs des années quatre-vingt ont commencé à interpréter ce phénomène en disant que les filles mettent simplement plus de temps à maîtriser leurs mouvements. Dans les années quatre-vingt-dix, ils ont finalement compris que les filles montraient un «développement plus lent» parce qu'on ne leur apprenait pas à maîtriser leurs mouvements. Lorsqu'une fille droitière apprend à avancer le pied gauche avant de lancer, elle constate que son corps fait automatiquement un mouvement de rotation lorsqu'elle avance le bras, ce qui pousse l'énergie du bas de son corps vers le haut, et vers son biceps, son avant-bras et son poignet. Quelle découverte!

Pour développer son contrôle moteur, il faut notamment résoudre ce que l'influent psychologue russe Nikolai Bernstein appelle le problème des «degrés de liberté», c'est-à-dire les façons d'organiser les différentes parties de son corps pour accomplir une tâche donnée. Imaginez qu'on vous demande de faire un lancer par en dessus qui envoie la balle aussi loin que possible, tout en suivant une trajectoire en ligne aussi droite que possible dans la direction du lancer. Si vous essayez de le faire avec votre bras dominant, vous y arriverez probablement. En revanche, si vous vous servez de votre bras non dominant, qui n'a aucune pratique, vous risquez sans doute de limiter les angles de mouvement de vos membres. C'est ce qui est arrivé à Hillary Clinton. Dans son cas, mais non dans le cas de son mari, qui connaissait la technique, le lancer d'ouverture de la saison posait un problème de degrés de liberté. Souvenez-vous comment elle a pointé le coude devant elle, l'avant-bras incliné vers l'épaule. Un mouvement aussi étranglé résulte du « gel » des mouvements que l'on se permet. En limitant ses degrés de liberté, ce qu'elle fait inconsciemment, une personne ne fait qu'une tâche rudimentaire, de sorte que son cerveau n'a pas besoin d'organiser une quantité déroutante de données motrices. Graduellement, avec la pratique, l'organisation mentale devient plus facile et le joueur peut abandonner les restrictions inconscientes qu'il imposait à ses mouvements. Hillary Clinton avait eu raison de pratiquer son lancer, mais un week-end n'avait pas suffi à faire « fondre » (comme disent les spécialistes des comportements moteurs) ses mouvements gelés depuis toujours, qui ont produit son piètre lancer sous-développé.

Nous comprenons mieux maintenant ! Lancer « comme une fille » ou courir « comme une fille » signifie geler ses mouvements. Les femmes sont restées coincées à ce stade maladroit parce que les interdictions culturelles liées au développement de leur corps les ont découragées de pratiquer suffisamment pour réussir à « fondre » leur mouvement. L'hypothèse voulant qu'il y ait une différence fondamentale entre les hommes et les femmes — disons dans la structure de leurs épaules ou dans leur développement musculaire général — qui rend ces dernières moins aptes à lancer une balle correctement (ou à réussir toute autre prouesse sportive) fait partie du mythe de la fragilité. On fait croire à une fille qu'elle ne peut pas bien lancer ; un jour, elle essaie et manque son coup, ce qui la convainc qu'elle en est incapable, et elle cesse d'essayer. Dans notre culture, c'est une situation classique pour les filles. Pourtant, il n'y a aucune raison biologique inhérente qui empêche les filles de lancer aussi loin, aussi vite ou aussi fort que les garçons.

Très bien, mais qu'en est-il des muscles des garçons ; qu'en est-il de leur carrure ? Les garçons ne sont-ils pas dès le départ plus costauds que les filles ?

Non, ils ne le sont pas ; c'est le reflet de nos préjugés au sujet de la force des mâles qui nous amène à le croire. Avant la puberté, les garçons ne sont ni plus grands ni plus lourds que les filles. Certaines études ont noté que le diamètre des articulations des genoux et des coudes était supérieur et les muscles des bras et des jambes plus gros chez les garçons, mais les chercheurs se demandent aujourd'hui si ces différences sont biologiques ou si elles sont attribuables au fait que, *contrairement* aux filles, les garçons commencent très tôt à exercer leurs grands mouvements moteurs.

Il existe une quantité remarquable de documentation comparant le lancer des filles et celui des garçons. Cependant, ce n'est que récemment que les spécialistes des sports ont commencé à étudier les causes *environnementales* possibles qui pourraient expliquer les différences de performance. Une étude fascinante réalisée en 1996 visait à isoler un effet possible de l'entraînement pour justifier les différences entre les sexes. Les chercheurs voulaient savoir quelle pouvait être l'influence de la *pratique*. Pour le découvrir, ils ont fait une comparaison des lancers du bras dominant et du bras non dominant. Ils ont fait des vidéos de trois groupes d'enfants classés selon leur âge (7-8 ans, 9-10 ans et 11-12 ans) en train de lancer une balle de leur bras dominant et de leur bras non dominant. Les résultats des lancers du bras dominant étaient typiques des résultats d'études antérieures. On signalait par exemple que les garçons de deuxième année lançaient la balle 72 % plus vite que les filles de deuxième année. Lorsqu'on a comparé leurs lancers du bras non dominant, cependant, que croyez-vous qu'on a observé ? Il n'y avait pas de différence entre la vitesse de lancer des filles et celle des garçons !

Qu'est-ce que cela pourrait bien signifier ? Simplement que c'est la *pratique* qui permet aux garçons de développer de meilleures compétences pour lancer une balle. Si les différences de performance entre les sexes étaient en fait « fortement liées à des facteurs biologiques, ont dit ces chercheurs, les différences entre les sexes devraient persister lorsque les enfants lancent la balle du bras non dominant ». En fait, les différences de performance entre le bras dominant et le bras non dominant chez les garçons étaient tellement énormes qu'elles ont renforcé la théorie des auteurs voulant que la pratique, et la pratique seule, soit le facteur qui procure un avantage aux garçons.

Avant que l'on ne nous permette de développer nos facultés mentales dans les institutions de haut savoir, tout le monde croyait que le cerveau des femmes était plus faible que celui des hommes. On pense encore que notre corps est plus faible que le leur. Les sociologues des sports qui s'intéressent à la façon dont les différences entre les sexes sont maintenues dans le développement physique ont commencé à parler des implications politiques de la « faiblesse apprise », ce qui les amène à poser des questions délicates. *Pourquoi* n'apprend-on pas aux filles à lancer ? Qui a vraiment peur de se faire marcher sur les pieds ?

De nos jours encore, la plupart des gens pensent que les hommes ont un plus grand potentiel physique que les femmes. C'est un préjugé qu'a soutenu les études et les recherches des années soixante-dix, quatre-vingt et même quatre-vingt-dix, qui cherchaient à montrer que les hommes affichaient une meilleure performance dans diverses disciplines sportives, comme les épreuves de force, la poursuite, l'escalade d'échelles, le lancer, le saut et la course. À la fin des années quatre-vingt-dix, cependant, on a commencé à se rendre compte que bon nombre des anciennes études n'étaient pas concluantes. « Il est difficile de savoir si ces différences sont liées au sexe comme tel, ont écrit deux spécialistes de l'apprentissage moteur. Au lieu de se contenter de constater que les hommes sont ou non différents des femmes dans l'accomplissement de certaines tâches, il serait plus efficace de se demander quelles sont les sources de ces différences. »

Tout à fait d'accord ! Ce serait plus efficace. Le sexe biologique est-il responsable des différences dans les performances sportives des hommes et des femmes ou y a-t-il d'autres facteurs qui entrent en jeu ? On vient à peine d'aborder cette question plus rigoureusement, surtout parce qu'on a toujours présumé que toute différence dans les compétences physiques des hommes et des femmes résulte de la force des hommes et de la fragilité des femmes. Quelle autre explication pourrait-il y avoir ?

De nombreuses autres, comme le montrent les nouvelles recherches que nous allons observer de plus près.

Les comparaisons
(Ou comment nous sommes condamnées à être plus faibles)

Lorsqu'on compare les capacités physiques des hommes et des femmes, il est essentiel de tenir compte d'une variable particulière, soit le temps passé à exercer une compétence. Diverses études commencent à montrer que la différence qu'on perçoit entre les habiletés des garçons et des filles n'est souvent rien de plus qu'une différence d'entraînement. Le secret commence enfin à être connu.

Deux spécialistes des sciences sociales travaillant en collaboration pendant les années quatre-vingt-dix sont arrivés à des conclusions intéressantes lorsqu'ils ont comparé les compétences sportives des filles et des garçons de la maternelle à la première année du secondaire. À mesure que progressait leur étude s'échelonnant sur plusieurs années, il est devenu de plus en plus clair pour eux qu'il n'est pas facile de déterminer quel sexe est le plus compétent ; or, étant donné la façon dont les garçons et les filles sont socialisés, cela n'a peut-être aucune pertinence.

C'était la première fois qu'une équipe de chercheurs comparait un certain nombre de compétences motrices chez les garçons et les filles *en incluant une très importante variable : le temps que chaque enfant avait consacré aux sports avant l'étude !* Lorsqu'il s'agit d'évaluer des compétences, cette seule variable fait toute la différence pour la simple raison que plus on les exerce, plus les compétences *s'améliorent*. Si un enfant n'a jamais lancé une balle, il est indéniable qu'il sera plus maladroit et moins efficace qu'un enfant dont le père joue au base-ball avec lui depuis qu'il a trois ans.

Tout d'abord, les chercheurs S. A. Butterfield et E. M. Loovis ont analysé l'influence de l'âge, du sexe, de l'équilibre et de la participation aux sports sur le développement des compétences des enfants en matière de lancer. Ils ont constaté que les garçons lançaient mieux que les filles, de la maternelle à la première année du secondaire. Les deux variables les plus importantes étaient la « participations aux sports » (l'expérience) et le « sexe ». Ainsi, si l'enfant était un garçon, il lançait mieux, et s'il avait beaucoup de pratique, il lançait encore mieux. Cependant, l'étude *n'a pas fait* la distinction suivante : comme les garçons font généralement plus de sport que les filles, le fait qu'ils soient supérieurs est-il attribuable au sexe ou à la pratique ? Est-il possible que les filles n'aient pas eu les compétences voulues pour bien lancer une balle parce qu'elles ne les avaient ni apprises ni exercées ?

Les chercheurs ont ensuite examiné les compétences des enfants pour attraper une balle. Ils ont de nouveau constaté que le sexe influençait le développement de « compétences matures » dans ce domaine. « Les garçons étaient plus habiles dans toutes les classes sauf en première année du secondaire, où les filles et les garçons manifestaient des compétences matures pour attraper une balle. » Attendez ! Si les filles tiraient de l'arrière de la maternelle à la fin du primaire, comment pouvaient-elles soudainement faire preuve de compétences comparables à celles des garçons ? Avaient-elles finalement acquis suffisamment d'expérience, par exemple pendant l'été entre la fin du primaire et le début du secondaire ? Une question véritablement importante subsiste donc : si elles avaient bénéficié dès la maternelle du même genre d'entraînement et de pratique que les garçons, leurs compétences pour attraper une balle auraient-elles été comparables à celles des garçons pendant toutes ces années ? Cela est probable. Il n'y a pas de différence physiologique inhérente entre les garçons et les filles qui puissent expliquer les différences de lancer par en dessus ou toute autre différence dans les compétences physiques.

Personne n'a encore vérifié l'effet des préjugés sexistes sur le développement de compétences motrices particulières. Peut-être les filles croient-elles qu'il est moins macho de savoir attraper une balle que de savoir la lancer par en dessus, de sorte qu'elles n'ont pas l'impression de compromettre leur féminité en attrapant efficacement une balle. Laissez-les acquérir suffisamment de pratique et elles attraperont des balles comme des pros. (Les tests de Loovis et Butterfield arrêtaient à la première année du secondaire, de sorte que nous ne savons pas ce qu'ont été par la suite les compétences des filles pour attraper une balle.)

En troisième lieu, les chercheurs ont examiné le botté des filles et des garçons. Imaginez ! Les garçons n'ont pas dépassé les filles avant la dernière année du primaire. Comme le botté est associé au sport le plus macho qui soit, on pourrait croire que les filles le fuiraient comme la peste. En dernière année du primaire, la plupart d'entre elles sont pubères et leurs préoccupations sur ce qui sied à leur sexe prennent soudainement beaucoup plus d'importance, ce qui pourrait miner leurs ambitions de développer un botté comparable à celui des garçons. (Cependant, depuis la publication de cette étude en 1994, la popularité croissante du soccer féminin et le nombre sans cesse plus élevé de filles qui jouent au football a considérablement modifié la perception culturelle du botté comme compétence propre aux garçons. On peut se demander quels seraient les résultats des filles si une étude sur le botté était effectuée maintenant.)

Dernier point mais non le moindre, Loovis et Butterfield ont étudié le coup frappé latéral, au tennis par exemple. Ici encore, ils ont observé le même phénomène, c'est-à-dire que les filles tiraient de l'arrière pendant cinq ans, soit jusqu'à la cinquième année du primaire, moment où elles affichaient des compétences matures comparables à celles des garçons. Fait intéressant à noter, leur coup frappé latéral ne demeurait comparable à celui des garçons que pendant un an. Au cours des trois années suivantes, elles reprenaient leur retard sur les garçons. Ainsi, elles ont des compétences parallèles pendant une brève période, mais celles-ci périclitent rapidement, comme si l'expérience de l'égalité physique avec les garçons était plus que ce qu'elles peuvent supporter.

Ce n'est pas uniquement le cerveau d'une personne qui détermine si elle pourra attraper une balle ou faire une rotation vigoureuse de la jambe. Le développement des muscles eux-mêmes contribue à la dextérité motrice et à la vitesse. L'enfant dont les muscles sont sous-développés risque d'accuser des retards de développement moteur. « La maturation musculaire peut imposer dans l'exécution de toutes les fonctions motrices un facteur limitatif qui est particulièrement évident dans les mouvements qui alternent rapidement », disent deux chercheurs dans une étude publiée dans la revue médicale britannique *Lancet.* Cela signifie que le développement musculaire d'une personne limite la *rapidité* avec laquelle elle peut accomplir une tâche physique. Cette étude était intitulée « The Maturation of Motor Dexterity : Or Why Johnny Can't Go Any Faster ».

Pour mieux comprendre la situation, nous devons nous pencher sur la façon dont la dextérité motrice de *Jenny* parvient à maturité. Par exemple, une étude a montré que les petites filles de six ans étaient de 3,5 % plus lentes en course de fond que les garçons du même âge. « Avec une prévisibilité étonnante, la vitesse des filles diminuait d'un autre 2,7 % au cours de chaque année subséquente », explique Jackie Hudson, analyste des mouvements à l'université d'État de la Californie. On a attribué la moitié du changement se produisant d'année en année dans la performance des filles à l'amélioration des garçons et l'autre moitié à la détérioration des filles. Mais pourquoi les garçons s'amélioraient-ils ? s'est demandé Mme Hudson.

Je crois qu'il est plus important de se demander pourquoi les filles deviennent progressivement plus mauvaises. Une plus grande différence de graisse corporelle est-elle en cause ? Non. Une comparaison centimètre pour centimètre des normes de forme physique pour les enfants a révélé que les garçons et les filles accumulent de la graisse au même rythme entre l'âge de six et douze ans. Mme Hudson se demande si les garçons n'apprennent pas une technique efficace pendant que les filles apprennent une technique inefficace.

En gardant à l'esprit ces comparaisons de muscles et de compétences, revoyons ce qui arrive aux petites filles dès leur âge le plus tendre. Se pourrait-il que les petites filles de trois, quatre et cinq ans restent dans leur coin avec leurs poupées parce qu'elles pensent que c'est là leur place — et parce qu'on ne leur propose rien d'autre ? Si elles passent *effectivement* tout leur temps avec leurs poupées, quel en sera l'effet sur leur développement musculaire ? Il semble logique de croire que leurs muscles parviendront à maturité plus tard ou qu'ils se développeront moins que ceux des garçons — et cela pour la raison peu édifiante qu'on les dissuade de s'en servir. Voici une question à laquelle on n'a jamais répondu clairement : les filles connaissent-elles des retards ou même des anomalies de développement moteur en raison de leur conditionnement sexiste ? La sous-utilisation produit-elle un effet « bonsaï » ?

Pendant les années soixante-dix, on a poussé l'étude des mouvements encore plus loin. Les événements neuronaux ou mentaux qui produisent ou soutiennent le mouvement sont devenus le grand sujet de l'heure. Grâce aux nouvelles techniques d'imagerie sans cesse plus sophistiquées, les recherches se sont concentrées sur les interactions du cerveau et du corps. En 1990, les chercheurs pouvaient directement examiner le cerveau pendant que différentes compétences motrices s'exerçaient. Par exemple, ils pouvaient voir que des habiletés particulières n'étaient pas nécessairement assurées par une seule partie du cerveau et que certains problèmes de coordination trouvaient leur origine dans le cervelet et d'autres dans les noyaux gris centraux. Ainsi, à la fin du siècle, la compréhension scientifique de l'extraordinaire menuet entre le comportement moteur et le cerveau avait déjà été catapultée bien au-delà des méthodes relativement grossières qu'utilisent les éducateurs physiques pour évaluer les compétences de leurs joueurs. Les entraîneurs choisissaient encore leurs recrues en leur posant des questions sur la hauteur de leur meilleur saut, sur le nombre de kilos qu'ils pouvaient soulever au développé couché et sur leur vitesse à la course. « On considère que la somme des résultats de ces tests peut prédire la performance sportive », écrit Malcolm Gladwell dans un article du *New Yorker* sur le « génie physique », tout en soulignant que plus on examine le comportement moteur, « moins il est possible de le décrire à l'aide de ces mesures toutes faites ».

Jusqu'à récemment, ces mesures étaient pourtant les seules dont les scientifiques eux-mêmes se servaient pour examiner les compétences motrices. Lorsqu'il s'agissait de mesurer les différences entre les sexes, qui est ce qui nous occupe ici, les méthodes de tests trop simples produisaient des résultats bruts qui correspondaient bien peu à la capacité réelle d'apprendre un sport. Qui peut lancer le plus loin, un garçon ou une fille ? Qui peut frapper le plus fort ? Qui peut le mieux lancer la balle d'ouverture de la saison de base-ball ? Il n'y a pas que les journalistes et le public qui se soient posé ces questions. Il y a aussi les personnes qui cherchent des réponses scientifiques. Malheureusement, les scientifiques sont passés à côté de la question en omettant de se demander ce qu'il fallait pour *acquérir* ces compétences et, surtout, si les femmes avaient des chances égales de les apprendre.

La culture, ou l'environnement, a une influence majeure sur le développement des compétences. Dans des tests visant à étudier l'agilité, la coordination et la force statique et explosive de près de quatre mille individus âgés de trois à quatre-vingts ans, les conditions de vie expliquaient 22 % des différences. La culture en expliquait 26 %. On ne tenait pas compte du sexe dans ces tests, mais les données nous ont certainement fait nous demander : qu'arriverait-il au développement moteur de Jenny si ses parents limitaient le temps qu'elle passe à jouer avec ses poupées, comme d'autres parents limitent le temps que leurs enfants passent devant la télé pour les empêcher de devenir passifs et amorphes. Consacrerait-elle plus de temps aux activités physiques ?

Peut-être n'est-il pas bon pour les filles de passer autant de temps dans un monde imaginaire où elles jouent à la maman en prenant soin de bébé. Les activités auxquelles s'adonnent les enfants se gravent sur les voies neuronales de leur cerveau. Nous ne voulons pas que nos enfants s'installent passivement devant la télé. Cependant, nous supposons que les filles doivent rester bien tranquilles dans leur coin à jouer à la poupée, parce que cela est « naturel ». Ça ne l'est pas. Il est « naturel » de courir, de frapper et de botter, mais les filles sont privées de ces activités et condamnées à jouer avec des poupées avant même d'avoir cessé de porter des couches.

Il y a quelques années, le fils de trois ans d'une de mes amies me montrait la façon correcte de lancer un frisbee. (Il n'est jamais trop tard pour apprendre.) Il a analysé mon lancer, puis m'a montré comment faire. Lorsque j'ai réussi à bien lancer, il a levé les bras en signe de victoire, s'écriant « Je t'ai *donné* le Pouvoir ! » Naturellement, son amour pour quelque personnage de bande dessinée avait influencé sa déclaration, mais j'en ai quand même été charmée. Il était clair comme de l'eau de roche que nous savions tous les deux une chose bien nette : faire dessiner un arc parfait à un frisbee peut avoir l'air de relever de la magie, mais ce n'est pas le cas. Il faut savoir comment bouger son corps — placer l'épaule et le bras d'une certaine manière et bouger le poignet d'une façon bien précise. Une fois qu'on le sait, on a le « pouvoir ». Autrement, on ne l'a pas.

Lorsque les éducateurs et les entraîneurs décèlent des différences dans la performance des garçons et des filles, ils ont tendance à les accepter comme étant d'ordre physiologique. Leurs attentes à l'égard des deux sexes se mettent alors à changer et ils modifient en conséquence et le type et la quantité d'instruction qu'ils offrent aux filles. « Les filles reçoivent généralement moins d'instruction ou de l'instruction de moins bonne qualité ; on les encourage moins et on leur donne moins d'occasions d'exercer et de développer leurs compétences motrices ; en conséquence, leurs propres attentes diminuent », notent Toole et Kretzschmar.

La formation sexiste si vigoureusement imposée aux filles a sur elles un effet débilitant, a déclaré le Dr Duncan au President's Council on Physical Fitness and Sports, « tant en valeur absolue que dans leurs rapports avec les garçons. » Pour dire les choses plus simplement, les filles ne font pas les expériences formatrices dont elles ont besoin pour pouvoir utiliser leur corps avec puissance. Lorsqu'on leur offre des occasions de faire ces expériences nécessaires, elles anéantissent littéralement les différences entre les garçons et les filles. Considérez par exemple l'histoire de sauvetage qui suit. Un homme malade accompagné de sa fille de sept ans se rendait chez le médecin en voiture lorsqu'il a soudainement perdu connaissance au volant. Les conducteurs dans les voitures voisines regardaient avec horreur la Honda familiale en train de quitter sa trajectoire. Puis, fait remarquable, la petite fille a réussi à pousser suffisamment son père pour pouvoir atteindre l'accélérateur et la pédale des freins. Elle a parcouru quatre pâtés de maisons sur une autoroute à quatre voies avant d'arriver au Howard Université Hospital, où elle a arrêté la voiture pour courir chercher de l'aide à l'urgence. Son père, dont la température atteignait 40 °C au moment de s'effondrer, a affirmé qu'il devait la vie à sa fille.

Le magazine *People* a publié par la suite une photo de Latia Robinson toute souriante et fière au volant de la voiture familiale. Elle avait le dos droit, la poitrine bien dégagée et le regard franc. Elle a confié au journaliste qu'elle avait réussi à conduire la voiture de son père parce que celui-ci la laissait s'asseoir sur ses genoux et manier le volant depuis l'âge de cinq ans. L'histoire de Latia et du sauvetage de son père est une histoire d'intelligence physique en action. Pensez un peu à ce que son exploit lui a demandé : une multitude de connexions entre les yeux, les mains, le pied et le cerveau, ainsi que les petits calculs et le feedback constant qui lui ont permis de manœuvrer en toute sécurité dans la circulation. Howard Gardner, le théoricien de l'intelligence multiple dont j'ai parlé plus tôt, dirait de Latia qu'elle a « résolu un problème kinesthésique corporel ». La résolution d'un problème physique peut à première vue ne pas sembler aussi mentalement exigeante que celle d'un problème de mathématiques. Pourtant, considérez ceci : pour simplement frapper une balle de tennis, il faut résoudre un problème kinesthésique corporel. Le cerveau doit calculer non seulement la vitesse initiale de la balle, mais aussi les effets du vent (comme Martina Hingis peut vous le dire) et la diminution progressive de la vitesse une fois que la balle a rebondi. Le cerveau donne constamment des ordres aux muscles en se fondant sur de l'information raffinée et mise à jour. Dans le cas d'un retour de service d'une vitesse moyenne, le cerveau n'a que quelques secondes pour faire tout cela. Imaginez maintenant les complexités kinesthésiques corporelles de conduire une voiture, les innombrables calculs que Latia a dû faire pour suivre la circulation, régler sa vitesse, respecter la signalisation et évaluer les distances dans le rétroviseur pendant que son corps exécutait les mouvements nécessaires pour accélérer, freiner et diriger la voiture.

Lorsque j'ai lu l'histoire de Latia Robinson, je m'étais déjà lancée dans l'étude des avantages dont profitaient les femmes qui avaient appris à faire confiance à leur corps. Je savais que les jeunes filles qui ont grandi au cours des vingt dernières années ont des références différentes de celles des jeunes filles qui ont grandi avant les années soixante-dix : elles ont une notion complètement différente de leur corps. La photographie de la petite Latia, sept ans, sûre d'elle-même, forte et indépendante, illustre l'ampleur de cette différence.

Cette photographie montre aussi qu'une petite fille, même très jeune, peut composer automatiquement et efficacement avec un nombre incroyable de compétences motrices complexes – pourvu qu'elle les ait apprises et exercées. Comme le dit Martina Hingis : « On ne naît pas avec ces techniques, on les apprend. » Latia avait pratiqué, encore et encore, avec son père. Elle avait tellement bien appris les divers mouvements qu'il faut faire pour conduire une voiture que son corps avait des automatismes ; son cerveau avait déjà maîtrisé les tâches à accomplir.

Pendant les premières années de l'enfance, y a-t-il des différences de performance motrice entre les sexes ? En résumé, oui. Cependant, tant que le système d'éducation demeurera tel qu'il est, il est difficile de savoir dans quelle mesure ces différences sont sociales, culturelles ou inventées de toutes pièces. Toole et Kretzschmar nous livrent un important avertissement : les différences entre les performances motrices des garçons et des filles persisteront tant que nous ne changerons pas notre façon de penser :

1) Nous percevons les différences comme ayant un fondement *biologique*, de sorte qu'elles sont acceptées et considérées comme inévitables et immuables.

2) Nous entretenons des *attentes* différentes à l'égard du comportement au jeu et des normes de performance des garçons et des filles.

3) Nous ne *traitons* pas les filles et les garçons de la même manière lorsqu'il s'agit de les encourager, de leur enseigner des techniques et de leur fournir des occasions de pratiquer.

4) Nous étiquetons les *activités* par noms ou par modèles pour indiquer si elles sont appropriées ou non pour un sexe ou l'autre.

5) Nous maintenons les systèmes de *récompense* pour les garçons, mais nous les éliminons pour les filles vers le milieu ou la fin de l'enfance.

Il est triste de noter qu'il y a un rapport entre le peu d'occasions qu'ont les filles de développer leurs compétences motrices et ce qui leur arrive plus tard dans la vie. Les lancers par en dessus des hommes et des femmes ont été comparés à tout âge, jusqu'à l'âge de quatre-vingt-dix ans. Les mouvements que les femmes utilisent pour exécuter un lancer par en dessus demeurent généralement « immatures ». Dans un groupe de personnes de 65 à 76 ans, 77 % des femmes et 11 % des hommes faisaient des mouvements immatures du tronc et des bras, ont signalé Toole et Kretzschmar. Ils ont supposé que les mouvements immatures des femmes expliquaient la faiblesse de leurs lancers par rapport à ceux des hommes du même âge. Si une petite fille n'a pas appris à faire des mouvements matures dès sa tendre enfance, pourra-t-elle développer des mouvements matures à l'âge adulte ? Selon les relativement rares études portant sur des adultes plus âgés, la réponse serait non. « Les femmes utilisent encore des mouvements immatures tard dans leur vie et ces mouvements produisent des lancers moins rapides et de moins longue portée que ceux des hommes », signalent Toole et Kretzschmar, soulignant qu'aucune donnée ne montre si les femmes incluses dans l'étude avaient reçu depuis leur enfance des instructions sur la façon de lancer.

Il est à noter, cependant, que les femmes deviennent meilleures en course à mesure qu'elles vieillissent. Les garçons arrivent à des stades plus matures de course à un âge plus précoce que les filles, mais à l'âge de cinquante ans, les différences de performance entre les sexes ont disparu. À cinquante ans, les femmes diffèrent peu des hommes pour ce qui est du sprint, de la vélocité et de la longueur des pas. Cela a amené les chercheurs mentionnés plus haut à s'intéresser à la question de l'entraînement. « Les petites filles pratiquent-elles la course (ou courent-elles en jouant) autant que les petits garçons ? », demandent-ils. « Si ce n'est pas le cas, il se pourrait que seuls des facteurs environnementaux contribuent aux différences entre les sexes dans la petite enfance. »

Il est pour le moins positif que les différences entre les sexes qui ont trait à la course puissent, en vieillissant, s'atténuer avec la pratique. En revanche, le « phénomène de désuétude », comme on l'appelle, a une influence radicale sur la qualité de vie des personnes plus âgées. Les femmes âgées ont moins d'équilibre que les hommes du même âge, de sorte que les chutes et les fractures des hanches, des chevilles et des poignets sont beaucoup plus fréquentes dans leur cas. Lorsqu'elles sont jeunes, cependant, les femmes s'acquittent mieux que les hommes des tâches qui demandent de l'équilibre. Qu'arrive-t-il à cet avantage des femmes à mesure qu'elles vieillissent ? C'est sans doute la « désuétude » ou le manque d'exercice qui entraîne le déclin de l'équilibre chez les femmes plus âgées. Elles ne continuent pas toute leur vie durant à s'adonner à des jeux et à exercer les compétences quotidiennes qui contribuent à un meilleur équilibre.

L'histoire de l'éducation physique des femmes au cours du siècle dernier nous a appris que les femmes qui sont âgées aujourd'hui ont été victimes de restrictions discriminatoires qui les ont empêchées de pleinement utiliser leur corps. Cependant, Toole et Kretzschmar observent que les choses changent et concluent leur rapport sur une note optimiste. « Grâce à l'acceptabilité de l'exercice, de la forme physique et du sport pour tous à tout âge, on peut espérer que les différences de mouvements entre les sexes disparaîtront complètement et que les différences quantitatives de puissance, de force et de temps de réaction s'amenuiseront lentement. »

En lisant ces études, je me suis sentie de plus en plus enthousiaste. Tout ce qui touche à la performance peut être quantifié, mesuré et mis en évidence. Le mythe des capacités innées peut être percé et la vérité révélée : les femmes sont capables de performances supérieures. Plus les instruments utilisés pour comprendre et mesurer la performance sont devenus objectifs, plus cela est devenu clair. Les études montrent que le sexe est un facteur de peu d'importance dans la prédiction ou la limitation de la performance physique. Ce qui compte avant tout, ce sont les compétences acquises, les muscles exercés et l'efficacité des mouvements, laquelle découle d'une technique perfectionnée.

Des corps et des cerveaux rétrécis

On n'a pas besoin d'être une spécialiste de la condition féminine pour imaginer l'effet que le répertoire des facteurs de fragilité peut avoir sur le sentiment de compétence physique des filles. Dans un sondage mené auprès d'élèves de la troisième à la sixième année du primaire, les filles ont obtenu des résultats de seulement 2 % inférieurs à ceux des garçons à la suite d'une batterie de tests sur les compétences motrices, mais elles ont elles-mêmes noté leurs compétences comme étant de 14 % inférieures à celles des garçons. Au moment où elles arrivent en première année, les filles ont déjà décidé que leurs habiletés physiques sont insignifiantes par rapport à celles des garçons. Selon une étude, les garçons et les filles de neuf ans sont pratiquement identiques sur le plan de la performance anaérobique. Pourtant, les filles sont convaincues du contraire. Cette fausse perception de leur compétence physique est semblable à leur fausse perception de leur poids. On commence tôt le travail de base qui entraîne les perturbations corporelles des filles et ces perturbations n'influencent pas seulement l'image qu'elles ont de leur corps, mais aussi la façon dont elles l'utilisent. Puis, à la puberté, l'effet du sexisme se resserre comme un étau.

Les effets des faiblesses apprises sont aussi profonds qu'ils sont méconnus. Après tout, la pratique du sport favorise le développement de l'identité des filles. Elle mène à une meilleure estime de soi, à des attitudes plus positives envers l'école et à un comportement moins autodestructeur. Elle sort les filles de leur état de passivité. « J'ai découvert à quel point j'étais plus heureuse lorsque j'ai cessé de feuilleter des magazines de mode et de regarder la télé », dit Nicole Zaharko, championne mondiale de kayak, lorsqu'elle se rappelle les changements qui sont survenus dans sa vie alors qu'elle commençait à s'intéresser aux sports pendant ses études secondaires. « Je passais davantage de temps dehors, je lisais plus et j'ai compris que ce que je devenais comme personne était beaucoup plus important que de porter des vêtements de taille 6. »

Une étude sur les filles réalisée en 1996 a révélé des corrélations significatives entre la participation à des compétitions sportives au secondaire et de meilleurs résultats scolaires, une image de soi plus positive, de plus grandes aspirations scolaires et moins de problèmes de discipline. Les filles qui font du sport sont moins portées à boire et à fumer. Elles sont plus sûres d'elles-mêmes, ont des attitudes plus positives envers l'école et adoptent des comportements moins autodestructeurs. Une étude datant de 1996 menée par le U.S. Department of Health and Human Services a montré que plus les filles faisaient de l'exercice au cours d'une semaine, plus elles avaient tendance à retarder leurs premières relations sexuelles. Dans l'ouest de l'état de New York (une région où le taux de grossesse chez les adolescentes est parmi les plus élevés aux États-Unis), une étude a constaté l'existence d'une corrélation *significative* entre un taux plus élevé de participation à des activités sportives par les adolescentes et des taux moins élevés d'activité sexuelle et de grossesse.

Les jeunes filles du secondaire qui s'adonnent à des sports d'équipe courent 40 % moins de risques d'abandonner l'école et courent 33 % moins de risques de devenir enceintes. Pourtant, le rapport de 1996 du Surgeon General sur l'activité physique et la santé signale qu'environ la moitié des jeunes gens âgés de

12 à 21 ans sont physiquement inactifs — et que les filles sont deux fois plus susceptibles d'être sédentaires que les garçons.

Les enfants ont besoin d'activités vigoureuses pour résister aux maladies chroniques. Les filles mettent leur système immunitaire en danger lorsqu'elles cessent d'utiliser leur corps. Les recherches montrent qu'un entraînement physique allant de faible à modéré hausse les taux d'interleukine 1, d'interféron et de «cellules tueuses naturelles». «Ainsi, il semble qu'un exercice d'intensité modérée peut avoir un effet positif en ce qu'il retarde l'apparition de maladies comme le cancer, les maladies virales ou la grippe», ont expliqué Patty Freedson et Linda K. Bunker au President's Council on Physical Fitness and Sports dans un rapport intitulé «Physical Activity and Sports in the Lives of Girls». Les maladies chroniques, dont certaines apparaissent souvent pendant l'enfance et l'adolescence et qui peuvent se manifester plus tard à l'âge adulte, comme le cancer, le diabète, l'ostéoporose et les troubles cardiaques, sont toutes influencées par l'exercice.

L'activité physique est importante pour contrôler le poids des jeunes filles au secondaire — et elle est beaucoup plus sûre que les régimes, qui risquent de leur faire développer des troubles de l'alimentation. Selon Bunker et Freedson, l'obésité est le problème de santé chronique le plus répandu chez les enfants en Amérique du Nord. Il y a environ deux fois plus d'enfants obèses maintenant qu'il n'y en avait en 1960 et les filles des milieux urbains sont plus exposées à l'être. Les enfants qui ont des taux de graisse corporelle au-dessus de la moyenne risquent de développer de l'hypertension et des taux élevés de cholestérol total et de cholestérol de LP de basse densité ou cholestérol LDL. Cette situation est particulièrement alarmante car les enfants qui ont des taux de cholestérol élevés risquent presque trois fois plus que les autres de développer des taux de cholestérol élevés à l'âge adulte.

Les filles qui ne font pas d'exercice éprouvent plus de malaises physiques pendant leur cycle menstruel et sont moins régulières. (Cela est intéressant quand on pense que les médecins du XIXe siècle croyaient exactement le contraire, c'est-à-dire que l'exercice nuisait à la fonction menstruelle.) Cependant, les filles qui font trop d'exercice – comme les athlètes d'élite ou les filles qui souffrent d'un trouble compulsif les portant à faire de l'exercice – peuvent dérégler leur cycle menstruel. Le corps a besoin d'une certaine quantité de graisse pour produire de l'œstrogène et les menstruations cessent en l'absence d'œstrogène. Le corps qui fait trop d'exercice perd non seulement de la graisse, mais aussi le précieux œstrogène, ce qui expose les filles et les femmes à une déperdition de la masse osseuse. La « triade de l'athlète féminine » est un terme qui fait référence aux troubles de l'alimentation, à l'aménorrhée et à la perte de masse osseuse, qui sont souvent concomitants. Une étude portant sur des gymnastes a montré que 100 % des sujets étaient au régime ; 62 % utilisaient une méthode extrême de contrôle du poids et 75 % se faisaient encore dire par leur entraîneur de perdre du poids. Les ballerines semblent aussi très vulnérables aux régimes amaigrissants extrêmes et aux troubles de l'alimentation. Cependant, ces troubles ne sont pas « causés » par l'exercice. Au contraire, ils peuvent être déclenchés par des problèmes psychologiques et des substances cérébrales qui régularisent l'appétit, par exemple la sérotonine, dont le métabolisme requiert la présence d'œstrogène. Dans ce dernier cas, la cause est une perte extrême de graisse. Les endocrinologues recommandent aux filles qui font beaucoup d'exercice de faire vérifier leurs taux hormonaux de temps en temps pour s'assurer qu'elles n'ont pas de carence en œstrogène.

Chez les garçons, la force et la forme cardiovasculaire s'améliorent après la puberté. Ce n'est pas le cas des filles. Leur quatorzième année est très importante. Jusqu'à cet âge, la force associée à la maturation augmente de manière linéaire. Après l'âge de quatorze ans, le taux d'augmentation ralentit – et il peut même diminuer chez les filles sédentaires. En l'absence d'exercice régulier, la puissance aérobique des adolescentes *diminuera régulièrement jusqu'à l'âge adulte.* On n'a pas observé la même tendance chez les garçons du même âge. Cependant, le déclin de l'endurance s'estompe grâce à un entraînement aérobique, ce qui explique pourquoi l'exercice aérobique est *crucial* pour les adolescentes. Sans ce genre d'exercice, leur force cardiovasculaire diminue.

La puissance anaérobique, soit la capacité de s'adonner à des activités exigeantes sur de courtes périodes (par exemple, la capacité d'exécuter un saut vertical), augmente aussi pendant la petite enfance des filles, mais elle *décroît* à l'adolescence et au début de l'âge adulte. Or, l'exercice peut accroître la puissance anaérobique. En effet, des études portant sur des filles âgées de dix à treize ans ont montré que l'exercice pouvait accroître leur puissance anaérobique dans une proportion pouvant aller jusqu'à 20 %.

« Pour que les os se développent bien, il est important que les enfants, et plus particulièrement les adolescents, s'adonnent régulièrement (de préférence quotidiennement) à des activités physiques », énonce le President's Council Fitness Report. La densité osseuse des filles qui ne font pas d'exercice (et souvenez-vous que la plupart n'en font pas) chute de manière dramatique. À l'âge de seize ans, les filles qui ne sont pas en bonne forme physique ont déjà perdu de la masse osseuse dans leur colonne vertébrale ! De l'âge de quatorze ans, moment auquel les filles cessent de faire de l'exercice, jusqu'à l'âge de seize ans, elles se transforment en candidates idéales à l'ostéoporose. À un âge où elles sont censées augmenter leur masse osseuse, elles la perdent — et pourquoi ? Parce qu'elles ont peur de devenir trop costaudes. Elles ont peur de prendre du poids, de se faire des muscles et de ne pas paraître féminines. À moins qu'une personne de leur entourage ou qu'un événement ne leur fasse perdre cette peur et ce dégoût, elles risquent de ne jamais atteindre leur pleine masse osseuse.

Selon des spécialistes de l'endocrinologie de la reproduction, l'effet de l'exercice sur le développement *maximal* de la masse osseuse est d'une importance capitale pour la santé des os pendant le reste de la vie. Les personnes qui développent leur pleine masse osseuse pendant l'adolescence pourraient être moins sujettes aux fractures et à l'ostéopénie plus tard dans leur vie. Une étude publiée dans le *Journal of Bone Mineral Research* portant sur deux groupes de sujets féminins ayant une faible densité osseuse ou une densité osseuse élevée a montré que les filles dont la masse osseuse était plus faible au moment où elles atteignaient leur maturité physique avaient en vieillissant une incidence plus élevée de fractures. « Ces conclusions suggèrent que le développement d'une masse osseuse maximale pendant les vingt premières années est importante pour minimiser les risques de fractures plus tard dans la vie », soutiennent des endocrinologues qui étudient l'exercice et la santé des os.

Avery Faigenbaum, professeur de physiologie de l'exercice à l'université du Massachusetts à Boston, affirme que les os sont *les plus réceptifs* au stimulus de l'entraînement en résistance pendant l'enfance et l'adolescence. C'est la « période idéale pour accroître la densité minérale des os et se faire de soi-disant réserves osseuses ».

La fille incroyablement rétrécie court de grands risques de devenir une femme incroyablement rétrécie. En effet, des études montrent que les filles qui ne font pas d'exercice sont susceptibles de devenir des femmes inactives. Cela pourrait être la raison qui explique la vulnérabilité des femmes à l'ostéoporose : au cours de leur vie, elles ne sont tout simplement pas suffisamment actives. Dans l'intérêt de la « féminité », elles se gardent sous-développées et physiquement vulnérables. Leurs os sont plus poreux qu'ils ne le devraient.

Dès l'âge de seize ans, les filles sont déjà sur la voie des fractures, des vertèbres écrasées et de la terrible « bosse » dans le haut du dos, qui signifie non pas un vieillissement anormal (comme on l'a longtemps cru) mais une déformation squelettique. Les filles sont sur cette voie à l'âge de seize ans non pas parce qu'elles sont fondamentalement plus faibles que les garçons, mais parce qu'elles se sont elles-mêmes mises dans cet état. À l'université, les athlètes féminines sont cinq fois plus exposées que les hommes à s'infliger de graves blessures aux genoux en jouant au soccer, au volley-ball et au basket-ball. Elles courent aussi plus de risques de souffrir de fractures de stress et de blessures de la coiffe des rotateurs. Le Dr Jo Hannafin, directrice du département d'orthopédie à la Women's Sport Medicine Clinic du Hospital for Special Surgery de New York, dit que les filles doivent augmenter leur force si elles veulent prévenir de telles blessures. Fondamentalement, elles ont besoin d'occasions de faire de l'exercice à un âge plus précoce et de profiter d'un entraînement supérieur avec de meilleurs entraîneurs et un meilleur équipement.

Les filles qui cessent de faire de l'exercice à l'adolescence peuvent aussi se priver d'un avantage intellectuel. De nouvelles recherches suggèrent qu'il se produit pendant l'exercice des changements importants dans la fonction cérébrale cognitive. Une « méta analyse » des résultats de 134 études, réalisée en 1997, montre que des séances d'exercice simples et des programmes d'entraînement réguliers ont un effet bénéfique sur la fonction cognitive.

Jean Piaget a été l'un des premiers psychologues à suggérer que le développement moteur est un déterminant du développement intellectuel. Depuis ses recherches dans les années trente, on a proposé de nombreuses théories suggérant que le corps influence l'esprit, mais les mécanismes sous-tendant ce lien causal n'ont été élucidés que récemment. Grâce aux progrès en neuropsychologie, les chercheurs contemporains sont en voie d'identifier les mécanismes qui expliquent ce lien, notamment le flux sanguin au cerveau. Les recherches sur les humains ont montré que l'exercice d'intensité modérée à forte produit de fortes augmentations du flux sanguin au cerveau. Or, ces augmentations semblent avoir un effet bénéfique sur la fonction cognitive en accroissant l'approvisionnement du cerveau en substances nutritives.

Les neurotransmetteurs ont aussi un effet sur le lien entre le cerveau et le corps. La sécrétion des endorphines, substances qui modifient l'humeur, s'accroît après une session d'exercice intense. En outre, il a été démontré que l'exercice fréquent ou régulier hausse les niveaux de noradrénaline, un neurotransmetteur chimique associé à une meilleure mémoire.

Autre découverte remarquable, il semble que l'exercice peut entraîner des *changements structurels permanents dans le cerveau.* Des études menées sur des rats faisant de l'exercice montrent une augmentation de la densité des veines du cortex cérébral. Les coûts de ces recherches en neuropsychologie sont élevés et il reste encore beaucoup à faire, mais les premiers résultats indiquent que l'exercice pourrait provoquer dans le cerveau lui-même ou dans l'environnement cérébral des changements qui auront une influence positive sur la fonction cérébrale. D'autres études montrent que les personnes qui suivent des programmes d'exercice pendant plusieurs années enregistrent les gains les plus importants sur le plan de la performance cognitive.

Contrairement au stéréotype du « tout dans les muscles, rien dans le cerveau », la plupart des études menées au fil des ans ont montré une corrélation entre la réussite sportive et la réussite scolaire. En fait, de nombreuses études ont permis d'établir que les filles qui s'adonnent à des sports poursuivent leurs études plus longtemps et réussissent mieux que les filles inactives. Au secondaire, de nombreuses athlètes féminines signalent qu'elles obtiennent de meilleurs résultats aux tests standardisés, qu'elles ont un taux d'abandon moins élevé et qu'elles sont plus susceptibles d'aller à l'université que leurs homologues qui ne font pas d'exercice. Étant donné les effets de la faiblesse apprise sur le développement du cerveau et des os des filles, l'inactivité des adolescentes fait presque figure de crise nationale. Or, ce sont les préjugés sexistes qui sont la cause de cette crise.

Mon propos dans le présent chapitre ne concerne pas seulement la capacité des filles de s'activer et de faire du sport, mais leur capacité de s'*activer* tout court. Je parle du développement de leurs os, de leurs muscles et des ligaments qui les relient. Je parle de la capacité de leur cerveau à communiquer avec les diverses parties de leur corps pour en assurer le fonctionnement coordonné. Enfin, je parle des pertes qui surviennent sur les plans physique, mental et émotif lorsque le corps et le cerveau ne sont jamais appelés à exécuter la danse complexe qui produit l'intelligence physique.

On a trop insisté sur la notion de « jeux de filles » et « jeux de garçons ». Les garçons apprennent à jouer aux durs et à confondre sexe et violence. Lorsqu'ils arrivent à la puberté, la taille de leur corps est l'élément le plus important de leur image. Ils veulent être *bien bâtis*. Les filles apprennent à être passives, rêvant du jour où elles pourront ressembler à Barbie ou avoir des enfants. Elles veulent être *menues*. Pour y parvenir, elles commencent à suivre des régimes à sept ou huit ans. (Une étude a montré que 50 % des filles de neuf ans et 80 % des filles de onze ans suivaient un régime pour perdre du poids.)

Les parents vous jureront que tout cela est naturel et inévitable, que leurs garçons voulaient conduire des semi-remorques à l'âge de dix-huit mois, tandis que leurs filles ne demandaient pas mieux que de passer leur temps à langer leurs poupées. Chez les jeunes enfants, ces différences extrêmes entre les sexes sont attribuables à des facteurs culturels. Les parents ont du mal à concevoir à quel point nous tenons à nos fixations sexistes et à quel point nous les perpétuons et les laissons s'infiltrer dans les rêves de nos enfants. L'idée qu'il faut être menue et délicate pour être féminine fait du tort aux filles — physiquement, émotivement et mentalement.

Chapitre 3

Sortir les filles du coin des poupées

La petite fille commence à peine à marcher. Elle s'approche de la clôture à mailles de chaîne entourant l'aire de jeu, pose un pied sur un maillon et se met à grimper, en s'agrippant de ses mains. Elle est bientôt à la hauteur de la tête de sa mère, puis s'éloigne hors de sa portée, se rapprochant du ciel. Il y a quelque chose d'insolite dans cette scène, même pour la mère de l'enfant. Elle n'a jamais vu une petite fille de cet âge faire une chose pareille. Elle n'a même jamais vu un petit garçon agir de la sorte. Elle se tient sous son enfant, la tête relevée pour surveiller ses moindres gestes, essayant de s'assurer qu'elle est en sécurité. Elle se dit que si sa fille devait tomber, elle serait seule à pouvoir freiner sa chute. « Regarde, maman ! Regarde ! » La petite fille est ravie de son escalade, et sa mère ne veut pas laisser paraître son angoisse et ses doutes. Elle veut l'aider à profiter de son aventure, mais elle ne veut pas commettre de négligence non plus. Que doit-elle faire ? Elle se dit que si sa fille devait tomber, elle pourrait l'attraper. Tout ce qu'il lui faut est le courage de ne pas s'affoler.

La semaine n'était pas finie que la fillette arrivait déjà à grimper jusqu'au haut de la clôture et à vouloir redescendre de l'autre côté. Elle ne cherchait nullement à cacher ses intentions. Cette grimpeuse s'appelait Rachel et j'étais sa maman. Je lui laissais faire des choses qu'on ne m'avait jamais permis de faire lorsque j'étais enfant, d'une part parce que j'avais cette ambivalence des jeunes parents des années soixante-dix quant à l'éducation des enfants et d'autre part en raison de mes convictions féministes. À mes yeux, les petites filles avaient le droit d'être aussi fortes que les petits garçons. À l'époque, nous ne voulions pas restreindre et contrôler nos enfants comme nos parents l'avaient fait, mais nous ne savions pas jusqu'où aller. Très souvent, nous nous retrouvions à nous mordre la langue et à nous enfoncer les ongles dans les paumes en regardant nos petites filles profiter de leur droit de grandir, d'explorer et de se découvrir — « d'être elles-mêmes », comme nous le disions dans le jargon de ce temps-là.

Nous étions la génération de mères qui se demandaient si elles devaient laisser leurs petites filles jouer avec des poupées Barbie et si GI Joe allait transformer leurs petits garçons en monstres macho. Les différences entre les sexes qu'exprimaient ces jouets étaient à la fois risibles et inquiétantes. Nous voulions encourager chez nos enfants une gamme de comportements plus étendue. Nos filles devaient pouvoir jouer avec des camions, tandis que nos garçons avaient le droit de pleurer. Le populaire livre pour enfants de Marlo Thomas, *Free to Be You and Me,* et des émissions de télé comme *Sesame Street* reflétaient des attitudes nouvelles et plus souples à l'égard des sexes. Or, ces attitudes allaient contribuer à un changement imprévisible très important : pendant les années quatre-vingt-dix, les mères ont vu leurs filles s'intéresser aux activités les plus exigeantes de leurs frères : le football, le hockey et même le soccer. À l'aube du nouveau millénaire, ces sports n'appartenaient déjà plus aux garçons. Les filles ne voulaient plus s'adonner à des activités archaïques comme n'être que des meneuses de claques. Elles trouvaient les coups de pied au but et les plaquages beaucoup plus amusants.

La perception de la compétence physique

Si l'estime de soi, la confiance en soi et la perception de la compétence prédisposent à la réussite dans le domaine des sports et de l'activité physique, on peut aussi dire que l'activité physique prédispose au bien-être psychologique des enfants comme des adultes. Des études récentes révèlent en effet que l'activité physique accroît l'estime de soi des filles tant pendant l'enfance qu'à l'adolescence. «Il semble s'agir d'une relation réciproque», signale le President's Council on Physical Fitness and Sports. «Une meilleure perception de soi et de ses compétences favorise non seulement des efforts plus soutenus, mais aussi la persévérance et la réussite qui, à leur tour, améliorent encore davantage la perception de soi. Cependant, le rôle des proches est critique pour que la réciprocité soit positive.»

De nos jours, presque toutes les théories cognitives sur la motivation mettent en relief l'importance des *attentes* et de l'interprétation des choses. «Ce qu'une personne considère important *est* important. Si une personne s'attend à bien jouer au volley-ball, elle jouera bien, soutient Diane Gill, professeur de sciences de l'exercice et du sport. Si vous vous attendez à tomber de la poutre d'équilibre, vous tomberez.»

Un enfant apprend dès sa plus tendre enfance à adopter les comportements appropriés à son sexe et à inhiber ceux qui sont considérés ne convenir qu'au sexe opposé. Dès l'âge de quatre ans, les garçons se perçoivent comme étant plus forts que les filles, même s'il n'y a aucune différence de force entre eux. Après avoir suivi dix groupes d'enfants de la maternelle à la quatrième année du primaire, un chercheur a découvert que les garçons avaient un plus grand sentiment de compétence que les filles dans tous les groupes sauf un. Une autre étude visant à évaluer les attentes en matière de performance d'élèves de la troisième à la septième année du primaire devant accomplir des tâches légèrement associées à un sexe plutôt qu'à l'autre a montré que les filles s'attendaient à des résultats moins élevés, que les tâches touchent la danse ou le football. Pourtant, leur performance réelle se comparait à celle des garçons.

Plus de filles que de garçons s'attendent à ne pas bien réussir dans les sports et les compétitions et plus de femmes que d'hommes croient être incapables de développer des compétences sportives ou de suivre assidûment un programme d'exercice. « En effet, l'influence du sexe sur les attentes et la confiance en soi est l'une des considérations les plus importantes dans la réussite, affirme Mme Gill, plus particulièrement dans le domaine de l'activité physique. »

Les critères différents utilisés pour mesurer la forme physique ont une influence marquante sur les attentes des garçons et des filles. Les normes sont plus élevées pour les garçons. Des chercheurs ont donc voulu savoir s'il y avait suffisamment de différences entre le potentiel des garçons et celui des filles de dix à treize ans pour justifier le recours à une pratique apparemment aussi discriminatoire. En gros, ils ont découvert qu'il n'y avait pas de différence significative. Par exemple, la consommation maximale d'oxygène est considérée comme le meilleur indicateur de l'endurance cardiovasculaire. Lorsqu'elle est mesurée en tenant compte du poids corporel, elle est semblable chez les garçons et les filles pré-pubères. Il n'y avait pas beaucoup de différences non plus entre la fréquence cardiaque, la force et l'endurance des garçons et des filles. La force des garçons change surtout entre treize et quatorze ans et on attribue ce changement à l'apparition pubertaire de la testostérone. Cependant, l'importance de cette hormone sur les prouesses physiques des garçons par rapport à celles des filles pourrait avoir été exagérée. On a découvert récemment que les taux de testostérone des filles augmentent beaucoup à la puberté et qu'ils sont élevés comparativement aux taux d'œstrogène. Un des grands facteurs qui contribue au déclin physique des filles à l'adolescence est leur refus de faire des exercices aérobiques et des exercices d'endurance.

Les filles de tout âge obtiennent de meilleurs résultats que les garçons aux tests de souplesse ou de portée des mouvements des articulations. Des chercheurs ont donc voulu faire subir aux filles et aux garçons d'une école de l'Illinois la batterie de tests Physical Best, un outil d'évaluation de la forme physique que les professeurs d'éducation physique apprennent à administrer. Au début, les tests Physical Best comprenaient cinq tests : une marche/course de 1,6 km, des redressements assis, des tractions, des étirements et de la composition corporelle. On a finalement éliminé le test de composition corporelle, qui s'était révélé peu fiable. Pour les quatre tests restants, on attendait des sujets le « meilleur effort possible ». Ils devaient donc faire autant de redressements assis et autant de tractions que possible ; courir ou marcher aussi vite que possible ; et s'étirer aussi loin que possible en faisant les exercices de souplesse. Comme il y avait pour chacun des tests des critères différents pour les filles et les garçons, les auteurs ont décidé de calculer non seulement les résultats individuels, mais aussi le pourcentage de garçons *et* de filles qui avaient satisfait aux critères ou même qui avaient dépassé ces critères (plus élevés) établis pour des garçons.

Les résultats qu'ils ont obtenus ont été des plus intéressants. Pour la marche ou la course, les filles ont montré de manière constante qu'elles pouvaient atteindre ou même dépasser les critères établis pour les garçons. Pour les redressements assis, il n'y avait pas de différence significative entre les filles et les garçons de dix et onze ans. À douze ans, ils étaient au même point au début de l'année scolaire, mais les garçons avaient pris de l'avance à la fin de l'année et demeuraient en avance à l'âge de treize ans. (Il est intéressant de se demander pourquoi l'endurance abdominale des filles cesse de progresser lorsqu'elles arrivent à l'âge de treize ans — du moins si elles *utilisent* leur abdominaux). Au chapitre des tractions, les garçons étaient nettement meilleurs que les filles, *sauf à l'âge de onze ans*, où il n'y avait pas de différence. (L'étude a montré que très peu d'enfants d'un sexe ou de l'autre réussissaient à faire les tractions correctement. Aux tests de souplesse et d'étirements, les filles étaient de très loin supérieures aux garçons (comme on l'a noté plus tôt).

Mais voici le résultat extraordinaire : en calculant les pourcentages des enfants ayant satisfait aux critères s'appliquant aux garçons, les chercheurs ont constaté que les filles arrivaient devant les garçons. À douze et à treize ans, elles tiraient de l'arrière pour les tractions, seules quelques-unes d'entre elles réussissant à satisfaire aux critères des garçons, mais leurs résultats globaux étaient tellement élevés qu'elles étaient les gagnantes incontestées de la bonne forme physique. Voici donc la question évidente que les chercheurs ont soulevée : « Si des fillettes pré-pubères sont capables de satisfaire à des critères s'appliquant aux garçons et si les conclusions de diverses études ont montré qu'il n'y a pas de différence significative de performance entre les garçons et les filles lors de tests de forme physique, pourquoi les normes des tests de forme physique aux États-Unis ne sont-elles pas les mêmes pour les garçons et les filles du même âge ? »

Le plus inquiétant est le message que ces normes différentes pour les filles leur transmettent au sujet de leurs capacités. Même *après* la puberté, les différences entre les niveaux de performance des garçons et des filles peuvent être grandement influencées par les attentes de la société. En 1988, deux spécialistes des sciences sociales ont lancé un appel au changement : « De nombreux parents, enseignants, entraîneurs et pairs continuent à se conduire comme si les filles ne devaient pas faire autant d'exercice et de sport que les garçons, ont-ils noté. Sur le plan de la participation, de la performance, de la pratique, de l'esprit de compétition et de la conduite en général, les filles agissent exactement comme la société s'y attend. Résultat : elles font moins d'exercice et de sport et ne développent ni la forme physique ni les compétences sportives qu'elles pourraient avoir si elles en faisaient davantage. »

Pourtant, huit ans plus tard, les mêmes tests discriminatoires étaient encore utilisés dans les écoles des États-Unis pour mesurer la forme physique. Les filles croient qu'elles n'ont pas d'aptitudes pour les sports principalement parce qu'elles se perçoivent comme étant physiquement moins capables que les garçons. Les psychologues nous disent que les personnes qui attribuent l'échec au manque de talent sont souvent médiocres – principalement parce qu'elles abandonnent trop vite. Pour leur part, les gens très performants, qui attribuent leur succès à l'effort, ont tendance à fournir un peu plus d'efforts pour atteindre leurs buts. Malheureusement, les filles grandissent en croyant que, dans leur cas, l'effort physique est tout à fait futile.

Le facteur entraînement

L'entraîneuse de basket-ball Mariah Burton Nelson doit travailler fort pour pousser les jeunes filles et les femmes à aller au-delà de limites apprises. Prenons, par exemple, leur réserve à l'égard de la position défensive, qui exige que la joueuse de basket-ball se mette en petit bonhomme, les jambes écartées, les genoux ouverts et les mains prêtes à détourner les passes ou les lancers au panier. Cette position permet de réagir rapidement à toute manœuvre offensive. « Les femmes *détestent* la position défensive aussitôt qu'elles l'apprennent, dit Mme Nelson. C'est à cause des jambes ; une jeune fille distinguée n'écarte pas les jambes de cette façon. »

Les femmes ont de la difficulté à accepter leur « forte constitution ». « Elles n'aiment pas se sentir grandes, avoir le dos large ou être bruyantes. Elles ne savent pas comment occuper un vaste espace. » Pourtant, il est important de savoir prendre de la place et être agressif dans des sports comme le basket-ball, où il faut savoir « arracher le rebond comme si on mourait de faim et que c'était la seule noix de coco sur le cocotier », dit Mme Nelson. L'agressivité au jeu ne vient pas facilement aux jeunes filles élevées pour être féminines. « Vous devez décider où vous voulez vous placer, y arriver et refuser de vous laisser bousculer. Vous devez crier fort à vos co-équipières, savoir laquelle remonte le terrain ou laquelle est prête à lancer au panier. »

Les jeunes filles d'aujourd'hui sont à une importante croisée des chemins. La façon dont les parents et les entraîneurs réagissent à leur évolution physique est cruciale. Les fillettes ont davantage besoin de l'approbation des adultes que les garçons et, jusqu'à ce qu'elles surmontent ce besoin (ce que les sports vont les aider à faire) le genre d'entraînement qui leur sera offert est déterminant. Les attitudes des entraîneurs influencent non seulement *la façon* dont les filles se développent physiquement, mais elles déterminent aussi *si* elles pourront ou non se développer physiquement.

Des études montrent que l'estime de soi que les filles retirent des sports est attribuable au défi, à la réussite, à l'expérience du risque et à l'acquisition de compétences. Les adolescentes citent les mêmes sources de satisfaction, en ajoutant qu'elles se sentent bien comme athlètes en raison de l'approbation des autres. Pour leur part, les adolescents ne se soucient guère de l'approbation des autres et ils jugent leur compétence physique en fonction de l'issue de la compétition et de la facilité avec laquelle ils apprennent. Les parents, les éducateurs et les entraîneurs doivent être conscients de l'importance de bien doser les compliments et la rétroaction dans l'enseignement offert aux filles et de les pousser à se dépasser au lieu de les chouchouter.

Le manque d'encouragement que perçoivent les filles se présente souvent sous forme de critiques ou même de violence verbale de la part des entraîneurs et des parents. Il existe un jeu appelé le « tee-ball », un genre de base-ball pour les garçons et les fillettes de cinq et six ans. Or, dans certaines collectivités, les entraîneurs et les parents ne se gênent pas pour dire qu'ils ne se préoccupent pas particulièrement des filles, principalement parce qu'elles ne savent pas lancer. Les filles qui n'ont pas peur d'exhiber leur force et leur puissance physiques dans les interactions avec les garçons risquent d'être marginalisées. « Je sais que les garçons n'aiment pas que je sois plus rapide qu'eux, dit Amanda, la coureuse la plus rapide de la dernière année du primaire. Mais je le fais quand même. »

« Au départ, nous nous attendions à ce que le tee-ball fournisse aux filles un environnement favorable au développement de leurs compétences sportives », dit Melissa A. Landers de l'université de Géorgie, qui a observé un groupe de tee-ball du YMCA au cours du printemps 1993. « Mais ce n'est pas le cas. » La plupart des filles n'avaient pas de gants, par exemple, un signe que leurs parents ne prennent pas leur participation très au sérieux, disent les chercheurs. Pire encore, les entraîneurs ne prenaient pas les fillettes au sérieux, pas même les entraîneuses. « Aucune des fillettes n'a envie d'être là, a déclaré une entraîneuse au Dr Landers. Si j'installais une table à colorier dans un coin, toutes les filles y seraient... Les papas sortent lancer des balles avec leurs fils pendant que les filles restent à l'intérieur et jouent à la poupée. »

C'était la décennie où les femmes faisaient une entrée spectaculaire au basket-ball, au hockey sur glace et au soccer et pas *une seule* petite fille n'avait envie de jouer au tee-ball ? Elles voulaient *toutes* rester à l'intérieur et jouer à la poupée ? Le fait qu'il s'agisse d'un entraîneur féminin est un témoignage encore plus affligeant de la persistance des stéréotypes. « Les attitudes des entraîneurs envers le base-ball féminin les empêchent de s'intéresser activement au développement sportif des filles et les portent à se concentrer davantage sur le déficit de la capacité d'attention et les comportements négatifs qu'ils perçoivent chez elles, » dit le Dr Landers.

Dans le scénario de tee-ball de la Géorgie, les entraîneurs réprimandaient les filles plus souvent et plus durement que les garçons et souvent pour des comportements tolérés de la part de ces derniers. Quand ils ne critiquaient pas une fillette en particulier, ils traitaient l'ensemble des filles d'incompétentes. Lorsqu'un entraîneur a échappé le ballon qu'il voulait lancer, il a dit : « Regardez, je lance comme une fille. » Apparemment, la situation l'embarrassait tellement qu'il s'est senti obligé d'en faire une blague. Il s'est tordu maladroitement les bras et a lancé la balle vers Helen (une enfant) qui était debout devant lui. « Voilà un homme adulte qui détourne l'attention de ses propres gaffes en se servant d'une fillette "comme faire valoir" », a écrit le Dr Landers dans son rapport.

Cet entraîneur aurait sans doute mieux fait d'améliorer ses propres compétences, mais il a utilisé les filles pour que l'on oublie sa maladresse. Après avoir échappé la balle une deuxième fois, il a dit à l'une des fillettes : « Je suis une petite fille. Je ne sais pas attraper la balle ! » Ce genre de moqueries transmet un message très clair aux filles, non seulement sur leurs habiletés, mais sur leur valeur même. Cet entraîneur disait aux filles qu'elles étaient inférieures et faibles, tout le contraire des puissants garçons. Le conditionnement a fonctionné. Le traitement que leur réservait l'entraîneur et l'attitude négative des garçons ont eu raison de l'intérêt des filles pendant la saison.

« J'ai commencé dès l'âge de neuf ans à connaître mon corps d'une manière dont seul un athlète ou un danseur le connaît, a écrit Michael Oriard, autrefois chef de la police de Kansas City et maintenant professeur d'anglais. Grâce au football, j'ai appris… comment je pouvais utiliser mon corps comme une force, comment mes épaules, mon dos, mes cuisses et mes jambes bien tendus contre les jambes d'un porteur de ballon pouvaient facilement le renverser. »

Transposant ce genre d'expérience typiquement masculine dans un contexte culturel, le psychologue du développement John Shotter parle d'une « économie politique des occasions de se développer ». Les enfants n'ont pas tous accès aux mêmes occasions de se développer. Le sexe et la classe sociale y sont tous deux pour quelque chose. Il faut être exposé à certaines expériences pour que se développent les « pouvoirs personnels » qui enthousiasmaient tant Michael Oriard quand il avait neuf ans. Il faut la participation d'un entraîneur, d'un mentor ou d'autres adultes qui « reconnaissent les compétences et la valeur d'un enfant et l'encouragent à les reconnaître et à en tirer du plaisir». C'est ainsi que naît le désir d'un garçon ou d'une fille de transformer ses talents naturels en compétences personnelles.

Voyons l'effet de l'entraînement positif sur une fillette de première année du secondaire de Géorgie. Tonya Butler, la gérante d'une équipe de football d'une école secondaire, assistait à une séance de pratique. L'un après l'autre, les garçons rataient la tâche apparemment simple de réussir un botté pour le point supplémentaire. L'un des entraîneurs a appelé Tonya : « Tonya, tu joues au football. Viendrais-tu ici ? »

« Je pensais qu'il faisait une blague, a dit Tonya. Alors, pendant une pause, je suis allée botter le ballon et j'ai marqué un point. Il était impressionné. J'ai continué jusqu'à ce que je rate le 35e botté. L'entraîneur était complètement baba. » (Cette scène s'est passée cinq ans après les humiliantes expériences des fillettes sur le terrain de tee-ball, mais quels cinq ans !)

En troisième année du secondaire, après avoir réussi 7 tentatives de botté sur 8 et marqué 28 des 31 points de l'équipe de l'école Riverdale, Tonya est devenue la première fille à pouvoir jouer dans l'équipe de l'État. Du haut de son 1,67 m et fière de ses 57 kg, Tonya est « prête à faire tomber des barrières », dit son entraîneur. Les garçons de l'équipe l'adorent. Le quart arrière fait fièrement remarquer qu'on ne lui laisse aucune chance parce qu'elle est une fille. « Elle fait ce qu'elle a à faire, on ne pourrait pas trouver de meilleur joueur pour l'équipe. » Les mâles de l'équipe l'ont sûrement mieux acceptée en raison de l'enthousiasme que manifestait son entraîneur masculin.

Ce ne sont pas tous les entraîneurs qui gardent cette neutralité dans toutes les situations. En 1989, Tawana Hammond, de Union Bridge au Maryland, était l'une des 109 filles qui jouaient dans des équipes de football du secondaire aux États-Unis. Après avoir été mise en échec pendant le jeu, elle a subi de graves lésions internes et on a dû lui enlever la rate et la moitié du pancréas. Même si les filles qui jouent au football ne sont pas plus vulnérables que les garçons, cet incident a été l'occasion d'une vilaine manifestation de sexisme. Peu de gens ont montré de la sympathie pour Tawana, la plupart étant d'avis qu'elle « n'aurait pas dû être là de toute façon », comme l'a déclaré le maire de Union Bridge. « Une jeune fille qui joue à un sport d'hommes a monté les gens les uns contre les autres dans cette ville. » Même son entraîneur n'a pas pu s'empêcher de lui dire qu'étant plus faibles, les femmes avaient un net désavantage biologique par rapport aux hommes.

Eh bien, pas aussi fortes que *certains* hommes peut-être. Personne ne parle des « désavantages biologiques majeurs » des garçons et des hommes plus frêles et plus faibles qui se font blesser au football tous les jours. Au cours de la saison de 1992, 21 % des joueurs de la Ligue nationale de football des États-Unis ont subi des blessures suffisamment graves pour manquer au moins un match. Les blessures sont fréquentes au football, pour les hommes comme pour les femmes. Soixante-dix-huit pour cent des joueurs de football à la retraite souffrent d'incapacité permanente. L'espérance de vie moyenne d'un joueur professionnel de football est de cinquante-six ans ! « En fait, dit Mariah Burton Nelson, les *hommes* sont trop faibles pour jouer au football. » Mais si l'on fait abstraction de ces questions, le nombre grandissant de fillettes qui souhaitent faire partie de l'équipe de leur école est une indication du recul du sexisme.

Conscients des déficits moteurs qui affligent les fillettes peu encouragées à s'adonner à des sports, certains entraîneurs organisent des programmes visant à réduire l'écart entre les sexes. Par exemple, Dave Oliver, l'entraîneur de conditionnement physique de l'équipe féminine de soccer des États-Unis, offre un tel programme à son centre de conditionnement physique d'Orlando en Floride. Le programme à l'intention des fillettes de huit ans et plus comprend des séances d'exercices de résistance, comme des tractions utilisant uniquement leur poids corporel. Entre huit et onze ans, il met l'accent sur l'activité neuromusculaire et les exercices de vitesse « pour leur apprendre à se retourner efficacement et à développer leur équilibre et leur agilité». Les filles qui s'intéressent aux sports devraient commencer à travailler avec des poids dès l'âge de douze ans, dit Oliver. Au milieu du secondaire, elles devraient être sur le terrain à pratiquer des coups de poing avec élan, des flexions de jambes et des coups de genoux hauts.

Comme l'a déclaré le professeur Margaret Carlisle Duncan de l'université du Wisconsin dans son rapport au President's Council intitulé Physical Activity and Sport in the Lives of Girls (l'activité physique et les sports dans la vie des jeunes filles), il est de la première importance que les filles aient la chance de développer leurs compétences physiques. Mais cela ne se produira que lorsque le sexisme aura disparu. Le Dr Duncan suggère les lignes directrices suivantes aux enseignants, aux parents, aux éducateurs physiques et aux entraîneurs tant féminins que masculins:

1) Il est essentiel d'éliminer la ségrégation en fonction du sexe chaque fois que cela est possible. Les activités ne devraient pas être désignées «pour filles» ou «pour garçons», «féminines» ou «masculines».

2) Les autorités devraient cesser d'utiliser le sexe comme base de ségrégation dans les groupes d'activité physique. En séparant arbitrairement les filles des garçons, on peut créer de l'hostilité et perpétuer les inégalités de pouvoir.

3) Lorsque les adultes sont témoins d'injustices ou de stéréotypes sexistes dans les jeux ou en classe, il est souhaitable qu'ils contestent ouvertement le sexisme, les préjugés ou la discrimination.

4) Les entraîneurs et les éducateurs physiques devraient être aussi disponibles pour les filles et leur accorder autant d'attention qu'aux garçons. Les garçons et les filles devraient pouvoir jouer aux positions intéressantes et importantes

au cours d'une partie (par ex. lanceur, gardien de but ou avant).

5) Nous devons tous remettre en question les stéréotypes chaque fois que c'est possible. Lorsque les enseignants choisissent des jeux ou dirigent des activités, une enseignante peut jouer au football tandis qu'un enseignant sautera à la corde.

La société continue à lutter contre l'inclusion des filles dans les sports. Dès la fondation de la Little League (ligue pour enfants) en 1939, les fillettes ont voulu en faire partie. Pendant des décennies, cependant, les organisateurs de la Little League ont refusé. Au cours des années soixante-dix, lorsque les pressions exercées par le gouvernement fédéral contre la discrimination envers les filles dans les sports ont augmenté (en partie à cause d'un article de loi, le Titre IX, dont il sera question au chapitre 5), les officiels de la Little League ont dépensé près de 2 millions de dollars pour continuer à exclure les filles. Plus scandaleux encore que le montant dépensé étaient les arguments invoqués, notamment que les filles pourraient être molestées. « Il serait inconvenant que des entraîneurs donnent des tapes sur les fesses des filles comme ils le font naturellement avec les garçons, a déclaré le président de la ligue, le Dr Creighton Hale. Et supposons qu'une fille soit blessée à la jambe, les gens n'accepteront pas qu'un homme adulte masse la jambe d'une fillette. »

Aussi vivante qu'ait été cette image dans l'esprit du Dr Hale, elle n'est pas la cause de la résistance au New Jersey, où les équipes ont voté pour suspendre leurs activités plutôt que de laisser les filles y participer. Des familles entières ont défilé dans la capitale de l'État pour protester contre cette abominable éventualité. Une pétition contre l'intégration des filles a recueilli 50 000 signatures. « Cette question a suscité beaucoup de réactions, a dit l'avocate qui représentait les filles. Nous étions confrontées à la même hostilité et au même fanatisme que celui du mouvement pro-vie aujourd'hui. »

Selon Sylvia Pressley, la magistrate qui a tranché en faveur de l'inclusion des filles, « plus les garçons apprendront tôt dans la vie que les filles sont leurs égales et qu'elles pourraient être meilleures qu'eux, plus leur santé mentale sera solide. »

Il est difficile d'imaginer ce que les résistants de la Little League penseraient des victoires des filles sur les garçons au soccer, au hockey sur glace et au football. De toute façon, les pionnières des sports de contact n'avaient pas d'autre choix que de jouer dans des équipes de garçons. Au début, il n'y avait pas d'équipes de filles dans lesquelles jouer. Aux Jeux de l'Ohio, par exemple, une seule équipe féminine de soccer s'est inscrite et elle a dû jouer contre une équipe masculine. C'était en 1993. Les garçons résistaient : « Je préférerais mourir que de jouer contre des filles », a déclaré l'un d'entre eux, et on a vite compris pourquoi. Les filles ont gagné le tournoi en ayant raison des quatre équipes masculines, dont trois par blanchissage.

Au fur et à mesure que les sports réservés aux garçons tombent un à un, une nouvelle activité voit le jour pour les remplacer. Les garçons qui pratiquent la planche à roulettes au Colorado ont dit à la sociologue Becky Beal que ce sport était une activité « naturellement » masculine, que les habiletés des garçons et des filles étaient intrinsèquement différentes et que les filles n'avaient pas ce qu'il fallait pour faire de la planche à roulettes. Lorsque Mme Beal leur a fait remarquer (c'était dans les années quatre-vingt-dix) que les filles réussissaient dans de nombreux sports exigeant de l'équilibre et de la coordination, comme la gymnastique et le patinage artistique, les garçons ont continué à penser que la planche à roulettes était différente. Ils avaient refusé à quatre filles la permission de se joindre à leur groupe parce qu'elles « n'étaient pas sérieuses » ou « ne savaient pas se tenir sur une planche ». Ils se sont moqué d'elles et ont prétendu qu'elles étaient là uniquement pour rencontrer des garçons.

À la fin de la décennie, les filles avaient prouvé hors de tout doute qu'elles étaient des planchistes sérieuses. Les premières compétitions de planche à roulettes entièrement féminines tenues à San Diego en 1999 ont démontré la force, l'agilité et le courage des athlètes féminines. Les sports extrêmes sont aussi accessibles aux filles qu'aux garçons, comme l'ont prouvé ces championnes de planche à roulettes.

Le facteur paternel

De nos jours, le premier entraîneur d'une fillette est son père. De nombreux pères se réjouissent d'encourager leurs filles à prendre des risques physiques et à apprendre à avoir confiance en elles-mêmes. Lorsque Kevin McMurray a décidé de faire de l'escalade avec sa fille de dix ans dans les White Mountains dans le nord du New Hampshire, il a embauché un bon entraîneur qui pourrait leur apprendre à tous les deux en même temps. Pendant deux heures, Joe a travaillé avec le père et la fille, leur enseignant les nœuds, les ancres et les techniques, tout en aidant la jeune Kelly à surmonter ses craintes. « Nous devions grimper quatre longueurs de corde de 70 mètres et descendre en rappel », se souvient McMurray. Kelly n'a eu aucun problème pendant les deux premières longueurs, mais à mesure que l'angle d'inclinaison devenait plus aigu, elle a commencé à s'accrocher au roc à l'aide de ses mains. Joe lui a dit qu'il était normal d'avoir peur et l'a gentiment encouragée à avoir confiance en elle et en son équipement. Lentement, elle a commencé à se fier à ses jambes pour la soutenir dans les prises. Trois heures plus tard, ils étaient assis sur une saillie à 110 mètres au-dessus de leur point de départ. « Kelly était resplendissante en regardant les magnifiques montagnes, perchée assez haut pour voir les aigles s'élancer sous elle en quête d'une proie. »

Le lendemain, ils ont emprunté un sentier à pente plus raide et Kelly a figé plusieurs fois au cours de l'ascension de deux heures et demie jusqu'au sommet. Mais ses exploits de la veille lui avaient donné confiance en elle et elle a réussi. « Je pourrais discourir encore longtemps sur les bienfaits évidents, comme le rapprochement entre un père et sa fille qui relèvent un défi ensemble, le plaisir de voir son enfant gagner en maturité et l'émerveillement commun devant les beautés de la nature, dit son père. Mais je pense que c'est le souvenir du plaisir pur et simple d'atteindre le sommet d'une montagne en compagnie d'une personne aimée qui m'est le plus cher. »

Ila Borders, dont la photo apparaît sur la couverture du présent ouvrage, avait dix ans lorsque son père, un lanceur des ligues mineures, l'a emmenée à une partie de base-ball pour la première fois. « Je lui ai dit tout de go que je voulais devenir lanceur, se rappelle Ila. Il m'a répondu que si c'était vraiment ce que je voulais faire, nous devions nous mettre au travail immédiatement. Tous les samedis et tous les dimanches, nous lancions de 6 heures à midi. Je lui dois beaucoup. »

Phil Borders est l'exemple du facteur paternel en action. Il savait qu'il devrait développer la force de sa fille, particulièrement celle des épaules et des poignets, comme il aurait dû le faire s'il s'était agi d'un garçon. Le travail que l'on exige des filles qui veulent devenir des athlètes ne rebute pas les pères qui font du sport professionnel. Ils savent que certaines compétences doivent être acquises et ils en connaissent les compensations : la dextérité, la fierté et le plaisir. Pour Ila, les compensations ont été bien au-delà de tout ce que quiconque aurait pu imaginer. À l'âge de douze ans, elle a affronté 18 frappeurs en une seule partie et les a tous retirés sur prises. À quatorze ans, elle jouait déjà dans une ligue semi-professionnelle.

Malheureusement, la plupart des pères ne sont pas conscients de l'hostilité à laquelle se heurteront leurs filles sportives. Les garçons de l'école primaire lançaient des cailloux à Ila dans la Little League. À l'école secondaire, elle était le joueur le plus utile à son équipe de garçons, mais on ne l'appréciait pas plus pour autant. Un jour, après qu'elle ait retiré un frappeur sur prises, la petite amie de celui-ci l'a menacée avec un couteau.

En 1993, elle est devenue la première femme à obtenir une bourse universitaire de base-ball de l'université de Southern California à Costa Mesa. Elle a joué trois saisons dans l'équipe de l'université. Ses coéquipiers lançaient de toutes leurs forces pendant les séances de pratique. Elle ne se laissait jamais perturber par leur attitude et continuait à obtenir des « A ». Quand elle a été repêchée par les Dukes de Duluth, une équipe de ligue mineure du Minnesota, c'était une première. Puis, à l'âge de vingt-trois ans, elle est devenue la première femme à gagner une partie dans une ligue professionnelle masculine. Chaque fois qu'elle était au monticule, l'assistance augmentait de 800 spectateurs. Les gens l'adoraient, même si certains adversaires masculins ne l'aimaient pas particulièrement. Elle mesure 1,75 m, mais elle a les mains plus grandes que celles d'un coéquipier de 1,98 m. Les Dukes lui donnaient un surnom qui signifie les pattes. « J'ai les mains plus grandes que celles de mon père, dit-elle, et je peux lancer du matin au soir. » Pourtant, elle n'est pas une femme de forte constitution. « Cela étonne toujours les gens. »

Il y a deux ans, ses lancers atteignaient 132,8 km/h, « mais ils arrivaient droit, dit-elle. Aujourd'hui, ma balle rapide ne fait plus que 123,2 km/h, mais elle a une bonne courbe. Pendant la saison morte, je veux essayer de gagner 6,4 km/h tout en conservant ma courbe. Dans les ligues majeures, les lancers atteignent 144 km/h. Pourra-t-elle y arriver ? Aucune femme n'a jamais réalisé cet exploit, alors qu'est-ce qu'on en sait ? Une femme *peut*-elle lancer à 144 km/h ?

Ila Borders a poussé ses talents de lanceuse tellement loin que je suis convaincue qu'elle arrivera à lancer plus rapidement encore. Elle n'a que vingt-quatre ans et elle a fait beaucoup de chemin depuis que son père l'a emmenée à sa première partie de base-ball. Elle a un but bien défini, elle se concentre sur le développement de ses compétences et sur la victoire et elle travaille avec acharnement. Entre-temps, son maillot est exposé au temple de la renommée du base-ball de Cooperstown dans l'État de New York, en reconnaissance de son exploit d'avoir été la première femme à jouer dans une équipe professionnelle de base-ball masculin.

Certains pères commencent à entraîner leurs filles à un plus jeune âge encore qu'Ila. Allison Jaime Mleczko, l'une des premières stars féminines du hockey sur glace (souvent appelée A. J.) n'avait que deux ans quand son père, un entraîneur de hockey, l'a emmenée au milieu d'un étang glacé, lui a fait chausser des patins et l'a laissée là. Elle a pleuré, mais elle a réussi à revenir au bord de l'étang. C'était une dure initiation, mais elle a porté fruit. À quatre ans, A. J. voulait que son père lime la griffe de ses patins de fantaisie pour qu'elle puisse jouer au hockey.

Quand A. J. a annoncé qu'elle était prête à jouer dans une équipe, son père s'est rendu à une réunion de l'organisation des ligues de hockey locales et a déclaré que sa fille voulait jouer. Les autorités de la ligue ont décidé de la laisser jouer. Dès le début, A. J. a dû jouer avec des garçons, car il n'existait pas d'équipes organisées de hockey féminin. Pendant des années, elle a été la seule fille dans l'équipe et même dans la ligue. À neuf ans, elle était nerveuse en se présentant à un essai pour une équipe de banlieue du Connecticut, État dans lequel elle résidait. Aucune autre fille ne s'était jamais présentée. Quand elle a été acceptée dans l'équipe, l'entraîneur a demandé à sa mère : « Êtes-vous certaine que vous voulez qu'elle joue au hockey ? »

« En est-elle capable ? » a demandé sa mère.

« Elle a les capacités pour le faire, mais c'est quand même un jeu de garçons. »

« Si elle en a les capacités et si elle veut jouer dans l'équipe, alors nous l'appuyons, » a dit la mère de A. J. Les contacts physiques étaient interdits dans les ligues mineures, mais certaines personnes s'inquiétaient de ce qui arriverait à A. J. lorsqu'elle atteindrait les ligues majeures. Lors de sa dernière partie avant de passer dans cette catégorie, un garçon de l'équipe adverse a patiné jusqu'à elle et lui a assené un coup tout à fait gratuit. Elle s'est retournée et l'a frappé aussi fort qu'elle le pouvait, l'envoyant choir sur la glace.

À quatorze ans, A. J. s'est rendu compte que les garçons de son âge devenaient plus forts qu'elle. Elle n'y voyait pas un signe de leur supériorité physique, mais du travail qui l'attendait. Elle a commencé à suivre des cours pour améliorer sa force et sa vitesse. Lorsqu'elle fréquentait une école privée pour filles et jouait contre d'autres filles, elle était spectaculaire. Mais quelques années plus tard, quand elle a voulu commencer à s'entraîner pour les Jeux d'hiver de 1996 à Nagano, elle a été choquée de constater qu'elle était beaucoup plus faible qu'elle ne le croyait. Elle ne pouvait soulever que 30 kg et les flexions des jambes et les tractions étaient au-delà de ses forces. Elle devrait s'entraîner sans relâche pour atteindre le prochain niveau, mais A. J. a décidé de s'y mettre.

Elle a reporté sa dernière année à Harvard et a commencé à s'entraîner quatre fois par semaine au gymnase de l'université de Boston sous la supervision de Michael Boyle, un spécialiste du conditionnement physique. Une douzaine d'autres femmes talentueuses souhaitant faire partie de la première équipe féminine de hockey olympique des États-Unis s'y entraînaient aussi. Même s'ils étaient épuisants, les entraînements, d'une durée de trois heures, étaient très stimulants pour ces femmes, malgré leur accès limité aux gymnases de l'université où elles étaient plutôt tolérées qu'encouragées. Toutes avaient été forcées de quitter leur emploi ou leur université pour s'astreindre à ce difficile programme. Les séances d'entraînement étaient tellement épuisantes qu'elles ne pouvaient même pas travailler à temps partiel. À l'université de Boston, cependant, elles avaient l'occasion de s'entraîner avec les meilleurs athlètes, pas seulement des athlètes universitaires, mais un groupe de joueurs des ligues nationales de hockey et de football qui travaillaient avec Boyle pour se remettre en forme avant le début de leur saison. Ces femmes poursuivaient leur rêve en dépit de toutes sortes d'obstacles que n'ont pas à franchir les athlètes masculins ; pendant des années, elles ont été contestées par les autorités mâles qui refusaient de les accepter dans les équipes et par les garçons qui les injuriaient sur le terrain.

Les tractions complètes étaient particulièrement éprouvantes pour A. J., qui est une grande femme de 1,80 m. Elle a commencé à constater une amélioration après trois mois. Au cours de l'été, elle a réussi à faire 3 séries de 8 levers de poids de plus de 47 kg et 3 séries de 5 tractions. Son rêve de devenir une joueuse de hockey olympique la soutenait. « Elle a réussi à tenir le coup, écrivait David Halberstam dans *Condé Nast Sports for Women*, grâce à l'attention que lui consacrait Boyle, un entraîneur qui aurait pu utiliser son temps à autre chose, mais qui n'a jamais fait de discrimination sexuelle. Boyle traitait les athlètes féminines avec le même sérieux que ses athlètes masculins les plus célèbres. »

C'était une expérience nouvelle pour Boyle qui n'avait jamais travaillé avec des femmes de ce niveau, des sportives d'élite qui ne jouaient pas à la prima donna, avaient une attitude positive et étaient aussi déterminées que n'importe quel joueur mâle, sinon plus. « Les entraîneurs qui n'ont jamais travaillé avec une femme ne savent pas ce qu'ils manquent », dit-il. Ces femmes avaient travaillé fort et pendant longtemps tout en sachant que, contrairement aux hommes, elles devaient limiter leurs attentes. Elles formaient une génération de pionnières. Et c'est sous l'égide d'hommes comme Boyle qui étaient « insensibles à la discrimination sexuelle » qu'elles ont réussi à percer. Les attentes de Boyle à l'endroit de A. J. étaient les mêmes que celles de son père lorsqu'il l'avait abandonnée au milieu de l'étang glacé pour qu'elle se débrouille toute seule.

Aujourd'hui, les fillettes suivent des entraînements rigoureux. En 1998, l'entraîneur de soccer Ashley Hammond s'est engagé à entraîner l'équipe de filles de huit ans aussi rigoureusement que ses équipes de garçons. Il voulait voir ce qui arriverait si elles avaient des entraînements plus fréquents et plus durs par tous les temps, car il sentait qu'elles n'avaient pas été poussées à leurs limites.

Les parents étaient sceptiques, mais après une dure saison au cours de laquelle ses pupilles n'avaient manqué aucune partie, Hammond a commencé à constater des changements. « Ne fixez pas de limites, recommande-t-il aux autres entraîneurs. Si vous traitez les filles comme une équipe de soccer, elles travailleront autant, sinon plus, que les équipes de garçons. »

Comme le faisait remarquer Harvey Araton dans sa chronique hebdomadaire dans le *New York Times*, il est tout fait extraordinaire que 42 % des enfants qui jouent au soccer soient des filles. Le soccer pour filles, un mouvement de la base, offre aux parents une occasion de « modifier la façon dont les garçons perçoivent les filles et, par extension, la façon dont ils perçoivent les autres garçons ». Les mères contribuent à ce mouvement en jouant elles-mêmes au soccer. Araton est très fier de sa femme qui a commencé à jouer au soccer à l'âge de 40 ans et il s'est penché dans sa chronique sur les bienfaits pour les garçons d'avoir une mère sportive : « Fiston sera moins porté à se penser supérieur sur le plan sportif et physique si on lui répète assez souvent que le terrain n'est pas libre cet après-midi parce que sa sœur joue à deux heures et sa mère à quatre heures. »

Traverser le pont suspendu : des programmes révolutionnaires

« Il y a encore beaucoup d'ambivalence au sujet de la compétitivité des filles dans notre société, a déclaré M. Burche Tracy Ford, directrice de l'école Miss Porter's à Farmington, au Connecticut. Pour que les filles réussissent tant dans leur vie personnelle qu'en affaires, en politique ou dans n'importe quel autre domaine, elles doivent apprendre des hommes et des garçons à exercer leur force et leur pouvoir. Or, les sports sont une excellente occasion de le leur enseigner. »

Récemment, l'école Miss Porter's, l'une des plus anciennes écoles pour filles des États-Unis (fondée au XIXe siècle), a décidé de réviser sa longue tradition voulant que le sport soit utilisé pour enseigner aux élèves la « grâce » et la « forme » puis l'a abandonnée. Il était devenu évident que la grâce et la forme ne suffisaient plus. À la fin des années quatre-vingt-dix, il était plus important de donner aux filles des chances égales d'exercer leur pouvoir dans le monde. Si elles veulent pouvoir tenter leur chance, elles devront cesser de réprimer leur agressivité et développer l'esprit de compétition.

Comme la plupart des écoles privées pour filles, Miss Porter's offrait des cours de sports depuis des années, mais surtout pour des raisons qui avaient cours au XIXe siècle : redresser la colonne vertébrale et donner des couleurs aux joues. Autrement dit, rendre leurs pupilles aptes au mariage. Ses équipes de sport étaient tellement mauvaises que l'école a dû renoncer à faire partie de la prestigieuse Founders League (ligue des fondateurs) où elle occupait toujours le dernier rang. En 1997, deux ans seulement après l'embauche d'une nouvelle directrice d'éducation physique chargée de mettre en œuvre la nouvelle vision de la directrice pour ses élèves, l'école faisait à nouveau partie de la ligue et se défendait très bien. Il avait fallu des pratiques plus rigoureuses et une attitude ferme devant les critiques de la vieille garde. Lors d'une réunion, peu de temps après sa nomination, Kathy Noble, la nouvelle directrice d'éducation physique, s'est fait dire par une administratrice qu'elle était dans une école pour filles et que ce n'était pas ainsi qu'on faisait les choses. Kathy ne comprenait pas. Ne l'avait-on pas embauchée pour que les sports en viennent à faire partie intégrante du programme ? La directrice adjointe a expliqué à Kathy que même si Miss Porter's était une école « très pro-filles », certains membres du personnel enseignant étaient d'avis qu'il y avait des choses que les filles ne devaient pas faire et des choses contre lesquelles il fallait les protéger.

La controverse avait éclaté avec l'entraînement de l'équipe féminine d'aviron, qui avait fait de tels progrès qu'elle avait gagné le championnat de la Nouvelle-Angleterre. Ce genre de compétition ne requiert pas uniquement de la grâce et de la forme, mais aussi de l'agressivité, de la force et de l'endurance. L'entraîneur qui avait mené l'équipe à la victoire s'occupait aussi d'équipes de garçons dans une autre école. Il a affirmé offrir le même entraînement aux équipes féminines qu'aux équipes masculines ; il les entraîne pour qu'elles gagnent. Cette notion était déstabilisante pour la vieille garde de Miss Porter's dont l'influence s'évanouissait rapidement. Les nouveaux entraîneurs embauchés par l'école trouvaient aussi stimulant d'enseigner aux filles à se lancer dans la mêlée que de leur apprendre à surmonter leur aversion pour le calcul différentiel et intégral. Ils avaient pour but de faire tomber les tabous sur ce qui « sied aux jeunes filles » et de les aider à prendre leur place dans le monde. « Il faut leur enseigner ce qu'elles doivent faire pour gagner, a déclaré l'un des entraîneurs de tennis de l'école au *New York Times*, sinon elles seront désavantagées sur le plan professionnel. »

L'attitude des écoles d'élite progressives envers le développement physique des filles est peut-être en train de changer, mais qu'arrive-t-il aux filles qui fréquentent les écoles publiques où on offre encore aux élèves féminines des cours d'éducation physique de calibre inférieur ? Heureusement, des programmes voient le jour partout au pays pour aider ces jeunes filles à devenir plus fortes.

Lorsque j'ai rencontré Elizabeth McLeod, elle était en route pour San Francisco où elle comptait ouvrir un centre pour préadolescentes. Elle avait participé à Harvard à un programme de recherche sur le déclin de la motivation et de la confiance en soi des filles lorsqu'elles arrivent à la puberté. Elle avait un plan. Elle estimait qu'inculquer la compétence physique à ses pupilles compenserait les difficultés qui les affligent en si grand nombre à l'approche de l'âge adulte.

Assise dans mon salon, le froid soleil d'hiver inondant ses cheveux blonds et ses bottes élégantes, il était difficile d'imaginer qu'elle ait déjà manqué de confiance en elle. Non, non, m'a-t-elle assurée. Au début du secondaire, elle avait commencé à ressentir la douloureuse aliénation de soi maintenant tellement répandue chez les adolescentes. En première année du secondaire, elle et ses amies avaient découvert avec horreur que leur créativité et leurs bonnes notes les distinguaient d'une façon qui dérangeait et en faisait des objets de dérision. Elles ont fait marche arrière, *et vite*, et ont construit un monde alternatif très élaboré qui leur permettait d'exprimer leur individualité et de faire en douceur la transition vers le monde sexué qui les attendait. Leur monde alternatif, m'a dit Elizabeth, leur permettait d'être des filles « normales », ternes et passives à l'école, tout le contraire de ce qu'elles étaient vraiment : fougueuses, résolument originales, téméraires et drôles. Elles avaient appelé leur groupe l'APR (Association de récréation populaire) : elles avaient pris des pseudonymes, adopté un code vestimentaire, un langage secret, une façon de dessiner, etc. et passaient tout leur temps libre ensemble. Trois ans plus tard, elles abandonnaient leur monde imaginaire. S'étant protégées et étant devenues plus fortes entre-temps, elles pouvaient maintenant interagir avec leurs camarades de classe tout en restant fidèles à elles-mêmes. Elles avaient trouvé moyen de ne pas tomber dans le conformisme et la banalité.

Voilà pourquoi Elizabeth voulait consacrer sa carrière aux jeunes filles qui traversent une crise à la puberté. À l'époque de sa vie où je l'ai connue, c'était une femme remarquable tant sur le plan intellectuel que physique. Elle savait faire de la voile et de l'escalade et la survie en forêt n'avait plus de secret pour elle. À Harvard, elle avait rencontré le fondateur d'un programme spécial de survie à l'intention des fillettes de douze et treize ans, qui leur enseignait non seulement à se débrouiller en forêt, mais aussi à résoudre des conflits, tout en restant fidèles à elles-mêmes et en développant une intimité avec les autres. Le programme intitulé Connecting with Courage (apprendre le courage) combinait l'escalade, les cordes, la voile et d'autres défis physiques, de même que des activités d'expression artistique. « Le modèle a été élaboré pour encourager le leadership et la découverte de soi par de rudes activités en plein air et de la dynamique de groupe », a expliqué Elizabeth.

Lorsqu'elle était au deuxième cycle, Elizabeth a obtenu un emploi d'été comme assistante dans un cours du programme Connecting with Courage. Son premier groupe se composait de dix fillettes blanches de douze et treize ans, dont la plupart avaient déjà fait du camping, de la voile ou de la randonnée, mais qui voulaient acquérir plus de confiance en elles. Lors de la cérémonie de remise des diplômes, les fillettes ont affirmé être plus courageuses, plus disposées à prendre des risques physiques et à s'exprimer sur le plan artistique et plus conscientes de leurs habiletés. Lors des excursions en forêt, les instructrices leur avaient confié la responsabilité de s'organiser et de convenir d'un contrat, c'est-à-dire d'un processus d'établissement des normes qui détermine ce qu'elles doivent faire pour créer un environnement sûr. « C'était la première fois de ma vie qu'une personne responsable me consultait sur la façon de faire quelque chose », a déclaré l'une des jeunes filles.

À peine sorties de l'enfance, les fillettes de cet âge progressent à grands pas vers l'âge adulte et une relation différente avec leur corps. « Nous voulons qu'elles se rendent compte que leur corps a sa raison d'être et que celle-ci ne consiste pas à se serrer dans des vêtements et à s'offrir au regard des autres », a dit l'une des instructrices. Autre point intéressant, il est important de les mettre au défi en l'absence de garçons. « Quand on mélange les garçons et les filles, a-t-elle dit, les garçons transportent tous les objets lourds et les filles les laissent faire. »

Nous avons pour objectif de leur désapprendre les attitudes de princesse qui nuisent à leurs réussites. Le programme

« Assurer » apprend aux filles à être responsables d'elles-mêmes et à se faire mutuellement confiance, m'a dit Elizabeth McLeod. « Assurer » est une importante technique d'alpinisme. Les grimpeurs portent un harnais attaché à une corde qui passe à travers un séparateur métallique au sommet d'une tour de roche (une structure d'une vingtaine de mètres pour la pratique). La corde est tenue par une personne au sol, l'assureur. Si le grimpeur tombe, la corde et l'assureur l'empêchent de glisser de plus de quelques centimètres. « Dans mon groupe, j'ai insisté sur les instructions et sur l'importance de l'entente verbale entre le grimpeur et l'assureur », se rappelle Elizabeth. « Comme une personne tient pratiquement la vie de l'autre entre ses mains, la confiance et la communication sont essentielles. La *réalité* de la situation constitue aussi un puissant outil pédagogique. »

C'est la réalité qui remet les filles en contact avec leur moi essentiel. « En forêt, on se rend compte de ce dont on a vraiment besoin, raconte une fillette. Oubliez le maquillage et les beaux vêtements. Vive le papier hygiénique ! N'importe qui échangerait son maquillage contre du papier hygiénique. »

La traversée d'un pont de corde pose un défi au moins aussi grand que l'absence de maquillage. L'une des fillettes avait tellement peur qu'elle a presque réussi à convaincre les instructrices qu'elle en était incapable. Puis une des filles du groupe a eu l'idée de prendre le sac à dos de celle qui avait peur et de l'aider à traverser le pont. « Sans que les instructrices aient à intervenir, elles ont trouvé une solution qui faisait appel à l'entraide et à la solidarité du groupe », dit Elizabeth McLeod.

On apprend systématiquement aux garçons à composer avec l'anxiété qui précède la prise de risques physiques. C'est ainsi qu'ils deviennent des hommes qui courtisent constamment le risque dans le but de le conquérir. Les filles, elles, apprennent à éviter systématiquement le risque et l'anxiété qui l'accompagne. Pour les éducatrices sensibles aux questions psychologiques comme Elizabeth McLeod, la délicate question d'apprendre aux filles à prendre des risques pour les bonnes raisons est cruciale si on veut les aider à profiter pleinement des défis physiques. Pour encourager une fillette timorée du nom d'Alicia, Elizabeth McLeod lui a révélé l'existence d'un journal dans un contenant en plastique sur une plate-forme à mi-chemin de la tour de 18 mètres. Alicia a surmonté sa crainte et est montée jusqu'à la plate-forme pour pouvoir écrire dans le journal. Qu'a-t-elle écrit ? « Je me sens malade. » Mais de toutes les fillettes heureuses et fières qui avaient participé aux activités ce jour-là, Alicia était la plus fière.

Avant de suivre un des cours au centre d'Elizabeth à San Francisco, Helena, une jeune fille de seize ans, avait de la difficulté à faire confiance aux gens, même à son père adoré. Tandis qu'il la rassurait qu'il tenait bien la corde, elle se demandait: « Qu'arriverait-il s'il se grattait le nez à la seconde même où je commence à tomber au fond d'un gouffre où il ne pourra plus jamais me réconforter ? » Avec cette métaphore, Helena décrivait précisément la psychologie de la transition vers l'adolescence. Heureusement, le programme Courage lui a fourni l'expérience physique dont elle avait besoin pour accéder à l'étape suivante de la maturité, la confiance en soi. « J'ai été forcée de reconnaître que la seule façon de monter dans l'échelle de la vie consistait à prendre des risques et que la corde serait toujours là pour me retenir quand je tombais, même s'il n'y avait personne d'autre pour m'aider. »

À San Francisco, Sportsbridge (l'habilitation des filles par les sports) est un programme dans le cadre duquel on assigne un mentor (athlète) à une jeune fille. « Nous savons qu'elles doivent commencer vers l'âge de huit ou neuf ans, dit la fondatrice du programme, Ann Kletz. À cet âge-là, elles sont en train d'acquérir toutes les notions importantes sur elles-mêmes. » La plupart des garçons commencent à développer leurs habiletés sportives dès l'âge de quatre ou cinq ans. Pas les filles.

Un véritable mouvement social a vu le jour pour aider les filles à développer leur force et à avoir confiance en leur corps.

À Chicago, il existe une fondation à but non lucratif appelée A Sporting Chance Foundation, qui se consacre au développement athlétique des filles. Un programme national mis en œuvre par la National Alliance for Youth Sports offre des cours de base à l'intention des enfants de trois à six ans, dans le cadre desquels les parents s'engagent à entraîner tant les fillettes que les garçons. Même les Guides ont suivi le mouvement en proposant un programme de sports pour les filles.

Il existe aussi un programme remarquable à l'intention des filles appelé Eureka !, invention personnelle de feu sa fondatrice Alice Miller, qui combine l'entraînement sportif et l'éducation scientifique et mathématique. Fondé en 1987, Eureka ! est un protocole de trois ans commençant au cours de l'été qui suit la première année du secondaire. Il a pour but de renverser les idées reçues au sujet des filles en sciences et dans les sports. Une ancienne élève a déclaré avoir été particulièrement étonnée de se rendre compte que « tout le monde pouvait réussir peu importe son apparence. Toutes les filles qui suivent le programme Eureka ! apprennent à jouer au basket-ball ou au volley-ball, à faire de l'athlétisme ou une autre activité physique. » Leur taille n'a aucune importance. Eureka ! réitère souvent le même message : « Qu'on soit petite ou grande, mince ou ronde, on peut pratiquer le sport qu'on veut. »

Le mouvement en faveur du développement physique des filles est un phénomène composé d'organisations de petite taille mais puissantes qui luttent contre la discrimination envers les filles. Cindy Peterson, qui dirige un programme de sports offert à 500 filles de trois à dix ans à l'église méthodiste Northside d'Atlanta, dit aux parents : « De nos jours, les filles apprennent à lancer comme des garçons. Il n'y a pas de raison que les filles n'apprennent pas la bonne technique. Si un garçon peut l'apprendre, une fille le peut aussi. Nous allons nous débarrasser de ce mythe. En six à huit semaines, d'ici la fin du programme, les filles auront appris la bonne technique. »

Deux semaines avant l'arrivée de l'an 2000, le *Boston Globe* publiait un reportage encourageant sur les écoliers. Apparemment, la pratique conjointe des sports par les garçons et les filles est en train de transformer leurs idées les uns envers les autres. Tout cela a commencé il y a deux ans, lorsque Dan Cullen, alors en cinquième année, a lancé aux filles une invitation sans précédent, c'est-à-dire jouer au kick-ball avec les garçons. « Nous manquions de joueurs, explique-t-il, et personne d'autre ne voulait jouer. »

« Dan a invité Emily à jouer et nous l'avons suivie », se rappelle Jamie Connor qui, à douze ans, dépasse largement Dan du haut de son 1,63 m.

Un an plus tard, il était devenu tout à fait normal pour les garçons et les filles de jouer au kick-ball ensemble. Un jour, pendant la récréation, a écrit la reporter Anne Driscoll, « environ vingt garçons et filles jouaient ensemble sur le terrain en pente près de l'entrée secondaire de l'école, quand une fille a frappé le ballon très haut dans les airs ; ses coéquipiers, garçons et filles, ont hurlé de bonheur ».

Il y a une génération, la récréation était une courte période où les filles dansaient à la corde, quand elles pratiquaient une activité physique, tandis que les garçons se battaient, couraient ou se lançaient des ballons de football. Aujourd'hui, « une récréation où les filles et les garçons seraient séparés semblerait tout à fait bizarre » aux élèves de sixième, fait-elle remarquer. Les garçons commencent à avoir du respect pour les filles qui sont fortes et athlétiques. Voici ce que dit Ryan Spinney, élève à l'école secondaire de Newburyport et capitaine des équipes masculines de cross-country et d'athlétisme en salle et à l'extérieur : « Les filles sont toutes très déterminées et je les admire pour ça. Elles ne sont pas différentes des gars, un athlète est un athlète… je ne comprends pas vraiment la notion de l'infériorité des femmes par rapport aux hommes. »

Un nombre toujours croissant de filles osent franchir la « barrière des sexes » et revendiquer le droit de jouer au base-ball, au soft-ball, au basket-ball, au football et au soccer. Un sondage mené auprès de 7 000 femmes a montré que les plus actives étaient celles qui, dans leur enfance, avaient joué principalement avec des garçons ou dans des groupes mixtes plutôt que dans des équipes de filles.

Voilà une illustration de l'influence qu'a eu la modification d'une loi qui exige maintenant que les écoles accordent autant d'attention et d'argent aux sports féminins qu'aux sports masculins et qui fait naître chez les jeunes filles un sentiment d'égalité. Ces changements, dont je traiterai au chapitre 5, ne se sont pas produits sans heurts. Comme nous le verrons dans le chapitre qui suit, la plupart des jeunes Américaines sont encore victimes de discrimination physique et sont soumises à une domination qui leur est très néfaste. Or, une chose est claire : la *seule* façon de réussir à mettre fin à la domination exercée par les garçons sur les filles consiste à rendre celles-ci plus fortes. « Je pense que les garçons sont contents de jouer avec nous maintenant parce que nous sommes meilleures qu'eux dans certaines choses et qu'ils nous battent dans d'autres. Ça marche dans les deux sens », a remarqué une fillette de douze ans qui participe à des compétitions de natation, de soccer et de basket-ball.

Les filles changent elles aussi. « Les filles ne nous regardent plus de la même façon, affirme Dan du haut de sa sagesse d'élève de dernière année du primaire, et nous ne les voyons plus de la même façon non plus. Elles savent ce qui nous arrive et pourquoi nous devenons aussi compétitifs et nous savons qu'elles peuvent le devenir aussi. Je pense que le jeu a fait tomber des barrières entre les gars et les filles. »

Le vent est certainement en train de tourner. « Les filles semblent plus confiantes en elles », dit Carol Snow, qui enseigne les sciences sociales en sixième année à l'école de Newburyport depuis les années soixante-dix, où elle a joué dans l'équipe de hockey sur gazon de l'école dans un uniforme défraîchi et sans le moindre équipement de protection. « De nos jours, les filles n'hésitent pas à prendre la parole en classe, dit-elle. Elles sont plus sûres d'elles, plus portées à exprimer leurs idées et mieux dans leur peau. Elles se sentent plus à l'aise dans le monde. »

Ces jeunes filles sont à l'avant-garde d'une révolution physique qui s'est longtemps fait attendre et qui changera l'expérience de toutes les femmes. Filles fortes, elles deviendront des femmes qui n'accepteront pas d'être des victimes. Le corps menacé des femmes sont le dernier obstacle à la parfaite liberté psychologique. Comme nous le verrons dans le chapitre qui suit, historiquement, le sentiment chronique du danger commence dès la petite enfance. Il s'agit là d'un héritage de peur qui a un effet déterminant sur la vie des femmes et auquel aucune fillette n'a échappé.

Chapitre 4

Les corps menacés

Il y a à peine cent ans, les médecins ne comprenaient pas grand-chose au cycle reproducteur des femmes. Le Dr G. Stanley Hall, dont j'ai mentionné les théories eugéniques sur le rôle des femmes, a admis en 1904 qu'on ne savait pas exactement ce qu'étaient les menstruations. Le Dr Albert F. King, professeur de médecine à l'université Columbian de Washington, prétendait que ces saignements étaient « nouveaux » et représentaient, soupçonnait-il, le résultat qu'avaient sur les femmes les forces modernes comme l'éducation supérieure, le report du mariage et la limitation délibérée des naissances, tous des phénomènes peu propices à la propagation de la race. (Quand les femmes avaient davantage d'enfants, qu'elles enfantaient à un plus jeune âge et allaitaient leur bébé pendant des années, elles avaient rarement des menstruations, si rarement en fait que celles-ci devenaient invisibles pour certains médecins.)

Pendant l'ère victorienne, un mouvement que l'historienne Joan Jacobs Brumberg a baptisé le « déterminisme ovarien » a pris forme. L'un de ses principaux adeptes était le très populaire et très réputé Dr Edward Clarke, professeur à la faculté de médecine de Harvard. Celui-ci était contre l'éducation supérieure pour les femmes parce que, disait-il, leur corps est plus

« compliqué » que celui des hommes. Le Dr Clarke pensait que les jeunes filles en pleine croissance étaient physiquement et émotionnellement menacées par les défis intellectuels qui « tirent de l'énergie au cerveau au détriment des ovaires ». Comme l'explique le Dr Brumberg : « Dans l'esprit victorien, l'âge où les filles devenaient pubères était devenu le signe de la qualité morale d'une civilisation plutôt que le reflet de la situation économique. » Au lieu de relier l'apparition des premières règles au bien-être matériel, incluant l'alimentation et la santé générale (comme on le sait maintenant), les Américains du XIXe siècle voyaient les choses différemment : « Plus tôt la puberté survient, plus la société, la nation ou la race est libidineuse et immorale ; plus tard elle survient, plus elle est "civilisée" ».

Inquiets à l'idée que les filles aient leurs règles trop jeunes, les parents et les médecins victoriens leur interdisaient certains aliments considérés comme des « stimulants » sexuels et, par conséquent, susceptibles de déclencher les menstruations. Le clou de girofle, les cornichons et la viande étaient parmi les substances qui interféraient à leur avis avec la stase désirée. Il fallait empêcher les filles de se développer jusqu'au moment propice.

Cette inquiétude découlait en partie du désir de les garder vierges jusqu'au mariage. À mesure que l'âge des premières règles diminuait et que l'âge du mariage augmentait (modes résultant du progrès économique), la protection de la virginité des filles avant le mariage devenait un réel problème. Cependant, au lieu de leur enseigner à quoi s'attendre et comment se défendre en société, on les surprotégeait jusqu'à ce qu'elles soient livrées aux mains protectrices de leur mari rempli d'adoration. On donnait peu d'information aux filles sur leur corps et sur la sexualité. Cette responsabilité incombait à leur mari, entre les mains duquel elles remettaient leur bien-être, qu'il soit ou non digne de cette confiance.

Je ne peux pas m'empêcher de penser que si les menstruations avaient été liées à la capacité reproductrice des hommes, la médecine aurait pris beaucoup moins de temps à découvrir en quoi elles consistaient. Le XXe siècle était déjà bien entamé quand l'œstrogène a été identifié (en 1920). Il a fallu quinze ans de plus avant qu'on élucide le rôle de cette hormone dans la reproduction. Cela signifie que je flottais dans le ventre de ma mère au moment où on commençait à peine à comprendre comment j'étais arrivée là. Il n'est donc pas étonnant que dix ans plus tard ma mère n'ait pas su quoi me dire au sujet de mes propres menstruations. Ce n'était pas la pruderie qui avait réduit ma mère au silence comme je l'avais toujours cru, c'était simplement l'ignorance.

Il y a un siècle, l'apparition des premières règles survenait à quinze ou seize ans et la plupart des jeunes filles restaient vierges jusqu'à leur mariage au début de la vingtaine. De nos jours, comme nous le savons, des fillettes de dix ans ont leurs règles et l'âge moyen de la puberté varie entre onze et treize ans. C'est alors qu'elles commencent à comprendre que la société s'intéresse à elles surtout parce qu'elles sont sexuellement « prêtes ». À leurs yeux, tous les autres aspects de leur personnalité n'ont soudainement plus aucune importance.

Je ne préconise pas le retour à la prison qu'était le mariage précoce de l'ère victorienne, mais la plupart des fillettes sont trop jeunes lorsqu'elles sont propulsées dans le monde précaire de la sexualité adulte. Bien qu'elles ne soient pas censées *être* sexuées, les filles apprennent partout, dans les films, les magazines, les vidéoclips et même de leurs parents, qu'il est socialement profitable d'être « sexy ». Quant aux règles sur la sexualité et la virginité, elles sont de moins en moins rigides. Tandis que les Victoriens surprotégeaient les filles pour mieux contrôler leur vie, nos contemporains, effrayés par leur incompréhension du monde dans lequel vivent leurs filles, les abandonnent à elles-mêmes.

Consciemment ou non, les parents d'aujourd'hui encouragent les comportements sexuels prématurés de leurs jeunes filles. On trouve mignon que les fillettes s'habillent de façon provocante.

Une élève de 3e année du secondaire au couvent Sacred Heart de Manhattan s'est présentée à une fête d'anniversaire à minuit avec de longs gants noirs, des chaussures à talon haut et une robe décolletée et fendue à l'avant pour révéler son jupon. Elle cherchait manifestement à séduire, du moins visuellement sinon réellement. Ce style hollywoodien n'est pas rare lors des fêtes de 16e anniversaire dans les écoles privées pour filles. Le *New York Times* publie souvent des photos de telles fêtes. Les filles dansent lascivement ensemble, s'exhibant devant les garçons. Maman sert le champagne (des bouteilles et des bouteilles à cette fête en particulier, selon l'article). Bientôt, les inhibitions sexuelles se dissipent dans les vapeurs d'alcool. Selon ce qu'a affirmé un garçon qui assistait à la fête: « Règle générale, les parents d'aujourd'hui s'en fichent complètement et sont incapables de mettre fin à quoi que ce soit. »

Dès l'âge de onze, douze ou treize ans, les fillettes sont expulsées du monde de l'enfance abruptement et sans ménagement. Elles sont propulsées dans un monde dangereux où elles n'ont pas de balises. L'importance qu'accorde la société aux caractères sexuels féminins, une obsession pratiquement voyeuriste, a rendu les filles douloureusement conscientes d'elles-mêmes. En intériorisant la vision d'elles-mêmes que leur présente notre culture dominée par les hommes, elles apprennent à accorder trop d'importance à leur apparence extérieure. Leur corps devient un fétiche et, comme la culture ambiante, elles en sont obsédées et en font un objet. Évidemment, les fillettes ne peuvent jamais répondre à toutes les attentes qu'elles pensent que les autres exigent d'elles.

L'image de soi se rétrécit

Notre attitude envers notre corps — ce que nous en faisons, la façon dont nous l'habitons — est très révélatrice de l'état de notre ego. Que nous exhibions nos seins ou que nous les cachions, que nous les façonnions à l'aide d'une WonderBra et d'un peu de silicone ou encore que nous les protégions comme Madonna avec des cônes militaires ataviques, tout cela a un rapport avec l'image que nous avons de notre corps. En général, lorsque nous accordons une importance démesurée à une partie de notre corps, il se produit une distorsion dans l'image d'ensemble que nous en avons. Quand une femme se promène les jambes nues sous une mini-jupe dans le but avoué de provoquer la réaction d'une autre personne, son image d'elle-même perd de son intégrité et de sa complétude.

« L'ego est d'abord et avant tout un ego corporel, » a écrit Freud. Être en harmonie avec son corps est essentiel à la santé de l'ego. Les adolescentes sont souvent déconnectées de leur corps malgré leurs vêtements flamboyants. Intérieurement, elles craignent souvent le regard des autres. Si les gens accordent trop d'attention à leur corps, elles se sentent mal à l'aise. Je me souviens de ma fureur le jour de mon bal de fin d'études parce que ma mère tenait absolument à me prendre en photo dans ma longue robe en organdi blanc. J'avais seize ans et ma mère me semblait en partie responsable de la perte de mon enfance. Je détestais mon corps et je lui en voulais pour cela aussi. Et elle voulait me prendre en photo en plus ! Tant pis pour elle, je refuserais de sourire. Elle n'aurait à envoyer à ses sœurs de la côte Ouest que la photo d'une grande perche maladroite tenant un gros bouquet ridicule, les yeux brillants de colère.

Il est important de reconnaître à quel point les autres influencent la perception psychique que nous avons de notre corps. L'anatomie imaginaire, comme le dit le philosophe français Jacques Lacan, « varie avec les idées (claires ou confuses) au sujet des fonctions corporelles qui dominent dans une culture donnée ». Quand il s'agit des fonctions corporelles des femmes, les qualifier de « confuses » semble plus approprié. La société transmet aux fillettes son ambivalence envers les femmes avant même qu'elles aient la moindre idée de ce qui leur arrive. D'un côté, on les surprotège et, de l'autre, on les laisse sans protection.

Ma mère a fait beaucoup d'efforts pour me comprendre pendant ces années. Elle a même suivi un cours sur la psychologie des adolescents, mais sans succès. Il n'y avait pas beaucoup d'information sur les adolescentes pour la guider. Par exemple, pourquoi sa fille adolescente était-elle aussi malheureuse de son corps ? Était-ce normal ? Ma mère se rendait compte de ma détresse en me voyant scruter mon visage dans le miroir et en m'entendant me plaindre de ma silhouette d'échalote que je trouvais inacceptable. (À cette époque, c'était la minceur qui était à l'index.)

Pourtant, j'avais été une enfant enthousiaste et active. Je ne pensais jamais à mon corps, qui ne me faisait d'ailleurs jamais défaut. Puis, d'un seul coup, de petits seins ont commencé à pointer. Je ne les avais pas remarqués, ce qui n'était pas le cas de la voisine qui m'avait vue sauter sur mon cheval manche à balai en petite blouse légère. Elle a été la première à m'informer que j'étais trop grande pour sortir sans camisole.

Je n'avais que onze ans, mais ce jour-là a marqué le début de mon adolescence. Ce n'est pas la puberté qui m'y a propulsée (je ne devais avoir mes premières règles que trois ans plus tard), c'était son « regard ». Ce regard m'a séparée de mon corps, m'a arrachée à moi-même et a marqué mon entrée dans la zone de combat. C'est un phénomène impossible à décrire parce qu'incompréhensible. Une relationniste m'a confié que sa fille de quatorze ans, d'une maigreur cadavérique, dort avec un soutien-gorge sous sa robe de nuit. Elle le garde même sous la douche. Elle ne veut pas voir ses propres seins. Sa mère aimerait lui en parler, mais elle refuse. Son corps est un sujet douloureux et déstabilisant, une chose qu'elle ne peut pas partager avec sa mère car elle a le sentiment que celle-ci ne comprendrait pas.

Rares sont les garçons qui se torturent autant que les filles au sujet de leur corps. Ils endossent sans réfléchir un pantalon et une chemise avant l'école, indifférents à la fille qui essaie frénétiquement des vêtements derrière la porte close de sa chambre à coucher à quelques maisons de là. Ils n'ont d'ailleurs que mépris pour les hésitations matinales de leurs sœurs. C'est un rituel de filles, singulier, obsessif et stupide. Dieu merci, ils ne sont pas des filles, se disent-ils.

Les garçons sont aussi conscients que les filles de la duplicité de la situation. Ils considèrent ce genre de pomponnage, de panique et d'émoi indignes d'eux et ils ne comprennent pas pourquoi les filles s'y adonnent. Les garçons ont l'impression qu'on fait toujours tout un cas de la moindre petite chose concernant les filles. Lorsque Rachel est rentrée d'un cours d'hygiène de quatrième année avec un cartable portant la mention « Mes menstruations », sur lequel elle avait dessiné des cœurs et des fleurs, son frère de sixième année s'est moqué d'elle : « Bon Dieu, Rachel, tu ne vois donc pas à quel point c'est stupide ? » Non, pas au début.

« Imagine que je rentre de l'école avec un cartable intitulé "Mon éjaculation" sur lequel j'aurais dessiné des ballons et des casques de football. »

« C'est la maîtresse qui nous y a obligées », a répondu Rachel sans conviction.

Je me souviens de cet épisode comme si c'était hier. Je revois l'angle de la lumière qui entrait par la fenêtre de la cuisine. Bien sûr, son frère n'avait pas entièrement tort. L'enseignante, dans une tentative maladroite de présenter la santé du système reproducteur féminin à des élèves de quatrième année, l'avait travesti au point de le rendre méconnaissable. Le sujet de l'hygiène du système reproducteur des garçons ne recevait pas le même traitement. Rachel s'était soudainement trouvée confrontée à l'un des messages contradictoires que véhicule notre culture sur le fonctionnement de son corps. Je voyais ce qui était en train d'arriver à Rachel, mais je restais sans voix : la trappe allait se refermer.

L'image contemporaine du corps est unidimensionnelle. « Elle a une image négative de son corps », ce qui signifie que l'image intérieure que se fait une femme de son apparence est suffisamment déformée pour que son estime d'elle-même en soit affaiblie. Mais l'image du corps a une autre fonction psychologique. Elle sert notamment de modèle intérieur pour l'exécution d'activités motrices, dit Alexander Lowen, un psychiatre connu pour son insistance à lier le corps et la santé mentale. Nous « répétons » inconsciemment les activités motrices avant de les exécuter, en visualisant la séquence de mouvements qu'il faut accomplir et en utilisant l'image intérieure que nous avons de notre corps comme guide. Lorsque cette image est déformée, notre capacité motrice se trouve handicapée. Penser à la préparation qu'il faut pour frapper une balle au soft-ball. Si vous arrivez au marbre avec une vision déconnectée de vous-même, vous ne réussirez probablement pas à faire la connexion avec la balle. Et vous vous jugerez faible.

Attribuer tous les problèmes qu'ont les filles avec leur corps aux images de mannequins faméliques que leur présentent les magazines est une idée simpliste apparue dans les années soixante-dix et quatre-vingt qui a persisté jusque dans les années quatre-vingt-dix. C'est l'effet Twiggy, si on veut. L'image que nous avons de notre corps est « bonne » ou « mauvaise » selon que nous correspondons ou non à une norme médiatique idéalisée. Utilisé de cette façon limitée, le concept d'image corporelle perd malheureusement toute sa richesse et son sens descriptif. Dire d'une adolescente désespérée qu'elle a « une image négative de son corps » et s'imaginer qu'il s'agit uniquement de son corps ne reflète pas l'ampleur de sa confusion. Quand on voit une jeune fille courir à sa chambre trois, quatre ou même cinq fois pour se changer de vêtements avant de partir pour l'école le matin, mettre son chemisier dans sa ceinture, se regarder de profil, tirer misérablement sur le bord et l'encolure, on se rend compte qu'il se passe quelque chose de profond et de terrible et que cette fille lutte pour son intégrité psychique.

On considérait autrefois qu'une relation saine avec son corps commençait et finissait avec sa mère ; sa façon de s'occuper de son bébé, son degré de stress, si elle trouvait son enfant exigeant ou irritant, si elle était dégoûtée par ses fonctions corporelles.

On présumait que si la jeune mère parfaite, équilibrée et follement amoureuse de son mari chatouillait les orteils de son bébé et nettoyait tendrement son petit derrière, il grandirait en se sentant fort devant le monde et aurait une image positive de son corps. Si vous avez eu pour mère un modèle d'empathie maternelle, vous serez capable de vous envoler du nid et de conquérir le monde, comme si vous aviez un talisman pour vous protéger contre tout ce qui pourrait vous être hostile ou dégradant. Lorsque l'image corporelle d'une personne est « déficiente », a écrit Alexander Lowen dans les années cinquante, « cela dénote *toujours* une perturbation dans la relation entre la mère et l'enfant ». À l'époque, on voyait le phénomène de manière unidimensionnelle. On pensait que l'image qu'on avait de son corps était plus ou moins fixée avant même qu'on commence à marcher. À l'exception de graves traumatismes physiques, comme des brûlures ou des accidents, on ne s'attendait pas que les événements survenant plus tard dans la vie influencent grandement l'image intérieure qu'on se faisait de son corps.

Mais, ils ont une influence. Aujourd'hui, les psychologues reconnaissent qu'une mère qui « manque d'empathie » n'est pas la seule à pouvoir détruire l'image intérieure d'une fillette. L'attitude conflictuelle et souvent hostile de la culture envers les filles, surtout lorsqu'elles arrivent à la puberté, est tout aussi dommageable. Le mythe de la fragilité s'ajoute à la vulnérabilité psychologique des filles. Non seulement sont-elles mises en danger par le milieu dans lequel elles vivent, mais elles sont prisonnières de la croyance qu'elles sont incapables d'y faire face. Le système appuie profondément l'attitude de la victime. Malgré l'intérêt récent du public pour les athlètes féminines fortes et agressives, on apprend encore aux filles que la fragilité physique et la passivité sont désirables pour leur sexe. Il n'y a rien de mal à ce que les athlètes féminines soient fortes, car elles sont dans une catégorie à part. Elles doivent être héroïques et plus grandes que nature parce qu'on les voit comme un divertissement. Mais les filles ordinaires, elles, sont toujours sensées être «*féminines*», c'est-à-dire tout sauf physiquement fortes. Être féminine veut dire être faible, être une victime.

L'adolescence : les années de crise

Au moment où les garçons commencent à être fiers de leur corps, de leurs muscles, de leur pénis et de l'arc expressif de leur urine, les filles commencent à en avoir honte. Elles ont une vision d'un corps féminin parfait et attirant qu'elles n'arriveront jamais à avoir. Inconsciemment, elles s'investissent émotionnellement dans cet idéal de perfection qui les empêche d'avoir à agir et à se débrouiller par elles-mêmes. Elles peuvent ainsi rester passives. Cette vision leur permet en outre de conserver des illusions rigides sur les garçons et les filles, les hommes et les femmes et la beauté et la laideur. Ces illusions sont tellement irrésistibles qu'elles les imprègnent entièrement et les amènent à se contenter de regarder le temps passer en faisant du surplace. En conservant une illusion de la perfection, les filles peuvent reporter le moment redouté où elles devront prendre le risque de *faire* quelque chose, d'*être*.

Voilà le triste héritage du mythe de la fragilité. De nos jours, les psychologues constatent que l'estime de soi des filles atteint son sommet à l'âge de neuf ans. C'est l'âge auquel elles sont les plus fougueuses, l'âge auquel elles s'acceptent le mieux. À l'âge de neuf ans, la plupart des fillettes ont encore une image intégrée de leur corps. Puis, à dix et onze ans, leur connexion avec leur corps devient plus ténue et leur estime de soi commence sa descente en chute libre. D'un seul coup. Elles ne parlent plus de ce qu'elles pensent et ressentent. Elles se préoccupent de leur *taille* et craignent d'avoir l'air trop grosses. Elles suivent des régimes insensés. Les fillettes qui suivent des régimes amaigrissants à douze et treize ans se préparent à des troubles de l'alimentation dès l'âge de quinze ou seize ans. Les scientifiques commencent à comprendre que les privations sont le déclencheur de ces maladies, si elles n'en sont pas la cause précise.

Selon un sondage mené par le Commonwealth Fund, jusqu'à 25 % des adolescents, dont 90 % sont des filles, se purgent régulièrement pour éviter de prendre du poids. Près de 20 % des filles de 2e année du secondaire ont admis s'être fait vomir après avoir mangé excessivement. (La boulimie est liée au trouble obsessif compulsif peut-on lire dans la revue psychiatrique *Diagnostic and Statistical Manual of Mental Disease*. L'anorexie se manifeste par un dangereux refus de s'alimenter accompagné d'une déformation extrême de l'image corporelle.) Malheureusement, les troubles de l'alimentation sont plus répandus qu'ils ne l'ont jamais été. À Seattle, une organisation de sensibilisation et de prévention des troubles de l'alimentation estime qu'entre 5 et 7 % des 12 millions d'étudiantes universitaires des États-Unis souffrent d'anorexie, de boulimie ou d'épisodes d'excès alimentaires. Le taux de mortalité des anorexiques est de 20 %, le plus élevé parmi les maladies mentales. Que se passe-t-il ? Cette épidémie ne peut plus être attribuée à Twiggy et à tous les mannequins maigres qui l'ont suivie sur les passerelles. Les psychologues vous diront que les troubles de l'alimentation ont une cause « biopsychosociale ». C'est le terme à la mode en ce moment pour décrire diverses maladies psychiatriques. Qui pourrait contester un terme aussi universel ? Mais, justement, est-il englobant au point de perdre toute signification parce qu'il n'en dit pas assez ? De *quel* bio parle-t-on ? De *quel* psycho et de *quel* socio ? On peut tuer dans l'œuf toute discussion intelligente en utilisant la langue de bois.

Les régimes extrêmes peuvent provoquer de dangereuses chutes des taux hormonaux, lesquelles influencent la sérotonine cérébrale. Lorsque les fillettes, ou les femmes, perdent trop de graisse corporelle (ce qu'elles peuvent faire en suivant un régime trop sévère ou en faisant trop d'exercice), la faiblesse de leur taux d'œstrogène provoque une perturbation du taux de sérotonine. Un taux de sérotonine faible est associé au comportement compulsif et aux idées obsessionnelles. Nous commençons maintenant à comprendre les dessous de ce qui arrive aux jeunes filles qui suivent des régimes, qui deviennent obsédées par la nourriture et par leur poids (car leur faible taux de sérotonine a déclenché la phase obsessive de la maladie) et qui se trouvent bientôt dans un piège comportemental incontrôlable et auto-destructeur largement influencé par le déséquilibre du métabolisme du cerveau. Il faut des carences alimentaires plutôt graves pour déclencher une telle cascade d'événements biochimiques. Des régimes moins extrêmes ne le font pas. Mais un grand nombre de jeunes filles vont beaucoup trop loin dans leurs privations, en plus de faire de l'exercice de manière compulsive. Toutefois, la question de savoir pourquoi les filles ressentent un tel besoin d'être menues reste entière. Je pense pour ma part qu'il existe un lien entre l'épidémie de troubles alimentaires et leur anxiété d'avoir à affronter un monde qui devient de plus en plus dangereux pour elles à mesure qu'elles vieillissent.

Le sentiment du danger augmente lorsque les fillettes deviennent pubères. Même avant l'adolescence, un grand nombre sont victimes d'inceste et d'autres formes d'abus sexuels. À l'adolescence, les risques d'abus augmentent de manière spectaculaire. Deux études ont montré qu'une adolescente sur quatre a été victime d'abus sexuels ou physiques ou a eu des relations sexuelles contre son gré. « Bien que ces taux soient étonnamment élevés, ils confirment les résultats d'études antérieures », dit le Dr Robert Blum, directeur du département de santé des adolescents à l'université du Minnesota. « L'association entre ces sévices et d'autres problèmes est tellement évidente pour tous les intervenants des systèmes d'éducation et de santé que ceux-ci pensent immédiatement à l'abus sexuel ou physique lorsqu'un enfant a des problèmes, que ceux-ci se manifestent sous forme de détresse émotionnelle, de pensées suicidaires ou d'échec scolaire. »

Un important sondage mené auprès d'environ 7000 élèves de la 4e année du primaire à la fin du secondaire a montré que *la plupart* des abus sont perpétrés par un membre ou un ami de la famille, qu'ils ont lieu à la maison et impliquent plus d'un incident. La même étude, publiée par le Commonwealth Fund, a découvert qu'une fille sur quatre est déprimée. Lorsqu'elle a été publiée pour la première fois, l'étude a attiré beaucoup d'attention. Tout le monde savait que les adolescentes étaient boudeuses, mais l'épidémie de dépression mise au jour par cette recherche gouvernementale était bien plus affligeante que quiconque aurait pu l'imaginer. Vingt-neuf pour cent des adolescentes interrogées « ont affirmé avoir des pensées suicidaires et 27 % ont dit être tristes "souvent" ou "tout le temps" et un tiers a déclaré avoir envie de pleurer "souvent" ou "tous les jours" ». Un quart d'entre elles a déclaré avoir pensé à s'enfuir de chez elles pour cause de violence. Au secondaire, une fille sur trois a déclaré avoir eu des pensées suicidaires au cours des deux semaines précédant le sondage !

Pourtant, le lien entre la dépression des filles et les dangers sexuels auxquels elles sont exposées est souvent ignoré. Quand elles ne sont pas victimes d'inceste ou de viol, les fillettes sont exposées à des manifestations de domination masculine plus subtiles bien que souvent presque aussi dommageables (surtout lorsqu'on les additionne). On laisse aux artistes et aux écrivains le soin de décrire ce qu'est la vie dans un tel environnement. Évoquant les interminables transgressions sexuelles qu'une enfant de sexe féminin doit endurer, Simone de Beauvoir a écrit : « Il y a ce genou pressé contre celui de la fillette au cinéma, la main qui glisse le long de sa jambe dans le train de nuit, les jeunes gens qui s'esclaffent sur son passage, les touchers furtifs. » (traduction libre)

Les gestes humiliants décrits par Simone de Beauvoir dans *Le Deuxième Sexe* en 1940 semblent presque délicats comparés à ceux d'aujourd'hui. Les fillettes d'aujourd'hui risquent davantage de se faire asperger de sperme dans un ascenseur bondé ou de voir un inconnu exhiber ses parties génitales dans l'autobus. Ces comportements ne sont pas uniquement des expressions extrêmes de la libido mâle, comme certains le prétendent. Le harcèlement vise à déstabiliser la personne contre laquelle il s'exerce et il y réussit. L'intimidation sexuelle déclenche dans le cerveau une sonnette d'alarme qui fait augmenter le rythme cardiaque et la tension artérielle, de même que la sécrétion d'adrénaline et d'autres hormones de stress. Les souvenirs d'abus précédents peuvent refaire surface. Même une agression de « faible intensité » peut causer une frayeur intense, et les filles sont bombardées d'agressions de faible ou de forte intensité. Les dangers que doit affronter leur corps sont en train de les rendre vulnérables sur le plan psychique. Comme l'a écrit Jane Brody dans un article publié dans le *New York Times* sur le déclin pandémique des filles au moment de la puberté, les « années de crise » ne sont pas des années de confusion adolescente soi-disant normale ; ce sont les années au cours desquelles les risques d'agression sexuelle sont le plus élevés.

Carol Gilligan a été la première à publier des observations sur le « dédoublement » des adolescentes, soit une déconnexion entre l'esprit et le corps, les pensées et les sentiments. Dans une série d'études célèbres qui ont mené à sa nomination comme première directrice des études sur la condition féminine à Harvard, le Dr Gilligan a annoncé que le dédoublement devenait tellement répandu et tellement dangereux pour l'identité des filles qu'il représentait rien de moins qu'une « crise de développement ». D'autres aussi ont pris conscience des problèmes de santé mentale des adolescentes et de leur propension à se dénigrer et à avoir une image perturbée de leur corps. À partir de la puberté, les filles risquent deux fois plus que les garçons d'être déprimées. Depuis Freud, on considère prévisible et même inévitable cette prétendue fuite de soi chez les adolescentes. Pourtant, avant le Dr Gilligan, personne n'avait cherché à élucider ce qui arrive aux filles sur le plan psychologique lorsqu'elles passent du stade prépubère à l'adolescence. Cette période de « désintégration », considérée comme normale pour les filles, était soigneusement examinée, notée et rejetée comme faisant partie du développement normal des jeunes filles.

Des fillettes autrefois heureuses, énergiques et confiantes en elles-mêmes « perdent leur vitalité, leur résistance, leur immunité à la dépression, leur sens d'elles-mêmes et de leur caractère » une fois la puberté déclenchée, ont écrit Gilligan et sa collègue Lyn Mikel Brown dans *Meeting at the Crossroads*. Bien qu'elles aient attiré l'attention sur la spirale descendante des filles à l'adolescence, ces chercheuses et d'autres collègues dans le nouveau domaine de la psychologie du développement des femmes n'ont jamais fait le lien entre l'environnement sexuel hostile dans lequel les filles sont propulsées au moment de la maturité reproductrice et la détérioration qui s'installe simultanément.

L'entrée dans la zone de combat

On savait dès le début des années quatre-vingt-dix qu'un grand nombre de filles étaient victimes d'abus sexuel et de harcèlement, souvent à l'école. Dans un rapport intitulé *How Schools Shortchange Girls* (Les injustices de l'école envers les filles), l'American Association of University Women (AAUW), l'association des femmes universitaires des É.-U., affirme que quatre fois plus de filles que de garçons sont victimes d'abus sexuel. Même des endroits qui devraient être sans danger ne le sont pas. « Le harcèlement sexuel fait partie de la vie de tous les jours à l'école, au labo de chimie comme à l'atelier de menuiserie, dans une voiture d'apprenti conducteur comme sur les terrains d'exercice des sports parascolaires », a dit le Dr Nan Stein du département de l'éducation de l'université du Massachusetts aux chercheurs de l'AAUW. « Malheureusement, malgré sa fréquence, le harcèlement sexuel est rarement signalé ; en fait, il fait rarement l'objet d'une enquête et n'est pas systématiquement documenté.»

Dans le but de faire sa propre enquête sur la violence sexuelle aux États-Unis, l'AAUW a effectué une autre étude dont les résultats inquiétants ont donné le titre du rapport, *Hostile Hallways* (Couloirs hostiles). En effet, 70 % des filles qui fréquentent l'école publique sont victimes de harcèlement; 50 % se plaignent d'attouchements non désirés; 25 % disent avoir été acculées à un mur et molestées. «Je ne savais pas si je devais ou non le dire, se demande encore une fillette de treize ans. Je ne savais pas si ma réaction était excessive, car il s'agissait d'un prof que j'admirais et en qui j'avais confiance.»

«À l'école, une fillette ne se fait pas poser de questions par ses enseignants, mais elle se fait siffler; on ne lui parle pas des grandes réalisations de femmes, mais elle entend des rumeurs sur son comportement sexuel, dit Anne Bryant, directrice exécutive de l'AAUW Educational Foundation. Le harcèlement sexuel a des conséquences négatives sur tous les élèves, mais l'impact sur les filles est dévastateur.»

Cinq fois plus de filles que de garçons qui sont victimes de harcèlement sexuel finissent par avoir peur à l'école. Le tiers des filles victimes de harcèlement ne veulent plus fréquenter l'école, ce qui n'est pas étonnant compte tenu du peu de protection qu'on leur accorde et de la fréquence de la violence. En 1998 seulement, la commission scolaire de la ville de New York a déboursé près de 3 millions de dollars pour régler des cas d'abus sexuel. Pourtant, les écoles tentent toujours de camoufler les faits. «Dans certaines écoles, on dit aux parents et aux élèves qu'ils sont menteurs et qu'on ne peut rien y faire», affirme Eileen Treacy, une psychologue qui interviewe les victimes d'autres élèves pour le compte des procureurs de la ville.

Le *New York Post* a publié une série de trois articles sur les agressions sexuelles commises sur des élèves par d'autres élèves dans les écoles de la ville. «Le public en entend rarement parler, à moins que les parents n'appellent la police ou n'entament une poursuite», a découvert Maria Alvarez, recherchiste au *Post*. Elle fait état du cas d'une élève de 3e année du secondaire à Brooklyn, qui a été molestée en plein milieu de la journée par trois garçons qui l'ont entraînée dans un sous-sol isolé de l'école secondaire Lafayette où ils l'ont violée. «Ces cas sont épouvantables et il semble y en avoir constamment, a déclaré l'avocat de la jeune fille. La commission scolaire devrait faire quelque chose.» Mais l'ancien directeur de la sécurité de la commission scolaire a déclaré que les parents devraient prévenir leurs enfants de ne pas emprunter de corridor ni même d'aller aux toilettes seuls.

On s'attendrait à ne voir des cas de ce genre que dans une ville comme New York, n'est-ce pas? Eh bien, non. À Duluth au Minnesota, au printemps de 1999, la commission scolaire a senti la nécessité de créer un nouveau poste: «spécialiste du harcèlement en milieu scolaire». Il y avait beaucoup de problèmes dans les écoles de Duluth, et cela depuis longtemps, mais il a fallu une décision sans précédent de la Cour suprême déclarant l'école élémentaire de Forsyth en Géorgie coupable d'avoir omis d'empêcher un élève de harceler sexuellement une autre élève. Cette décision était une première et elle a eu d'extraordinaires ramifications. Nous en ressentons encore les secousses et ce n'est pas près de se terminer. Les écoles n'ont plus le droit de faire semblant de ne pas voir ou d'ignorer les plaintes des parents lorsque des élèves, parfois très jeunes, se comportent en prédateurs sexuels.

Le cas de Géorgie était celui de LaShonda Davis, dont la mère Aurelia est allée jusqu'au bout pour revendiquer le droit de sa fille à un milieu scolaire exempt de harcèlement. Mais son combat n'a pas été facile. Le harcèlement de la jeune LaShonda (alors âgée de dix ans et le garçon de onze ans) avait commencé en décembre 1992 et il s'était poursuivi presque tous les jours pendant cinq mois. Le garçon exerçait des pressions directes et explicites pour que la fillette couche avec lui. D'après la plainte présentée à la cour, le garçon « avait tenté à répétition de toucher les seins et la région vaginale de LaShonda... lui avait dit en termes vulgaires qu'il voulait... la mettre dans son lit... il avait mis un butoir de porte dans son pantalon et avait un comportement ouvertement sexuel. » LaShonda avait demandé qu'on la change de place, mais les enseignants l'avaient ignorée. Personne à l'école ne voulait l'aider. Incapable de se concentrer, ses notes avaient chuté et elle avait fini par écrire une note de suicide.

Le jugement de la Cour suprême visait à déterminer si des accusations de harcèlement pouvaient être portées en vertu du Titre IX de la loi sur l'éducation, qui interdit la discrimination envers les filles et les femmes. Dans une décision partagée à cinq contre quatre, la Cour a décidé que de telles accusations *pouvaient* être portées. Publiée en manchette dans le *New York Times*, la décision, qui donne le droit de poursuivre une école pour le harcèlement commis par ses élèves, était basée essentiellement sur les mêmes fondements que la décision rendue par la Cour suprême l'année précédente au sujet de la responsabilité en cas de harcèlement par des membres du personnel enseignant. Mais des *élèves* qui en harcèlent d'autres ? C'en était trop pour le juge en chef Anthony M. Kennedy qui a décrié la décision comme une intrusion fédérale dans la salle de classe. Le rapport minoritaire soutenait que la décision « donnerait au petit Johnny une leçon perverse sur le fédéralisme ». La juge Sandra Day O'Connor, dans une rare réplique livrée sur le banc, a déclaré aux dissidents que la décision « assure plutôt la petite Mary qu'elle peut fréquenter l'école sans crainte ». Le juge Kennedy a insisté que les « avances romantiques des adolescents envers leurs camarades de classe (même si elles sont persistantes et non désirées) sont une expérience de l'adolescence à laquelle on ne peut échapper. »

Inévitable, oui, romantique, non. De plus, ces enfants n'étaient pas encore adolescents. La notion antédiluvienne qui ne sait pas faire la distinction entre « idylle » et « hostilité » continue à exister malgré la multiplication des recherches qui montrent que les fillettes américaines subissent de graves sévices dans leurs écoles. La loi les oblige à passer environ quarante heures par semaine dans un milieu souvent hostile et dégradant et, avant cette décision, elles avaient peu de recours juridiques lorsque l'école refusait de les protéger.

Mais le vent commence à tourner. Selon Judy Gillen, la spécialiste du harcèlement de la commission scolaire de Duluth, les garçons ne peuvent plus s'attendre à distribuer en toute impunité une liste des « 25 filles qui ont le plus couché » (une cause véridique entendue par le ministère des droits de la personne du Minnesota qui a condamné le district scolaire à verser 40 000 $ à la plaignante, une élève de dernière année du secondaire). De nos jours, les écoles sont davantage portées à écouter attentivement les plaintes des parents. Le cas particulier qui a contribué à la création du poste de Gillen était la célèbre histoire du graffiti dans les toilettes, sujet du film *Boys Will Be Boys*, tourné par la NBC pour la télévision. Le vrai personnage était Katy Lyle, une élève de quinze ans à l'école secondaire Duluth Central High il y a dix ans. Quand elle a commencé à entendre des rumeurs que quelqu'un avait écrit des obscénités à son sujet dans les toilettes des garçons et constaté que les filles comme les garçons l'évitaient dans les couloirs, elle s'en est ouverte à ses parents. Ceux-ci ont immédiatement porté plainte auprès de l'école. L'école n'a pas bougé, mais ses parents n'ont pas baissé les bras. La mère de Katy s'est rendue dans les toilettes un jour de congé pour voir elle-même les mots qui couvraient une importante partie de l'une des cabines. Comme l'a formulé la journaliste Cynthia Gorney : « Salope était le terme le moins fort et le plus vieux jeu. Il y avait des références pornographiques à des chiens, des animaux de ferme et même à des relations sexuelles qu'aurait eues Katy avec son frère. "J'en ai eu le souffle coupé et j'ai éclaté en sanglots" », raconte Carol Lyle. »

Des portions lisibles des graffiti sont restés sur le mur pendant 16 mois. « Ce qui enrageait le plus les parents de Kate Lyle, dit Cynthia Gorney, était le refus d'agir des autorités scolaires dans un district qui s'était doté d'une politique en matière de harcèlement sexuel à l'école. Pourquoi était-on incapable d'ordonner le nettoyage du mur, une mesure peu compliquée aux yeux des Lyle. » Finalement, l'un des frères plus âgés de Kate est allé nettoyer lui-même le mur. Les graffiti gravés sont restés là.

Kathie Roiphe et d'autres féministes dites « du pouvoir » s'objectent à l'inclusion de *mots* dans le concept de harcèlement sexuel (si elles ne sont pas carrément contre le concept même). Selon Mme Roiphe, les mots n'ont « aucun pouvoir particulier de blesser, d'humilier et d'envahir. C'est le contexte politique qui en détourne le sens et leur donne des connotations. » Leur pouvoir découle sans doute du fait de les nommer. Appelons cela du harcèlement et cela devient dommageable. Ne lui donnons pas de nom et cela n'est rien. Mais la théorie de Mme Roiphe sur l'impuissance des mots est en contradiction avec elle-même. « En apprenant aux enfants à reconnaître le harcèlement sexuel, dit-elle, nous les entraînons à être des victimes. » Les enfants se sont toujours crié des noms et des injures et cela est plutôt anodin. « Ta mère est une _______. » « La tienne aussi. » On peut penser que Mme Roiphe n'a jamais passé beaucoup de temps dans des salles de classe, sinon elle saurait que les railleries vont beaucoup plus loin aujourd'hui que ce qu'elle évoque avec nostalgie comme les « aléas du badinage enfantin ».

Le refus des institutions et des individus de reconnaître l'abus massif dont sont victimes les filles fait partie d'une réaction virulente qui s'exprime par le biais d'une version contemporaine du mythe de la fragilité qui persiste depuis le XIXe siècle. Les filles ne sont pas faites pour se défendre elles-mêmes, pour fixer des limites physiques, pour exiger la liberté et le respect. Les réactions des conservateurs aux rapports de l'AAUW (4 en dix ans) indiquent clairement que le mythe de la fragilité n'est pas mort. « L'AAUW persiste et signe en publiant un autre rapport exagéré sur la victimisation, se moque John Leo dans le *U.S. News & World Report*. Elle a profité de l'occasion de la publication en 1998 de *Gender Gaps : Where Schools Fail Our Children*, pour se livrer à une attaque en règle contre l'organisation pour son rapport de 1992 sur les injustices faites aux filles. À son grand déplaisir, ce rapport a « entraîné une manne financière uniquement pour les filles en vertu de la loi sur l'équité entre les sexes dans l'éducation ». Il a accusé l'AAUW de fonder ses rapports sur de la recherche « politisée », cette politique étant le « féminisme radical ». Que conclut John Leo ? « En vérité, nos écoles ont beaucoup de défauts, mais l'oppression des élèves féminines n'en est pas un. »

Les auteurs masculins ne sont pas les seuls à voir l'oppression des filles de cette façon. Christina Hoff Sommers, attachée à l'American Enterprise Institute for Public Policy and Research de Washington, a protesté de la même façon dans la page éditoriale du *New York Times*. Dans un article où elle balayait du revers de la main l'absurdité du harcèlement sexuel des « préadolescentes », elle évoquait des cas comme celui de LaShonda Davis. Ces « enfants » ont besoin d'éducation morale, pas d'intervention juridique ou de protection, a écrit Sommers dans son article. Elle s'est plainte que les groupes féministes se soient « immiscés » dans le cas Davis, à l'instar du Congrès juif américain, de l'Association nationale d'éducation, ainsi que de « douzaines » d'autres qui n'avaient rien à voir là-dedans. Parmi ces derniers figuraient l'Organisation nationale des femmes (National Organization for Women ou NOW). Sommers a accusé la NOW d'oser prétendre que le « harcèlement sexuel est une forme de violence faite aux femmes pour qu'elles restent "à leur place" ».

La NOW avait protesté que les écoles étaient devenues de véritables « terrains d'entraînement au harcèlement sexuel », notant que « les garçons sont rarement punis, tandis qu'on apprend aux filles qu'elles doivent tolérer des comportements humiliants». Une telle combinaison de «ferveur morale et de désinformation est dangereuse», insiste Mme Sommers. Elle soutient mordicus que les garçons des écoles américaines n'utilisent *pas* le sexe pour intimider les filles. Quels que soient les «comportements ouvertement sexuels» dans les classes, «l'intimidation n'est pas de nature sexuelle», a-t-elle écrit dans le *Times*. Une dose de bonne vieille discipline, voilà ce qu'elle préconise. Les enfants comme LaShonda n'ont tout simplement pas besoin de l'intervention protectrice de la loi. C'est encore du «fédéralisme» intrusif, un phénomène qu'il faut craindre davantage que l'oppression physique de la moitié de l'espèce.

Après avoir lu ce qui arrive aux filles dans le même rapport «radical» qui avait tant outragé John Leo, la journaliste Peggy Orenstein, lauréate du prix Pulitzer, a voulu voir les choses de ses propres yeux. Elle a décidé de passer un an dans deux classes de première année du secondaire en Californie, l'une en milieu défavorisé et l'autre dans une «bonne» école de banlieue. Le récit qu'elle fait de son expérience dans son ouvrage *Schoolgirls* n'est pas reluisant. Andrea Murray, directrice de l'école, a déclaré à Peggy Orenstein que les «garçons insultaient les filles, les retenaient de force, touchaient leurs seins, leurs fesses et leur vulve». Mme Murray était complètement mystifiée et ne comprenait pas pourquoi les filles ne réagissaient pas à de tels traitements. Elles se soumettaient à eux s'ils étaient populaires. «Elles ne voient pas ce comportement comme la manifestation d'une attitude des garçons envers les filles en tant que groupe, comme le racisme, dit Mme Murray. Si les filles pouvaient se voir comme un groupe puissant, si elles regardaient ces garçons de haut, ces derniers changeraient immédiatement de comportement.»

Andrea Murray n'était dans cette école que depuis une année lorsque Mme Orenstein a commencé ses articles et elle a été sidérée par l'ampleur du harcèlement dans l'école. Heureusement, elle allait bientôt obtenir une aide précieuse dans sa lutte contre ce problème. Le 1er janvier 1993, la Californie a promulgué une nouvelle loi exigeant que chaque école se dote d'une politique en matière de harcèlement sexuel à l'intention du personnel et des élèves, que cette politique soit affichée dans des endroits bien visibles dans les écoles et qu'elle soit distribuée à chaque enseignant et enseignante et à tous les parents. La loi permet à un directeur ou une directrice d'école de suspendre ou même d'expulser tout élève de la 4e année en montant s'il harcèle sexuellement ses camarades. Ainsi, Andrea Murray pouvait appuyer sa décision d'agir sur une base solide. Elle ne cherchait pas uniquement à punir les garçons qui faisaient du harcèlement, elle voulait surtout que les filles commencent à se défendre. Pour sensibiliser les filles, elle a demandé à Edie Deloria, une conseillère à demi-temps à l'école Weston, de réunir un groupe de discussion composé de filles ayant subi du harcèlement.

« Nous voulons que l'école soit un lieu sûr, leur a dit Mme Deloria. Nous ne voulons pas que vous ayez à subir des remarques et d'autres agressions qui vous mettent mal à l'aise. » Finalement, une fille a dit que certains garçons appellent « les autres » salopes.

« C'est arrivé aujourd'hui dans une autre classe », a renchéri une autre élève. « Un garçon a traité une fille de salope... et d'autres choses comme ça... », a dit une autre élève en baissant la voix.

Une autre fille s'est plainte que les garçons se moquent des filles qui aiment les sports en leur disant qu'elles ne sont que « des moitiés d'hommes ».

« Aujourd'hui, quand nous jouions au hockey, ils faisaient ce mouvement avec leur bâton. » Elle a mis sa main près de sa fourche et a fait un mouvement de va-et-vient.

« Comme s'il se masturbait ? » a demandé la conseillère.

La fillette a acquiescé.

« Qui fait cela ? »

Les filles ont donné quelques noms, en ajoutant que beaucoup de garçons le faisaient. Maintenant, le chat sort enfin du sac. Une fille dit qu'un garçon, dont elle donne le nom, prétend avoir couché avec sa mère qui lui aurait fait une fellation. Les fillettes commencent à parler en détail des remarques des garçons. « Elles parlent de garçons qui leur disent des obscénités, qui les traitent de putes, comme dans les chansons rap, dit Mme Orenstein. Et pas seulement les voyous, les premiers de classe et les athlètes aussi le font. »

La conseillère tente de les aider à changer leur façon de percevoir la situation. « Les filles pensent que ce n'est pas grave. Après un certain temps, elles commencent à s'imaginer que c'est la façon normale dont les garçons sont censés s'adresser aux filles. Mais ce n'est pas vrai. Si vous, les filles, voulez que cela cesse, vous devez leur dire ce qui arrivera s'ils continuent et vous y tenir. »

Sur ce, une fillette appelée Jeanie a baissé la tête et dit : « Jeff Bellamy m'a touché les seins… »

Plus tard, dans son bureau, Mme Deloria a dit à Mme Orenstein qu'« un grand nombre de fillettes avaient le sentiment qu'elles n'avaient pas d'autre choix que d'endurer cela. Elles le prennent maintenant et, à seize ans, elles y seront tellement habituées qu'elles l'accepteront. »

La directrice, Andrea Murray, tentait de faire passer un message dans l'école Weston Middle. Au cours des semaines qui ont suivi, elle a suspendu cinq garçons pour harcèlement sexuel, y compris celui qui avait touché les seins de Jeanie. Cela a remonté le moral des filles, mais les garçons n'ont pas apprécié.

Certains garçons ont dit ne pas savoir ce qu'était un comportement inacceptable. L'un d'eux, qui avait été suspendu pour avoir fait des gestes de masturbation et avoir demandé à une fille de lui faire une fellation, s'est plaint qu'on ne pouvait même plus faire un compliment à une fille.

Même Jeffrey Bellamy, celui qui avait touché aux seins de Jeanie, avait de la difficulté à comprendre les accusations portées contre lui. Il savait que ce qu'il avait fait n'était pas bien, mais les filles l'avaient toujours enduré. « Ça ne dérange pas les filles, a-t-il dit à Mme Orenstein, en fait, elles se laissent faire. Moi, je donnerais un bon coup de poing à quelqu'un qui me toucherait comme ça. »

Vous pensez peut-être que le harcèlement et le dénigrement sexuels ne se produisent que dans les écoles de milieux défavorisés, des écoles remplies d'enfants pauvres, démunis et ignorants. Mais le phénomène transcende les classes sociales. En fait, plus les garçons sont privilégiés, plus les écarts qu'on leur permet sont excessifs. Dans son enquête détaillée sur le célèbre cas des athlètes de l'école Glen Ridge High qui ont violé à l'aide de bâtons une fillette attardée, Bernard Lefkowitz, professeur de journalisme à l'université Columbia, a appris que ces garçons n'avaient pas eu un moment de folie passagère cet après-midi-là dans le sous-sol d'un club. Leur horrible comportement était annoncé de manière inquiétante et avait été ignoré. Les garçons de la chic école Glen Ridge étaient beaucoup plus déviants que les enfants que Mme Orenstein avait vus en Californie. Kevin Shwerzer, l'un des criminels, était connu pour se masturber pendant que les profs faisaient semblant de ne rien voir. « Quand on examine les antécédents de ces garçons, le viol n'a rien de surprenant, a dit M. Lefkowitz en entrevue. C'est le prolongement logique de leur comportement. »

Ces garçons ne commettaient pas un viol pour s'amuser. Ce n'était pas sexuel non plus. Qu'y a-t-il de sexuel à entrer un bâton dans le vagin d'une fille ? Ils le faisaient pour le sentiment de puissance que l'humiliation d'un autre peut procurer. Ils se pensaient faits pour le pouvoir. Le pouvoir était leur cuillère d'argent. Dans la foulée de ce cas, on a beaucoup insisté sur le fait que la victime était attardée. Certains ont même dit qu'elle avait encouragé les garçons parce qu'elle voulait de l'attention. Ce n'était pas vraiment sa faute, mais ce n'était pas tout à fait *la leur* non plus. Le problème découlait du handicap de la jeune fille. Mais la même équivoque peut être invoquée dans le cas de n'importe quelle fille. Elle n'était pas sûre de ce qui se passait et le malheureux garçon a « mal compris » ses signaux, etc., etc. À ce jour, le directeur du Sexual and Rape Analysis Unit à Newark, qui a traité ce cas, estime qu'il s'agit d'un exemple de « l'abus sexuel systématique » dont sont victimes les gens qui souffrent de déficience mentale. Que le QI de la jeune fille ait été de 64 rend le viol encore plus déroutant, mais il est tout à fait injustifié d'attribuer l'incident à sa faiblesse d'esprit. Cela sous-entend que si elle avait été capable de fixer des limites, les garçons ne l'auraient pas violée. Or, ce raisonnement est complètement faux. Ces garçons avaient le sentiment qu'ils pouvaient faire ce qu'ils voulaient, humilier et molester criminellement qui bon leur semblait. D'autres filles de cette école huppée du New Jersey le savaient trop bien et elles ont confié à Bernard Lefkowitz : « Cela aurait pu être moi. »

On ne peut que leur donner raison. Il y avait peu d'appui au sein de la collectivité pour la sécurité des filles. La ville s'était rangée derrière les garçons jusqu'à leur mise en accusation. On sent encore dans l'ensemble du pays le sentiment que les garçons en pleine croissance ont droit à quelques écarts peu importe qui se fait égratigner au passage. Rappelez-vous le célèbre cas du « Spur Posse » en Californie. Le « posse » était un groupe d'écoliers blancs — des athlètes — qui se faisaient concurrence à l'aide d'un système de points pour évaluer leur « conquêtes » sexuelles. Quand les filles ont fini par se plaindre, plusieurs des membres du groupe ont été accusés de crimes allant de l'agression sexuelle au viol. Certains parents ont excusé, et même défendu, le comportement de leur fils. « Mon fils n'a fait que ce que tout garçon américain normal à sang chaud ferait à son âge », a dit le père de l'un d'entre eux.

Il est fascinant de noter que chez les garçons, et les garçons seulement, la participation à des sports d'équipe a été associée à une « identité sous-développée », c'est-à-dire à un développement psychologique prématurément arrêté. La société considère les prouesses athlétiques comme le triomphe ultime, accordant aux athlètes plus d'attention et de gloire qu'aux figures d'État. « Le statut très élevé dont jouissent les athlètes est mauvais pour leur développement psychologique général», concluent les auteurs de l'étude.

Trop d'attention, trop tôt. Ou tout simplement trop. Même les vedettes adultes ont de la difficulté à ne pas tomber dans l'arrogance et le vedettariat et à ne pas devenir anti-sociales. Imaginez ce que l'adulation peut faire aux processus mentaux et psychologiques d'un athlète adolescent.

Le pouvoir des filles réside dans l'attraction sexuelle qu'elles suscitent. Les garçons ne souhaitent pas que les filles fassent preuve d'un véritable pouvoir sexuel (lequel fait son apparition à l'adolescence) et ils humilient les filles sexuellement pour détruire leur pouvoir à la source. Au lieu d'être heureuses de leur sexualité naissante, les filles en ont honte. Elles ressentent la honte de la victime, la honte de la putain. Mais, pire encore, elles ne comprennent pas ce qui leur arrive.

«C'est effrayant d'être considérée uniquement comme un corps» a dit Becca, une fillette de treize ans, à Peggy Orenstein. Quand elle était plus jeune, elle considérait tout homme qui lui faisait un commentaire comme un pervers. Mais à cet âge, l'humiliation sexuelle n'est plus aussi facile à ignorer. À l'intérieur de son corps de treize ans, elle se sentait en danger. Lorsqu'un groupe de garçons plus âgés a commencé à faire des bruits obscènes à l'arrêt d'autobus, elle a été incapable de dire quoi que ce soit. D'un seul coup, elle a eu le sentiment que la chasse était ouverte.

Bienvenue dans le monde des femmes. Il y a encore des «spécialistes» qui pensent qu'apprendre à tolérer le dénigrement sexuel est un signe de maturité, du moins pour les femmes. Wardell Pomeroy, co-auteur du célèbre *Rapport Kinsey*, est l'un de ceux-là. Les filles se tournaient vers lui et lui demandaient conseil. Becca a consulté un ouvrage de Pomeroy, *Girls and Sex*, publié en 1991, pour comprendre pourquoi, dès le début de la puberté, elle avait commencé à être traitée comme un objet sexuel. Son message n'avait rien de rassurant pour elle: «Bien que les féministes le déplorent, les sifflets admiratifs d'étrangers sur la rue ou d'un chauffeur de camion sont sans conséquence, » écrit Pomeroy. Les féministes prétendent que ce genre de comportement est dégradant pour les femmes car il en fait des objets sexuels, mais les choses sont ainsi depuis la préhistoire. »

Le vieil argument de l'histoire : si c'est ainsi depuis la nuit des temps, ce doit être normal. Becca a au moins compris l'injustice de l'auteur de *Girls and Sex*. Le dénigrement, ce n'est pas « comme un beau garçon qui dit bonjour, explique-t-elle. Quand cela arrive, on a une drôle de sensation dans l'estomac, mais c'est bon. L'autre sentiment est mortifiant, il me donne envie de ne jamais grandir. »

Quand on entend toutes ces histoires, on commence à comprendre *pourquoi* les filles n'ont pas envie de grandir, pourquoi elles veulent rester petites. Geena, une jeune fille qui joue de la clarinette et aime les échecs, s'intéresse davantage aux ordinateurs qu'au maquillage et aux vêtements griffés. Lors de sa première journée à l'école secondaire, dans les vestiaires, le garçon occupant le casier voisin du sien la bouscule en disant : « Pousse ta graisse. » Après l'école, Geena rentre à la maison et dit à sa mère : « Je suis hideuse. Il faut que je me mette au régime. »

Les sociologues utilisent le terme « harcèlement fait aux femmes » pour distinguer les incidents liés à la domination sans connotation sexuelle. « Pousse ta graisse » en serait un bon exemple. Ces manifestations verbales de mépris sont dommageables, surtout qu'elles risquent de passer pour des incidents sans importance que les filles devraient être capables d'endurer. Pensez au silence des filles de Weston en réaction au harcèlement des garçons. Elles avaient peur de porter plainte parce qu'elles voulaient désespérément leur plaire. Le double message véhiculé ne fait qu'ajouter à l'effet destructeur : d'une part, les filles sont traitées avec mépris *parce qu'*elles sont des filles et, d'autre part, elles peuvent se rendre un *peu* moins méprisables en acceptant le mépris de bonne grâce.

Les garçons, à la recherche de leur indéfinissable « masculinité », se séparent émotionnellement des filles et les ridiculisent pour créer une distance entre eux alors qu'ils luttent contre leurs sentiments ambivalents envers l'autre sexe et envers leur pouvoir sexuel. Cette situation est très destructrice, beaucoup plus que « dans mon temps ». En écoutant les histoires de ses patientes, la psychologue Mary Pipher n'avait aucune référence personnelle sur ce qu'elles vivaient, a-t-elle écrit dans son ouvrage *Reviving Ophelia*. Le harcèlement n'a plus rien à voir avec ses expériences à l'adolescence. De nos jours, « les filles se font harceler à propos de tout, du sexe oral aux poils pubiens en passant par leurs menstruations et l'apparence imaginée de leurs parties génitales. »

Mme Pipher utilise le mot « traumatisme » pour décrire l'effet qu'ont ces expériences sociales sur les filles. Elle raconte leurs crises de larmes, leurs troubles alimentaires et leurs cauchemars. « Elles rêvent qu'elles se noient, qu'elles deviennent paralysées ou qu'elles sont prisonnières de sables mouvants. Elles ont des rêves récurrents dans lesquels elles se font attaquer sans être capables de crier ou de se défendre de quelque manière que ce soit », dit-elle. Les éléments les plus révélateurs des cauchemars des filles sont « l'attaque, la paralysie et la destruction imminente du moi ».

Double impasse

Les femmes n'oublient pas les incidents humiliants qu'elles vivent pendant leur enfance et leur adolescence. « Theresa », une femme dans la quarantaine, se souvient encore de la honte brûlante qu'elle a ressentie peu après avoir commencé sa sixième année du primaire dans une nouvelle école. Elle était allée au vestiaire à l'heure du lunch et avait trouvé son foulard tout souillé. Le garçon qui s'en était servi pour se moucher se tenait dans un coin, une moue désagréable sur les lèvres, attendant sa réaction. Elle avait mis le foulard dans la poche de son manteau et s'était enfuie chez elle. « Ma mère a rapporté mon foulard à l'école dans un sac en papier et, le présentant au directeur, elle lui a dit : « Ne pouvez-vous pas contrôler vos élèves ? »

Bien qu'elle sache que ce n'est rien en comparaison, Theresa pense à cet incident lorsqu'elle cherche à comprendre les expériences humiliantes que vit à l'école sa fille en dernière année du primaire. « Lorsque je pense à tout le temps que j'ai mis pour me remettre de l'histoire du foulard, je me demande comment les filles font pour vivre de nos jours ! »

Comment font-elles pour composer d'heure en heure avec les agressions dont elles sont victimes à l'école et dans la rue ? Quel effet peut bien avoir sur elles cette continuelle nécessité de devoir se défendre contre les menaces, les dangers et les humiliations ?

Au cours des années quatre-vingt-dix, plus de la moitié des cas de harcèlement sexuel ayant fait l'objet d'enquêtes par l'Office of Civil Rights (OCR) du ministère américain de l'Éducation se sont produits dans des écoles primaires et secondaires. « Nous savons maintenant que le harcèlement sexuel dans les salles de cours et les couloirs des écoles américaines constitue un problème majeur — un problème que nous n'avons plus les moyens d'ignorer », a écrit dans *Hostile Hallways* Alice McKee, présidente de la AAUW Educational Foundation. « Si on n'y met pas un terme, il continuera à priver des millions de filles de l'environnement scolaire dont elles ont besoin pour devenir des adultes instruites et saines. »

Hostile Hallways (couloirs hostiles) est le titre du rapport du premier sondage réalisé pour déterminer les effets sur les filles du harcèlement sexuel dans les écoles, sur le plan scolaire et sur le plan émotif. Les filles ont dit aux chercheurs qu'elles ne voulaient pas parler en classe après avoir été ridiculisées ou attaquées et qu'elles trouvaient difficile de se concentrer. Certaines envisageaient de changer d'école. La plupart ont dit se sentir gênées et moins sûres d'elles-mêmes et de leur valeur.

Près de une sur quatre avouait être effrayée ou avoir peur. Enfin, triste constat, un tiers ont dit que la peur les faisait douter de pouvoir un jour vivre une relation de confiance avec une personne du sexe opposé.

Les couloirs hostiles ne disparaissent pas comme une route à l'horizon lorsque les filles terminent leur secondaire et poursuivent leurs études à l'université. L'histoire se répète. Sur les campus universitaires, l'hostilité envers les femmes augmente à un rythme effarant.

En outre, les jeunes filles qui sont des athlètes semblent être exposées à une autre source de danger : leurs entraîneurs. En 1998, le couvercle a finalement sauté et l'élite des jeunes athlètes féminines a commencé à porter plainte. Deux jeunes joueuses de tennis ont intenté une poursuite de 762 millions de dollars contre l'université de Syracuse et l'entraîneur de tennis de l'institution, Jesse Dwire. La poursuite alléguait que Dwire avait massé, caressé et fait des avances à deux joueuses de tennis lauréates de bourses et que lorsqu'elles avaient déposé une plainte par l'intermédiaire du système de grief de l'institution, Dwire et l'université avaient pris des mesures de représailles contre elles. Un comité au sein de l'université avait jugé que Dwire avait enfreint la politique en matière de harcèlement et de discrimination et recommandé qu'il soit banni de son poste pendant une période de deux ans, mais sa sentence avait été réduite à trois mois de suspension. Un an plus tard, trois jours avant que le procès ne s'ouvre, l'université a conclu un règlement à l'amiable pour une somme non divulguée.

Anson Dorrance, quarante-sept ans, entraîneur de l'équipe nationale féminine de soccer dans les années quatre-vingt et présentement entraîneur à l'université de la Caroline du Nord, a été poursuivi par deux joueuses. Debbie Keller, une marqueuse étoile de l'équipe nationale américaine, a accusé Dorrance d'avoir eu un comportement inacceptable, y compris d'avoir fait des commentaires sexuels non sollicités. Melissa Jennings l'a accusé d'avoir rendu son environnement hostile, avant de l'éliminer de l'équipe. Dorrance nie avoir harcelé ses joueuses ou abusé de son autorité. Il dit vouloir se défendre vigoureusement et il a réussi jusqu'ici à faire changer le lieu du procès de Chicago à Greensboro, où il est un héros local. L'université de la Caroline du Nord a fait une requête en irrecevabilité, mais celle-ci a été refusée.

Il est clair que Dorrance a des problèmes de « limites », s'il n'a que ceux-là ! Il reconnaît qu'il a « participé à des discussions qui ont tourné en plaisanteries et en taquineries peu convenables ». Il s'est aussi excusé d'avoir emprunté 400 $ à l'étudiante, et il a remboursé son emprunt.

Deborah Keller allègue que Dorrance lui a fait à deux reprises des « avances sexuelles non sollicitées » ; qu'à d'autres occasions il a eu avec elle des « contacts physiques inopportuns et non sollicités », par exemple en « touchant son corps de ses mains et de ses bras » ; et, enfin, qu'il « interrogeait constamment » les membres de son équipe à propos de leur vie privée et de leurs activités sexuelles. La poursuite allègue que Dorrance a commencé à lui faire des appels téléphoniques « non désirés et non sollicités » dans le but de surveiller ses activités personnelles. En octobre 1996, allègue-t-elle, Dorrance l'a forcée à le rencontrer dans un « endroit isolé » et lui a fait des « avances sexuelles non sollicitées ».

Une série de lettres de Dorrance à Keller, publiées dans le *Sports Illustrated*, montre que l'entraîneur est devenu de plus en plus intime avec la jeune fille. En janvier 1994, il lui écrivait « qu'au cas où elle ne le saurait pas, il avait beaucoup d'affection pour elle ». Au cours du mois d'octobre suivant, il lui écrivait : « Je n'avais jamais rêvé de me retrouver avec quelqu'un comme toi... Le respect que j'ai pour toi est très profond et comme ta douce note l'a montré, il va bien au-delà de tes prouesses au soccer, jusqu'au cœur de qui tu es. J'essaie très fort de ne pas empreindre ces pensées d'affection, mais, comme tu peux le voir, Debbie, je me soucie de toi et de tout ce que tu fais. »

Jusqu'au cœur de qui tu es. « Anson Dorrance cultive une espèce d'environnement qui rend les joueuses dépendantes de lui », a expliqué à un journaliste April Heinrichs, une autre ancienne joueuse. « J'ai été l'exemple parfait de ce phénomène lorsque j'étais à l'université de la Caroline. J'étais convaincue qu'il était la seule personne qui pouvait m'entraîner. C'était comme une drogue. Anson Dorrance est un homme très puissant, très charismatique — on tombe sous son charme. »

Debbie Keller a par la suite été évincée de l'équipe nationale de soccer des États-Unis. En 1998, elle avait joué dans 23 des 25 matchs des États-Unis et marqué quatorze buts. Malgré cela, l'entraîneur américain Tony DiCicco l'a laissée tomber au début de l'année, alléguant qu'elle ne s'était pas distinguée comme lanceuse de début. Keller, une vraie batailleuse, a essayé d'être réintégrée dans l'équipe en demandant une audience d'arbitrage à la Fédération américaine de soccer. Le comité d'arbitrage a entendu des témoignages pendant trois jours et demi avant de décider de rejeter sa demande. L'entraîneur DiCicco, un ami de Anson Dorrance, avait témoigné pendant huit heures contre Keller.

« J'ai dû m'asseoir avec mes entraîneurs et leur expliquer clairement que les gestes qui étaient acceptables autrefois ne le sont plus maintenant, comme donner une petite tape sur le derrière d'une joueuse », dit Christine Grant, directrice du sport à l'université de l'Iowa. Les entraîneurs mâles parlent de la « limite ténue » entre les sentiments amicaux et une intimité inacceptable. Mais cette « confusion » entourant le comportement approprié à adopter avec des jeunes filles n'est que de l'ambiguïté. « Je ne crois pas qu'il y ait de limite ténue », dit l'avocat de Mlles Keller et Jennings. « Un comportement qui ne serait pas acceptable dans une salle de classe ne devrait pas avoir cours dans le gymnase. »

Le problème va au-delà des tapes sur les fesses et des sous-entendus sexuels. Une jeune joueuse de tennis du New Jersey a finalement craqué et révélé à ses parents que son entraîneur avait commencé à la caresser lorsqu'elle avait douze ans et qu'il l'avait forcée à avoir des relations sexuelles avec lui à treize ans. La jeune étudiante au secondaire était championne de son comté lorsqu'elle a finalement décidé de se confier à ses parents. « Elle tremblait et pleurait, a dit sa mère plus tard, et elle ne voulait pas que personne le sache tellement elle se sentait démolie. » Ils sont tout de suite allés à la police. Stuart Gerechoff a été arrêté trois jours plus tard et a plaidé coupable en mars 1998 à des accusations d'agression sexuelle grave. En juin 1999, il a été condamné à huit ans de détention dans un centre pour délinquants sexuels.

La mère de cette jeune fille se dit avec inquiétude qu'elle « aurait dû voir les signaux ». En fait, elle avait vu les signaux ; elle ne se faisait tout simplement pas suffisamment confiance. « Il ne voulait pas me voir autour des courts de tennis, a-t-elle dit de Gerechoff. Lorsque je lui ai dit que je n'aimais pas la façon dont il serrait ma fille après un entraînement, il s'est tout de suite emporté et m'a dit qu'il n'y avait rien de mal là-dedans, qu'il était affectueux avec tout le monde. Il me disait combien j'avais de la chance de ne pas avoir à m'inquiéter que ma fille soit victime d'abus sexuels — le tennis est son petit ami, plaisantait-il. »

De l'âge de treize ans à l'âge de quinze ans, pendant les trois années qu'ont duré leurs relations sexuelles, la jeune fille n'a jamais rien dit à personne. « Elle croyait qu'elle mettrait fin à sa carrière de tennis si jamais elle en parlait, a dit sa mère. Il lui disait toujours qu'elle n'arriverait à rien sans lui. »

Ces entraîneurs masculins jouissent d'énormément d'appui au sein de leur milieu. Dans une école secondaire de la Caroline du Sud, un entraîneur, Joe Sutton, était devenu extrêmement possessif à l'égard d'Alana Henderson, une jeune athlète autochtone. Elle aurait bien voulu éviter ses incessants coups de téléphone, ses cadeaux et ses étreintes après les matchs. « Je commençais à avoir peur de lui, a-t-elle dit. » Ses parents sont allés à l'école et ont fini par aller voir le superintendant des écoles du comté. Voyant que ces démarches ne donnaient rien, ils ont frappé à la porte du Conseil d'éducation de la Caroline du Sud. Sutton a fini par être suspendu et lors d'une réunion à huis clos avec la commission scolaire en janvier 1998, il a remis sa démission et accepté la clause additionnelle lui interdisant de chercher en Caroline du Sud un emploi d'enseignant ou d'entraîneur qui le mette en contact avec des jeunes filles de moins de dix-huit ans. (Cette clause est devenue publique l'automne dernier lorsque Sutton a sollicité sans succès un siège au sein de la Commission scolaire qui l'avait suspendu. Quel déni de la réalité !)

« Nous avons découvert des comportements inacceptables qui justifiaient sa suspension », a admis plus tard le superintendant des écoles du comté. Cependant, il a déclaré : « Je ne vois pas comment nous pouvons durcir notre politique en matière de harcèlement sans plonger nos écoles dans un état de terreur. »

C'était là l'homme qui avait ignoré la demande d'enquête d'Alana Henderson jusqu'à ce que le Conseil d'éducation exerce des pressions pour qu'il s'en occupe. Quant à ses inquiétudes sur l'état de terreur, il faut dire que c'est Alana qui a vécu un enfer émotif après avoir porté plainte. Les collèges qui auraient pu la recruter recevaient des lettres anonymes les avertissant qu'elle était une fauteuse de troubles. Ses parents avaient dû changer son jeune frère d'école en raison des contrecoups de toute cette histoire. (Pendant ce temps, Sutton était en liberté sous caution, attendant son procès pour actes d'inconduite sexuelle à la suite de l'affaire Henderson.)

Lorsque les sociologues utilisent le terme « *culture du viol* », ils font référence à un phénomène plus étendu que le simple viol ; ils parlent de la culture qui tolère la violence sexuelle contre les femmes en général, sur lesquelles pèse toujours la menace du viol. Cette menace de viol est très présente sur les campus universitaires. Il existe un rituel à la fois dégradant et menaçant que les clubs d'étudiants de certaines universités appellent la « marche de la honte ». Les étudiants se rassemblent sur des balcons ou à l'extérieur pour reluquer les jeunes filles qui rentrent tard le soir, les raillant par des commentaires comme « Baise-moi cette chienne » ou « T'as vu la pute ? ». La « culture mâle hyper érotique » créée et maintenue par les clubs d'étudiants est empreinte d'une telle violence que les compagnies d'assurance placent les maisons qui abritent ces clubs au troisième rang des emplacements les plus coûteux à assurer après les sites d'enfouissement et les parcs d'attractions. Les surprises parties dans ces havres d'iniquité sont des occasions de manquer de respect aux étudiantes ou même de les attaquer. À l'université du Rhode Island, une étudiante de dix-huit ans a été violée dans une telle maison sous les regards de cinq étudiants.

Certains clubs d'étudiants sont notoirement pires que d'autres. Dans une étude comparant des maisons « à faibles risques » avec des maisons « à risques élevés », les comportements dans ces dernières incluaient une forte consommation d'alcool et la ségrégation des jeunes filles, qui devaient rester d'un côté d'une pièce pendant que les jeunes hommes buvaient seuls de l'autre côté. Les jeunes hommes dans les maisons à risques élevés « se permettaient des plaisanteries, des conversations et des comportements qui dégradaient les femmes... et ils se conduisaient de manière plus grossière... l'un d'eux ayant baissé son pantalon... pendant qu'un autre traversait la piste de danse complètement nu... Les hommes étaient ouvertement hostiles, ce qui donnait aux surprises parties à risques élevés un air presque menaçant », ont noté les chercheurs.

Presque menaçant ? L'ambiance générale dans les grandes universités est souvent empreinte d'un extrême mépris à l'égard des femmes. À l'université Cornell, quatre étudiants ont été accusés de harcèlement sexuel après avoir fait circuler dans le courrier électronique de l'institution une liste des « 75 principales raisons pour lesquelles les femmes ne devraient pas jouir de la liberté d'expression. Parmi les raisons citées, il y avait : « Si elle me suce la bite, elle ne peut pas dire un mot de toute façon » et « Si elle n'a pas le droit de parler, elle ne peut pas crier au viol ».

Certaines universités sont en train de se débarrasser des maisons abritant des clubs d'étudiants ou au moins d'essayer de restreindre la consommation d'alcool aux surprises parties, connues pour leur violence physique et sexuelle. Mais pourquoi des étudiantes se laissent-elles entraîner dans de telles soirées ? Peut-être s'entêtent-elles à nier la réalité, espérant quelque chose de mieux. Ou peut-être a-t-on déjà abusé d'elles et ces abus, pour autant qu'elles sachent, sont ni plus ni moins la norme.

Les institutions d'enseignement varient quant à l'aide qu'elles proposent ; certaines fournissent aux étudiantes des sifflets faisant un bruit assourdissant, tandis que d'autres leur assurent des services d'accompagnement pour qu'elles puissent se déplacer d'un immeuble à l'autre le soir. Un collège mixte de l'État de New York qui compte 2 000 étudiants reçoit 1 200 demandes d'accompagnement par semaine. Une fois qu'elles ont touché les frais de scolarité, les universités envoient pratiquement des mises en garde aux parents de leurs jeunes étudiantes pour les avertir que les campus ne sont pas sûrs et que leur fille aurait intérêt à prendre un cours d'autodéfense avant de commencer ses études universitaires. Les parents poussent alors les hauts cris : « Vingt mille dollars de frais de scolarité et il faut encore que ma fille prenne des cours de judo avant d'aller à l'université ! »

De nos jours, si vous êtes les parents d'une jeune fille qui fréquente l'université, vous avez intérêt à jouer sûr et à ajouter une petite somme aux frais de scolarité astronomiques, pour protéger votre investissement, comme on dit. Au Canada, une étude récente menée dans six universités de l'Ontario a montré qu'une étudiante sur trois avait été attaquée physiquement ou sexuellement *au cours de l'année précédant l'étude.* Dans trois universités du Midwest, 42 % des étudiantes ont signalé avoir été victimes de coercition sexuelle lors de sorties avec des étudiants. En outre, 70 % avaient eu des relations sexuelles contre leur gré à la suite d'arguments insistants et de fortes pressions.

Pendant ce temps, les étudiantes d'université vomissent. Si elles croyaient vomir au secondaire, maintenant elles vomissent pour vrai. En 1999, un cas tellement extraordinaire qu'on a peine à y croire été publié dans le magazine *People*. Dans une grande université du Nord-Est des États-Unis, des sacs à sandwich en plastique disparaissaient par centaines des cuisines d'une maison de sororité. Lorsque la présidente de la sororité a mené son enquête, elle a découvert une explication très inquiétante : les sacs, remplis de vomissures, avaient été cachés dans des toilettes du sous-sol. Plus tard, elle a appris que la tuyauterie de l'immeuble, érodée par des gallons d'acide gastrique, allait devoir être remplacée. « D'une certaine façon, cela est tout à fait normal », a-t-elle confié à un journaliste, car la plupart de ses 45 consœurs se préoccupaient de leur poids.

Certaines personnes se demandent si les troubles de l'alimentation chez les femmes ne sont pas liés aux abus sexuels. Des études ont montré une corrélation, sinon un lien de cause à effet. Les deux phénomènes augmentent parallèlement lorsque les filles quittent le secondaire et entrent à l'université, où elles sont encore moins protégées. Selon le FBI, les viols sur les campus ont augmenté en 1998 de 11,4 % par rapport à l'année précédente. En outre, l'université du Massachusetts à Amherst a signalé en 1996 et en 1997 un plus grand nombre d'infractions sexuelles par la force que toute autre université à l'exception de l'université d'État du Colorado et de l'université du sud de la Californie. Récemment, à la suite de rapports faisant état de deux viols et de deux attaques en deux semaines, cette dernière université a mis à la disposition de ses étudiantes dix mille systèmes d'alarme faisant un bruit assourdissant dès qu'une petite tige était tirée. J'imagine que les parents ont dû trouver cela très rassurant !

Selon une étude menée à l'université de Caroline du Sud, il y aurait des « taux alarmants » de comportements sexuels coercitifs sur les campus universitaires. Après avoir observé un groupe important d'étudiants universitaires dans le Midwest américain, des chercheurs du Texas ont dit que la coercition sexuelle sur les campus était « phénoménale ». L'alcool, le chantage, les mensonges, les fausses promesses, les menaces de rupture, les touchers persistants, le placage, la séquestration, les menaces ou l'utilisation de la force physique, y compris l'utilisation d'une arme, étaient autant de tactiques utilisées pour obliger les étudiantes à se soumettre. (Cette étude incluait à la fois les femmes coercitives et les hommes coercitifs. Cependant, les comportements coercitifs des femmes étaient généralement des baisers ou des touchers non sollicités.)

Une chose n'a toutefois pas encore été reconnue : les filles se sentent tellement menacées et traumatisées que leurs capacités d'apprentissage s'en ressentent. Les pertes cognitives s'observent non seulement chez les jeunes filles qui ont été violées ou violentées, mais aussi chez les jeunes filles qui ont été harcelées sexuellement — une expérience rendue abstraite et aseptisée par la controverse politique. Pendant que les divers camps continuent à argumenter pour déterminer si le harcèlement sexuel est réel, très répandu ou même dommageable, la vie des filles en est imprégnée. Souvent, la fréquence même des expériences de harcèlement devient une raison de les rejeter du revers de la main. « Qu'y a-t-il encore ? » dit-on. Des mains sur les seins, des mains sur le sexe ! Que faut-il attendre d'autre ? Les mecs seront toujours des mecs !

Pendant ce temps, le corps des filles enregistre ces infractions. Leur corps et leur cerveau tiennent des comptes. Les personnes qui ont été traumatisées n'arrivent pas à penser clairement car leurs processus cognitifs sont déformés par l'intrusion dans leur vie intellectuelle d'images et de souvenirs traumatisants. Leur but premier n'est pas la croissance, mais la sécurité. Dans son ouvrage intitulé *Reviving Ophelia,* Mme Pipher explique que les filles pensent de manière tellement chaotique et éparpillée qu'on devrait noter leurs tests psychologiques de façon à en tenir compte. Car lorsqu'on compare leurs résultats avec ceux d'adultes stables, « elles ont toutes l'air de déséquilibrées ». Une notation différente est-elle vraiment une solution ? Ne s'agit-il pas d'une idée qui repose encore une fois sur le principe que tout ce qui est très courant doit nécessairement être normal ? Le phénomène est peut-être tellement courant qu'il devient la moyenne, mais que ce soit la moyenne ne signifie pas que c'est normal.

Les filles pensent de travers parce qu'elles ne pensent qu'à lutter pour se protéger dans un environnement hostile et dangereux. Elles pensent de travers parce que leurs voies cérébrales sont altérées par les traumatismes qu'elles endurent. L'activité neuronale modifiée que des chercheurs allemands ont observée chez des enfants ayant subi un très lourd stress psychosocial « menace non seulement leur stabilité mentale et émotive, mais aussi leur intégrité et leur développement futur ».

Les filles pensent de travers — et elles ont de la difficulté à penser autrement — parce qu'elles ont peur.

Comme nous le verrons dans un chapitre ultérieur (« L'égalité physique : le stade final »), les effets d'une peur conditionnée ne peuvent disparaître que si le corps travaille en harmonie avec le cerveau. L'apprentissage de la force, de l'endurance et même du yoga peut aider les filles à mieux résister à l'environnement hostile dans lequel elles sont endoctrinées à un âge sans cesse plus précoce. Malheureusement, elles sont conditionnées à interrompre le développement de leur corps à la puberté. Pendant l'adolescence, la plupart d'entre elles transforment leur corps en ce que j'appelle un corps de victime. C'est une sorte de prolongement de leur rétrécissement, de leur perte de pouvoir, qui commence dès leur plus tendre enfance. Une fille a un corps de victime parce qu'elle se pense *incapable* de la moindre puissance physique.

Dans son rapport sur les couloirs hostiles, l'association américaine des femmes universitaires (AAUW) n'a pas recommandé aux écoles d'essayer de fournir aux étudiantes un environnement exempt de risques («une tâche impossible», a-t-elle insisté), mais de préconiser plutôt une «faculté de récupération» axée sur le développement chez les filles des compétences voulues pour qu'elles tiennent le coup et résistent mieux au stress et aux crises. Il s'agit encore d'un discours de victime. Qu'en est-il des compétences qui permettraient aux filles de tenir leur bout et de ne jamais céder devant la menace?

Il est crucial que les filles développent leur force physique, le plus tôt possible, pour se préparer à vivre dans un monde sexiste et à se défendre contre les agressions continuelles que des gens comme Christina Hoff Sommers, John Leo et le juge Anthony Kennedy considèrent comme des formes «normales» de socialisation des filles. Aujourd'hui, certaines filles commencent à recevoir les encouragements dont elles ont besoin pour se développer physiquement, mais elles sont encore l'exception et, pour les autres, le prix à payer demeure très élevé. Les filles qui se laissent devenir de plus en plus faibles et incompétentes sur le plan physique et qui se désintéressent du fonctionnement de leur corps risquent de connaître à la puberté et à l'adolescence des problèmes de dépression et de retard de développement mental, devenant aussi plus vulnérables aux relations sexuelles précoces et aux abus sexuels. Bref, elles risquent nettement de devenir des victimes.

Chapitre 5

Laissez-moi jouer ! La lutte pour être de la partie

L'un des grands échecs du système d'éducation américain est la persistance d'une discrimination corrosive et injustifiée contre les femmes. Il me semble clair que la discrimination fondée sur le sexe s'étend à toutes les facettes de l'éducation – l'admissibilité, les programmes de bourses, l'embauche des enseignants, l'avancement, l'embauche de spécialistes et les échelles salariales… « Le seul remède à ces problèmes est une restructuration en profondeur, comme celle qui a été soumise au Sénat. »

En prononçant ces mots il y a presque trente ans, le sénateur Birch Bayh présentait le titre IX, une modification à la Civil Rights Act (loi sur les droits civiques) qui allait avoir un impact majeur sur l'accès des filles à l'éducation physique. Le titre IX stipule « qu'aucune personne aux États-Unis ne pourra être victime de discrimination en raison de son sexe dans tout programme d'éducation subventionné par le gouvernement fédéral ». Diverses modifications à la Constitution se sont attachées au droit à l'application régulière de la loi (14e amendement) et au droit de vote (15e, 19e et 26e amendements). En 1964, une loi historique a mené à l'adoption de la Civil Rights Act. Le titre VII de cette loi porte sur l'égalité d'accès à l'emploi. Le titre IX porte sur l'égalité d'accès à l'éducation, y compris l'éducation physique ; il a fallu une lutte acharnée pour faire inclure cette modification dans la Civil Rights Act et pour la faire appliquer.

Le titre IX ou la lutte pour l'éducation physique

De nos jours, de nombreuses étudiantes ne comprennent pas l'impact que le titre IX a eu sur leur éducation. Avant la modification, les jeunes filles au secondaire étaient renvoyées de l'école si elles se mariaient ou devenaient enceintes. Même les enseignantes au primaire et au secondaire pouvaient être congédiées pour ces transgressions. Être mariée ou enceinte rappelait l'existence de la sexualité féminine — et ce rappel n'était pas considéré comme convenable.

Dans le cadre des cours d'éducation physique et des programmes de sport, les garçons avaient droit aux vestiaires, aux heures d'entraînement, aux équipes et au financement. Ils profitaient d'uniformes, d'entraîneurs et de tableaux de pointage électroniques sophistiqués. Pour leur part, les filles avaient des pratiques d'équipe tôt le matin ou le soir, afin que les garçons puissent profiter des installations sportives aux meilleurs moments, soit après l'école. Les garçons disposaient d'autocars climatisés pour se rendre aux matchs, tandis que les filles devaient s'y faire conduire par leurs parents ou quiconque voulait bien les emmener.

Avant l'adoption du titre IX, les jeunes filles accusaient un retard considérable sur les garçons, même pour ce qui était de la fréquentation de l'université. Lorsqu'elles y étaient admises, elles constataient souvent que certains cours étaient réservés aux garçons, que certaines règles ne s'appliquaient qu'à elles (les filles devaient vivre sur le campus tandis que les garçons pouvaient s'installer ailleurs), et que leur accès aux « activités parascolaires » était très limité. Le titre IX a été la première loi exhaustive à éliminer des écoles toute discrimination fondée sur le sexe. Cette nouvelle loi couvrait non seulement les activités auxquelles les filles avaient le droit de s'adonner, mais aussi la formation qu'elles recevaient et le matériel sportif et les bourses qui leur étaient accordés.

La lutte des femmes pour obtenir une éducation physique égale pour les jeunes filles et les garçons a été plus longue et plus ardue que leur lutte pour obtenir l'égalité en matière d'éducation scolaire. La puissance physique est taboue pour les femmes, plus taboue encore que la puissance mentale. Cependant, les parallèles entre notre lutte pour éduquer notre corps et notre lutte pour éduquer notre cerveau sont frappants. On a invoqué les mêmes arguments pour empêcher les jeunes filles de recevoir une éducation physique : leur consentir de l'argent pour des cours et des matchs allait priver les garçons d'autant de fonds ; on ne pouvait attendre grand-chose des jeunes filles, car leur corps n'était pas à la hauteur — (comme on le disait autrefois de leur cerveau). Si cela ne suffisait pas, on leur servait l'argument que les femmes ne s'intéressaient pas vraiment aux sports, de sorte que tout argent dépensé pour leur éducation physique était de l'argent perdu.

Au cours des années qui ont suivi l'adoption du titre IX, ces arguments ont connu des hauts et des bas à mesure que les tribunaux en ont donné des interprétations différentes, à mesure que les administrations gouvernementales ont modifié leurs points de vue sur les femmes et à mesure que celles-ci sont devenues plus nombreuses à profiter d'une éducation physique et à relever les défis qu'elles croyaient avoir le droit d'entretenir. En fait, il est remarquable que les hommes aient continué à contester la constitutionnalité du titre IX même après qu'il soit devenu clair que les institutions qui ignoreraient ses dispositions pourraient être poursuivies. En voyant que des institutions étaient traînées devant les tribunaux, que des réparations financières étaient accordées et que des femmes et des jeunes filles gagnaient des poursuites pour avoir le droit de faire du sport, les organisateurs de ce qu'on appelait traditionnellement les sports « masculins » sont devenus de plus en plus inquiets. Je dois dire que le fond de la question n'est pas tant la justice que l'identité sexuelle. Les sports sont masculins. Les muscles sont masculins. Le pouvoir est masculin. Or, comme le mythe du pouvoir masculin est lentement mais sûrement contesté, les hommes ont l'impression que quelque chose leur est enlevé. Ils ont l'impression d'être confrontés à une menace. Ils sentent qu'il se passe des choses anormales et qu'ils sont à la merci de quelque énorme et puissant mécanisme qui pue l'injustice — l'injustice contre *eux*.

Évidemment, ce sont les injustices faites aux femmes et aux jeunes filles que le titre IX cherche à corriger et les chiffres montrent que la situation a évolué péniblement et très lentement. En 1971, l'année précédant l'adoption du titre IX, moins de trois cent mille jeunes filles dans les écoles secondaires pratiquaient un sport d'équipe. Aujourd'hui, ce chiffre a grimpé à 2,4 millions. En 1972, les femmes ne comptaient que pour 15 % des athlètes universitaires, comparativement à 37 % en 1995, et seuls 2 % des budgets réservés aux athlètes dans les universités allaient aux étudiantes ! En 1986, la portion du budget allouée aux sports féminins n'avait augmenté que de 16 %.

Bien que la loi ait été adoptée sans trop de controverse, la mise en œuvre du titre IX a été compromise dès le début. La National Collegiate Athletic Association (NCAA) et les administrateurs d'écoles secondaires ont tout de suite commencé à dire qu'on ferait du tort aux sports masculins en finançant les sports féminins dans la même proportion. Non seulement a-t-il fallu attendre deux ans pour que les règlements sur l'application de la loi de 1972 soient finalement rendus publics, mais on a accordé trois ans aux écoles pour s'y conformer. En outre, le ministère de la Santé, de l'Éducation et du Bien-être n'a pas publié ses directives finales avant septembre 1979, soit sept ans après l'adoption de la modification. Même à ce moment-là, le bureau des droits civiques (Office of Civil Rights ou OCR) n'appliquait pas la loi et quelques plaintes ont fait l'objet d'enquêtes. En 1982, 150 plaintes de discrimination fondée sur le sexe dans le domaine des sports étaient toujours en attente de règlement, certaines datant d'aussi loin que 1973.

Pendant les administrations Reagan et Bush, le titre IX a connu un terrible recul. Dans une décision de 1984, *Grove City contre Bell,* la cour suprême des États-Unis a décrété qu'il n'avait jamais été prévu que le titre IX s'applique aux institutions d'éducation ; il ne devait s'appliquer qu'aux programmes financés directement par le gouvernement fédéral. On pouvait donc continuer à faire de la discrimination fondée sur le sexe dans les programmes de sport qui n'étaient pas financés par des fonds fédéraux. La décision *Grove City contre Bell* venait de tuer dans l'œuf la parité entre les sexes en éducation physique. Dès l'annonce de cette décision, toutes les causes de discrimination dans le sport encore en attente d'une décision de l'OCR ont été abandonnées. C'était là un terrible coup pour les femmes. La perte de la protection prévue dans le titre IX a déclenché de vastes protestations de la part des groupes de défense des droits, qui réclamaient que le gouvernement cesse de rendre ses interprétations « ambiguës ».

Dans les années qui ont suivi la débâcle du titre IX et avant qu'on ne le rétablisse, le droit interne a été d'une importance capitale dans la lutte pour l'égalité en matière d'éducation physique. La cause *Blair contre Washington State University,* portée devant la cour supérieure, a été particulièrement importante, car elle a mené à l'adoption de normes plus élevées que celles du titre IX pour déterminer les éléments discriminatoires dans les programmes de sport. La cause *Blair* a aussi élevé le montant d'argent disponible pour des bourses féminines en légiférant qu'il devait être basé sur le pourcentage de femmes dans la population étudiante totale et non plus sur le pourcentage de femmes dans la population d'athlètes. Enfin, la cause *Blair* a mis fin au monopole que le football avait toujours eu sur les budgets sportifs en interdisant spécifiquement que ce sport soit commodément exclu des calculs des écoles pour répartir également les budgets réservés aux sports.

En 1976, la Californie a adopté un code d'éducation qui exigeait que des progrès immédiats soient faits en matière d'égalité des sexes dans le sport intercollégial de l'université d'État de la Californie (CSU). Fort de cette loi d'État, le chapitre californien de la National Organization for Women (NOW) a déposé une poursuite contre les vingt campus de la CSU. Dans un règlement hors cour, les représentants de la CSU ont accepté de faire ce qu'ils auraient dû faire dès le début, c'est-à-dire offrir sur tous les campus des chances égales aux athlètes féminines et aux athlètes masculins et leur accorder un financement égal.

Le pouvoir du titre IX a finalement été rétabli lorsque le Congrès a adopté la Civil Rights Restoration Act le 22 mars 1988, malgré le veto du président Reagan. L'OCR s'est engagé publiquement à mettre un terme à la discrimination fondée sur le sexe, affirmant que le titre IX venait « en priorité », et il a publié un manuel intitulé *Title IX Athletic Investigator's Manual* pour en renforcer les méthodes d'application.

Poursuivre pour obtenir le droit d'être de la partie

En 1992, le titre IX a reçu un soutien dont il avait bien besoin lorsque la Cour suprême a décidé que les demanderesses dans les causes de discrimination fondée sur le sexe pouvaient obtenir des compensations financières. La cause décisive, *Franklin contre Gwinnett County Public Schools* ne concernait pas le sport, mais elle a créé un important précédent. Une élève du secondaire affirmant avoir été victime de harcèlement et d'abus sexuels de la part d'un enseignant a déposé une action en dommages en Cour fédérale. La cour a rejeté son action, alléguant que le titre IX n'autorisait pas l'octroi de dommages. Une Cour d'appel a maintenu la décision de la Cour fédérale. Cependant, la Cour suprême a soutenu que le titre IX *permettait* en fait le versement de dommages compensatoires et punitifs. Cette cause a donné des dents au titre IX car elle a permis aux femmes de se trouver des avocats qui défendraient leurs causes moyennant « d'éventuels gains » en raison de la possibilité d'obtenir des dommages.

Le manque d'information sur l'utilisation que faisaient les écoles des fonds réservés au sport est un autre facteur qui a compliqué les choses aux étudiantes qui voulaient déposer une plainte en vertu du titre IX. La modification de 1994 à la loi sur l'éducation primaire et secondaire oblige dorénavant les collèges et les universités à divulguer les taux de participation et de financement. Les étudiantes et éventuelles étudiantes peuvent obtenir un rapport du département d'éducation physique d'une université montrant les dépenses et les taux de participation par sexe.

Des centaines de jeunes filles et de femmes ont entamé des poursuites et déposé des plaintes de discrimination fondée sur le sexe dans les programmes de sport. La plupart des causes ont été résolues en leur faveur. La première poursuite concernant le sport qui a donné lieu à une compensation monétaire en vertu du titre IX a été déposée l'année après que la cause *Franklin-Gwinnett* ait été gagnée. En 1993, l'entraîneuse en chef d'une équipe féminine de basket-ball, Sanya Tyler, a poursuivi l'université Howard pour discrimination fondée sur le sexe. Elle touchait un salaire très inférieur à celui de l'entraîneur chef de l'équipe masculine de basket-ball. Chose encore jamais vue, on a accordé à Tyler 2,4 millions de dollars en dommages (somme qui a plus tard été réduite à 1,1 million de dollars). C'était un grand moment dans l'histoire des entraîneuses féminines, bien que son résultat ait eu un effet ironique : une fois que les salaires des entraîneuses ont été augmentés, les hommes se sont mis à convoiter leurs postes — et ils les ont obtenus. À la fin du siècle, plus de la moitié des équipes féminines avaient un entraîneur masculin, tandis que seulement 1 % des équipes masculines avaient un entraîneur féminin.

La cause décisive qui a entraîné un changement majeur dans la façon dont les collèges et les universités traitent le sport féminin a été *Amy Cohen et al. contre Brown University*. En 1991, après que cette université ait changé le statut des équipes féminines de gymnastique et de volley-ball « d'équipes intercollégiales » à « équipes de clubs intercollégiaux », un groupe de femmes a décidé de porter la cause devant les tribunaux. L'université Brown a essayé de se défendre en disant qu'elle avait aussi rétrogradé le statut des équipes masculines de golf et de water-polo. Les femmes n'ont pas été très impressionnées — le juge non plus. Il s'agissait clairement d'une question d'argent. La rétrogradation des deux équipes féminines amputait le budget des sports féminins de 62000 $, tandis que celle des équipes masculines n'amputait celui des hommes que de 16000 $. Le juge de cour de district des États-Unis a immédiatement rétabli le statut d'équipe intercollégiale des quatre équipes, ajoutant que l'université Brown n'avait pas le droit de réduire les fonds à un programme sportif féminin avant que la cause ne soit résolue. Cela a pris six ans et a coûté à l'université Brown plus de 1 million de dollars en frais juridiques.

Furieuse de la décision du tribunal de district, l'université a porté la cause en appel jusqu'à la Cour suprême, récoltant en chemin un immense soutien des collèges et des universités. Plus de 40 collèges et universités individuels et 17 associations d'éducation et organismes de réglementation des sports ont soumis des rapports appuyant l'université. Même le conseil américain sur l'éducation, qui représente 1800 collèges et universités au pays, prenait partie contre un petit groupe d'étudiantes et d'athlètes féminines réclamant l'équité, signale Ellen Staurowsky dans une longue analyse du titre IX et de l'égalité des sexes publiée dans le *Journal of Sports and Social Issues*. Comme l'a souligné le *Brown Daily Herald*, qui était en faveur des demanderesses : « Les tribunaux ayant jugé que l'université Brown — qui figure parmi les chefs de file au chapitre des programmes sportifs offerts aux femmes — a enfreint le titre IX, toutes les institutions du pays qui affichent un moins bon dossier en matière de sports féminins seront sans doute forcées d'améliorer radicalement leurs programmes dans ce domaine. » L'éditeur prédisait que la cause *Cohen contre Brown* deviendrait probablement une cause modèle qui aurait des répercussions dans l'ensemble du monde de l'éducation supérieure. »

Dans cette cause, il est particulièrement intéressant de noter que l'université Brown invoquait pour se défendre que de toutes les institutions aux États-Unis, elle était celle qui proposait aux femmes le meilleur programme sportif. Le tribunal répliquait pour sa part qu'elle enfreignait quand même le titre IX. Le 23 juin 1998, le juge Ernest Torres de la cour de district de Providence, au Rhode Island, a approuvé un plan par lequel l'université Brown s'engageait à faire en sorte que le pourcentage de femmes participant aux sports universitaires représente 3,5 % de sa population féminine totale, que le statut du water-polo féminin passe de « club sportif » à « sport intercollégial » et que le financement des équipes féminines de water-polo, de gymnastique, de ski et d'escrime soit garanti pendant encore au moins trois ans.

Les institutions d'éducation du pays ne s'attendaient pas à ce que l'université Brown soit forcée de capituler. Le jugement indiquait nettement qu'une université s'exposait à perdre beaucoup d'argent si elle ne respectait pas le titre IX. Harvard, Stanford et l'université de l'Iowa ont été parmi les premières à procéder à des changements, lançant ce qu'elles appelaient des « programmes d'amélioration des sports féminins ». En réalité, ces programmes ne constituaient pas des ajouts à des programmes déjà équitablement financés, mais des mesures exigées par la loi pour corriger des pratiques discriminatoires de longue date.

Au mieux, la conformité aux règlements du titre IX n'est toujours que partielle. L'argent consacré aux équipes masculines augmente plus rapidement que l'argent dépensé pour les femmes. Entre 1992 et 1997, les dépenses d'exploitation pour les sports intercollégiaux féminins n'ont augmenté que de 89 %, comparativement à 139 % pour celles des hommes. Selon une étude de la National Collegiate Athletic Association, *les athlètes féminines des collèges et universités ne touchent toujours que 23 % des budgets d'exploitation pour le sport, 38 % des dollars versés en bourses aux étudiants athlètes et 27 % des sommes dépensées pour recruter de nouveaux athlètes.* Malgré qu'ils soient peu élevés, certains considèrent néanmoins ces chiffres comme étant assez encourageants. Le *Washington Post* a titré son article sur le sujet: LA NCCA AMÉLIORE SES RÉSULTATS EN MATIÈRE D'ÉGALITÉ DES SEXES.

En 1997, le National Women's Law Center a entamé une poursuite contre 25 collèges et universités qui ne respectaient pas les exigences du titre IX au chapitre des bourses aux étudiantes athlètes. Mary Frances O'Shea, coordonnatrice nationale de l'OCR pour le titre IX et le sport a publié une « clarification » suggérant que d'ici l'an 2000-2001 les disparités entre les bourses accordées aux étudiants et aux étudiantes athlètes ne varient plus que de 1 %. Ce « critère rigoureux », comme l'a qualifié le *Chronicle of Higher Education,* a tout de suite provoqué des plaintes de la part de nombreuses personnes qui estimaient que le gouvernement créait trop de problèmes pour le monde du sport masculin. Les opposants à ce critère se sont mis à dénoncer les « contingentements selon le sexe » et à essayer de confondre le titre IX et le traitement préférentiel accordé aux femmes en vertu des programmes d'action positive. Or, en appliquant le titre IX, le gouvernement essaie non pas d'offrir aux jeunes filles et aux femmes un programme d'action positive ou un traitement préférentiel, mais simplement la même chose que ce qui est offert depuis longtemps aux garçons et aux hommes, c'est-à-dire le financement de leur éducation physique. Le but, qui peut sembler radical à certains, est un financement égal pour l'éducation physique des hommes et des femmes.

« Je ne me suis jamais demandé pourquoi le base-ball demeurait hors de portée des filles », se souvient l'historienne Susan Cahn.

Laquelle d'entre nous s'est posé cette question ? Notre conditionnement sur les sexes était ancré beaucoup trop profondément en nous. Mme Cahn dit qu'elle a même rêvé de jouer en demi-arrière au sein de l'équipe de football de son école secondaire, mais qu'elle a toujours gardé ce rêve secret. Cela la gênait, comme si elle caressait un rêve pervers. « Je supposais que cela faisait partie des dilemmes intimes d'une fille née à la pointe d'une nouvelle époque », écrit-elle.

Aussi intimes que les dilemmes de Susan Cahn aient pu sembler, ils n'étaient pas simplement personnels. De nombreuses femmes qui ont fréquenté l'école avant l'adoption du titre IX avouent maintenant le désir qu'elles avaient petites filles de jouer aussi dur et aussi souvent que les garçons et d'être de vraies « sportives ». Je caressais moi-même le rêve de jouer au hockey sur glace. D'autres filles auraient voulu jouer au basket-ball avec les garçons. En réalité, nous voulions toutes faire partie de l'équipe. C'était un désir que nous réprimions plus ou moins, selon nos parents, l'école que nous fréquentions et les encouragements que nous recevions. La grande percée du titre IX a été de donner aux filles une structure leur permettant de lutter pour réaliser leur rêve. En fait, il a légitimé leur rêve.

« Pendant des années, on a fourni aux hommes des occasions de faire du sport », écrit Sue Durrant, professeur adjointe au département d'éducation physique, de sports et de loisirs à l'université d'État de Washington. « Cependant, l'exercice est une activité humaine de base à laquelle nous nous adonnons toutes, *jusqu'à ce que nous soyons conditionnées à ne plus nous y adonner.* » (L'italique est de moi.) Il est essentiel de comprendre que les femmes et les jeunes filles ont été conditionnées à éviter de bouger si on veut comprendre ce qui est arrivé aux femmes sur le plan physique. Le titre IX s'adressait directement à ce conditionnement. Il reconnaissait l'importance d'assurer une éducation physique à tous et toutes et d'encourager également les filles et les garçons à faire de l'exercice et à s'adonner non pas seulement à des sports individuels, mais aussi à des sports d'équipe. « La possibilité de bouger comme nous le voulons accroît notre confiance en nous-mêmes et nos sentiments de compétence et d'efficacité, dit Mme Durrant. "Je peux" et "je veux" deviennent des parties intégrales de notre façon de relever des défis, tant dans le domaine du sport que dans les autres domaines de la vie. » Aurait-on pu mieux expliquer que la chance de s'adonner à des sports et des activités physiques est aussi importante pour les femmes que pour les hommes ?

Le mythe de la fragilité n'est pas seulement lié à l'exclusion des femmes du « monde du sport » ou des « compétitions sportives » ou même à la discrimination contre les femmes. Il sert en fait à empêcher les femmes d'utiliser leur corps et cela, pour une raison bien précise. Lorsqu'elles sont physiquement faibles, les femmes le sont aussi sur le plan social et sur le plan politique. Ce n'est pas tant que les hommes veulent que les femmes soient faibles et incompétentes, et il est certain qu'individuellement aucun homme n'a conscience d'un tel désir. Ils veulent simplement conserver leur pouvoir de décision, et ce pouvoir est plus facile à conserver lorsque l'autre partie, soit l'autre race ou l'autre sexe, est économiquement, intellectuellement ou physiquement affaiblie ou, mieux encore, si elle est affaiblie sur ces trois plans.

Au cours du siècle dernier, les femmes ont réussi grâce à des luttes acharnées à se sortir de deux états d'affaiblissement. Elles sont maintenant en train de se sortir du troisième. Les hommes sont plutôt perturbés de voir les femmes renoncer à leur état de faiblesse et acquérir du pouvoir physique, car c'est le dernier pouvoir dont elles ont besoin, le pouvoir qui scellera leur égalité. C'est pour cette raison que la société s'est donné beaucoup de mal pour contrôler le développement physique des jeunes filles et des femmes et les garder en dehors du match - un match qui est beaucoup plus important qu'un simple match sportif.

L'accès au jeu ultime : les Jeux olympiques

La lutte des femmes pour être admises aux épreuves des Jeux olympiques est sans doute la preuve la plus éclatante de leur capacité de développer leur force, leur endurance et leur volonté de gagner. Il a fallu près d'un siècle pour que les athlètes féminines d'élite se fassent une place aux Jeux olympiques.

Dès le départ, l'histoire des Jeux olympiques a été caractérisée par l'élitisme et l'oppression. L'exclusion était la règle déjà à l'époque des Jeux de la Grèce antique il y a quatorze siècles. Lors de la création des premiers Jeux modernes à la fin du XIXe siècle, les hommes s'opposaient encore vigoureusement à la présence des femmes. Le baron Pierre de Coubertin, l'éducateur français qui a rétabli les Jeux olympiques, avait annoncé que les Jeux modernes allaient être des festivals sportifs à l'intention des jeunes mâles blancs de la bonne société. Il y voyait aussi une occasion de former de jeunes Français pour le service militaire ou pour des rôles de leadership au sein du gouvernement ou dans le monde des affaires. À ses yeux, les femmes n'étaient tout simplement pas à la hauteur des exigences des épreuves de calibre olympique (ou d'un rôle de leadership au sein du gouvernement ou dans le monde des affaires). « Peu importe à quel point une athlète s'est entraînée, son organisme n'est pas fait pour résister à certains chocs, a proclamé le baron de Coubertin. Cependant, il a vendu la mèche lorsqu'il a expliqué que les Olympiques étaient « l'exaltation solennelle et périodique de l'athlétisme masculin… récompensé par les applaudissements des femmes ».

Vantés comme faisant partie des plus nobles entreprises humaines, les Jeux olympiques cachaient un honteux secret : la suprématie — les hommes excluant d'autres hommes, les hommes excluant d'autres pays, les hommes excluant les femmes. « Les épreuves sportives féminines devant public doivent absolument être interdites », insistait le Baron de Coubertin, mais sa volonté n'a pas suffi à décourager les athlètes féminines de trouver le moyen de participer aux Jeux. Les premiers Jeux olympiques modernes, tenus à Athènes en 1896, réunissaient 245 athlètes masculins de douze nations. Selon les comptes rendus de l'époque, une femme grecque nommée Meloponème avait reçu l'interdiction de prendre part aux épreuves. Elle a néanmoins couru un marathon en quatre heures et trente minutes, bien que ce résultat n'ait pas été considéré officiel.

En 1900, lors des Jeux de Paris, sept femmes américaines ont pris part aux épreuves, mais elles l'ont fait totalement par hasard. Toutes étaient des golfeuses et venaient de familles aisées qui se trouvaient en Europe pour diverses raisons au moment de la tenue des Jeux olympiques. Margaret Abbott, qui faisait partie du Chicago Golf Club, était en voyage à Paris avec sa mère lorsqu'elle vit une affiche annonçant un tournoi de golf international. Elle s'y inscrivit et remporta la première épreuve olympique de golf pour dames. Sa mère, Mary Abbott, s'était classée septième.

En 1904, lors des Jeux olympiques de St. Louis, des Américaines ont pris part à une épreuve de tir à l'arc, que le comité olympique américain (AOC) a immédiatement rétrogradé au niveau de « démonstration ». L'AOC s'opposait lui aussi à la participation des femmes aux Jeux olympiques. L'un des plus influents opposants à la présence des femmes aux Jeux olympiques était James E. Sullivan, l'un des fondateurs de la U. S. Amateur Athletic Union et un ami du Baron de Coubertin. Lorsque la Suède a annoncé qu'elle admettrait les femmes aux épreuves de natation et de plongeon lors des Jeux olympiques de 1912, une plongeuse américaine a voulu y participer, mais Sullivan est intervenu pour l'en empêcher. Il a fallu attendre sa mort en 1914 pour que les portes des épreuves commencent à s'ouvrir un peu pour les Américaines. À s'ouvrir un peu, ai-je dit, car Sullivan n'était pas la seule personne qui tentait d'exercer un contrôle sur ce que les athlètes féminines pouvaient et ne pouvaient pas faire.

À cette époque, la plupart des Américaines qui réussissaient à se faufiler et à participer aux Jeux olympiques le faisaient sous l'égide de petites organisations sportives privées qui leur donnaient la possibilité de s'entraîner. Les écoles n'offraient pas la formation requise pour les compétitions de haut niveau parce qu'elles n'approuvaient pas la présence des femmes dans ce domaine. Comme nous l'avons vu dans le chapitre premier, les professeurs d'éducation physique privilégiaient en matière de sports un « modèle féminin » qui avait pour buts la santé et la « féminité ». Les compétitions intenses qui font suer étaient masculines. Ainsi, pendant les premières décennies du XXe siècle, les femmes qui voulaient devenir des athlètes d'élite devaient le faire en dehors du système scolaire.

Les femmes américaines ont pu prendre part aux épreuves de natation et de plongeon pour la première fois aux Jeux olympiques d'Anvers en 1920. Six des 15 femmes y participant provenaient de la Women's Swimming Association (WSA) de New York, la première organisation américaine à entraîner des femmes pour des compétitions internationales. Cette année-là, Ethelda Bleibtrey, l'une des athlètes qui s'étaient entraînées avec la WSA, a établi des records mondiaux pour diverses distances même si des vents violents et l'eau froide forçaient les autres concurrentes à se retirer. Le 25 août, Mme Bleibtrey est passée à l'histoire en remportant le 100 mètres style libre dans un temps record de 1 minute 13,6 secondes. Aileen Riggin, quatorze ans, a remporté pour sa part la médaille d'or en plongeon du tremplin.

Pendant ce temps, des femmes de tous les coins du monde rédigeaient des pétitions pour se faire admettre dans d'autres disciplines, une activité que le Baron de Coubertin n'appréciait guère. Il s'est trouvé particulièrement déconfit lorsqu'une de ses compatriotes, Mme Alice Milliat, a fondé la Fédération Sportive Féminine Internationale (FSFI) et entrepris d'organiser des compétitions féminines internationales. Mme Milliat voulait donner aux femmes la chance de prendre part à des compétitions internationales dans une grande variété de sports. Fatiguée de les voir en être empêchées par les rênes trop serrées du Comité olympique international, composé uniquement d'hommes, et faisant fi des objections du Baron de Coubertin, elle a présenté en 1922, sous les auspices de la fédération, les premiers Jeux olympiques pour femmes. Vingt mille spectateurs sont venus assister aux épreuves d'athlètes féminines dans onze disciplines.

Malheureusement, les professeurs d'éducation physique américains ont été choqués au plus haut point de voir la Fédération Internationale inclure dans les Jeux pour femmes des épreuves d'athlétisme. « Si les sports en général avaient une connotation soi-disant masculine, les épreuves d'athlétisme avaient une image particulièrement masculine », nous dit l'historienne Susan Cahn. C'était une question de puissance et de vitesse. C'était aussi (Dieu nous protège) une question de seminudité. « Des athlètes légèrement vêtues s'adonnant à la course, aux lancers et aux sauts font des prouesses athlétiques très « crues » tout en exhibant leur visage tendu et leurs muscles saillants devant un auditoire obnubilé par la force humaine la plus élémentaire. » Horrifiés à l'idée que des femmes puissent exhiber leur force aussi ouvertement, les éducateurs ont resserré leur contrôle sur le développement physique de leurs élèves. Le directeur de l'éducation physique de l'État de New York, Frederick Rand Rogers, a alors publié une critique déplorant la participation des femmes aux épreuves olympiques d'athlétisme. Ces sports, qui nécessitent de la force et des habiletés neuromusculaires, sont profondément contre nature pour les femmes, soutenait-il dans un traité de 1928 sur le genre d'éducation physique qui convenait aux jeunes filles. Les Jeux olympiques « sont d'une nature essentiellement masculine et ils favorisent le développement d'un physique et d'un comportement entièrement masculins».

À l'approche des Jeux olympiques pour femmes, les professeurs d'éducation physique se sont mis à murmurer entre eux que des femmes peu acceptables socialement (lire «de classe ouvrière») comptaient prendre part aux épreuves d'athlétisme. Une éducatrice consternée par la situation avait écrit à une collègue: «Cette rencontre sportive à Paris semble plaire à certaines classes de femmes de Syracuse et des environs. Ce ne sont pas des étudiantes d'université — et j'ai entendu dire que c'était le cas à peu près partout dans l'État.» Sa collègue s'inquiétait davantage du fait que certaines femmes fréquentant le collège ou l'université allaient s'abaisser. «Je trouve plus étonnant encore que des jeunes filles apparemment très bien songent à se rendre à Paris au mois d'août», lui répondait-elle.

En 1924, la Fédération internationale d'athlétisme amateur refusait aux femmes le droit de prendre part aux Jeux olympiques. Cependant, les choses n'allaient pas en rester là car les femmes avaient commencé à se rebeller. À la suite du succès qu'avait connu Mme Milliat en organisant d'importantes compétitions internationales pour les femmes, d'autres événements semblables avaient été créés, comme les Jeux internationaux et les Jeux britanniques. Soudainement, sentant que les femmes allaient tracer leur propre voie, la Fédération internationale d'athlétisme amateur a accepté en 1927 de «s'occuper» des femmes et a recommandé qu'on ait la générosité d'inclure dans les prochains Jeux olympiques des épreuves féminines dans cinq disciplines. Mme Milliat a alors protesté, disant qu'il était absolument impossible de considérer cela comme un programme entier. Se sentant plus indépendantes maintenant qu'elles avaient leurs propres Jeux, les athlètes féminines britanniques ont boycotté les Jeux olympiques trop restrictifs de 1928. De toute évidence, les pressions politiques croissantes s'exerçant contre le Comité olympique international exclusivement composé d'hommes avait entraîné l'érosion d'une partie de son pouvoir. En 1930, le Congrès olympique a renversé la décision du Comité et a voté de nouveau pour l'admission des femmes.

On continuait à parler abondamment des effets des compétitions sportives sur la santé des femmes. Les épreuves d'endurance, plus particulièrement, étaient considérées comme étant trop dures pour elles. Lors des Jeux de 1932 à Los Angeles, le comité olympique a finalement décidé d'inclure quelques épreuves d'athlétisme pour les dames. Lors de ces jeux, la grande championne a été l'athlète américaine Mildred « Babe » Didrikson, qui a remporté la médaille d'or au lancer du javelot et au 80 mètres haies et la médaille d'argent au saut en hauteur. Après la course de 800 mètres, cependant, on s'est mis à faire circuler des rumeurs selon lesquelles certaines coureuses auraient franchi le fil d'arrivée complètement épuisées, « pâles » et « à bout de souffle ». D'autres coureuses n'étaient même pas parvenues à se rendre jusqu'au fil d'arrivée, disait-on. Nous parlons ici d'une course de quatre cinquièmes de kilomètre ! Les rumeurs au sujet du 800 mètres sont vite devenues un « fait » et l'opinion publique dans le monde entier s'est figée. « La piste cendrée était jonchée de misérables demoiselles en détresse », proclamait le *New York Times*. À Londres, on citait dans le *Daily Mail* un médecin qui affirmait avec insistance que les femmes qui prenaient part au 800 mètres et à d'autres exercices d'endurance semblables vieilliraient vite et précocement. Même Knute Rockne, le célèbre entraîneur de football de l'université Notre Dame, avait senti le besoin de mettre son grain de sel, disant que la course des femmes avait été « un spectacle pitoyable ».

L'opinion médicale voulant que les femmes soient fragiles avait encore cours. Les courses de 800 mètres ont donc été gardées hors de portée des femmes pendant encore 32 ans ! Lorsque Lynne Emery, historienne des sports, a réexaminé les données sur la controversée course de 800 mètres des Jeux de 1932, elle a découvert que les neuf finalistes avaient toutes terminé la course. Les officiels des Jeux olympiques n'avaient jamais eu de bonne raison d'éliminer cette course. Lorsque l'histoire révisée de Mme Emery a été publiée, cependant, les dommages étaient faits depuis longtemps. Le brouhaha qui avait entouré la fatidique course du 800 mètres avait terni la victoire de Betty Robinson, seize ans, qui avait terminé en première place, tout en étant la première femme à remporter une épreuve d'athlétisme aux Jeux olympiques. À seize ans, elle semblait à peine sortie de l'enfance et elle était tellement nerveuse avant la course qu'elle s'était présentée sur la piste avec deux chaussures du pied gauche.

Les prouesses athlétiques sans cesse plus fréquentes des femmes semblaient produire une certaine hystérie masculine. John Tunis écrivait en 1929 dans le *Harper's Monthly Magazine* que les Jeux olympiques étaient pour les femmes un supplice bestial. Aux yeux de certaines personnes, les femmes qui se soumettaient à ce supplice ne valaient guère mieux que des bêtes. « Les femmes masculines… représentent sans doute les pires échecs de la nature et peut-être faudrait-il y remédier à l'aide de moyens aussi draconiens que ceux auxquels on a recours pour traiter les pires infirmités », avait déclaré nul autre que Frederick Rand Rogers, l'homme qui avait un pouvoir de veto sur l'accès des femmes aux sports dans l'État de New York. Même le Pape Pie XI s'en était mêlé. Dans une lettre au vicaire de Rome, il exprimait clairement son opposition à la présence des femmes en athlétisme ou du moins la participation des femmes à toute activité physique féminine qui n'était pas mise au service de la vie spirituelle : « Si jamais une femme doit lever la main, nous espérons et prions qu'elle ne le fera que pour une prière ou un geste de charité. »

Pendant ce temps aux États-Unis, certains groupes influents militaient contre la participation des femmes aux compétitions internationales. La *American Physical Education Review*, littéralement la bible des professeurs d'éducation physique, publiait sans cesse des articles critiquant les sports organisés pour les femmes. La division féminine de la National Amateur Athletic

Federation continuait à s'opposer à la participation des femmes aux Jeux olympiques. Cette fédération craignait que « des jeunes filles enthousiastes ne risquent de se laisser séduire par l'éclat et le plaisir de la compétition si elles étaient privées des conseils fermes de sages éducateurs », nous dit l'historienne Susan Cahn. Cependant, malgré tous leurs efforts, les professeurs d'éducation physique américains n'arrivaient pas à contenir l'intérêt croissant des femmes pour les sports de compétition de haut niveau. Les prouesses motivantes des athlètes olympiques féminines étaient en train de venir à bout des idées traditionnelles sur les capacités physiques des femmes.

La première institution d'enseignement à préparer les filles à la compétition de haut niveau a été l'institut Tuskegee en Alabama. Parmi les collèges et les universités des États-Unis pendant les années quarante, cette institution, qui n'accueillait que des Noirs, faisait figure d'exception en offrant aux femmes un véritable entraînement sportif d'élite pendant que la plupart des collèges et des universités pour Blancs gardaient encore leurs étudiantes dans un état infantile en ne leur offrant que des « Journées sportives » à l'interne. Lors des Jeux de Londres en 1948, trois femmes de Tuskegee — Mabel Walker, Theresa Manuel et Nell Jackson — ont été choisies pour former l'équipe d'athlétisme. Cette année-là, Francina (Fanny) Blankers-Koen, des Pays-Bas, a remporté un nombre record de quatre médailles d'or en athlétisme, ce qui lui a aussi valu un grand titre à lui réchauffer le cœur : MERVEILLEUSE MAMA : LA FEMME LA PLUS RAPIDE AU MONDE SAIT AUSSI FAIRE LA CUISINE.

Avec ou sans hommages journalistiques de ce genre à leur féminité, les athlètes féminines ont continué à gagner du terrain en course et en saut tout au long du siècle. En 1952, Alice Coachman, d'Albany, en Géorgie, a remporté le saut en hauteur et est devenue la première championne olympique de race noire. Cette année-là, elle a aussi été la seule médaillée d'or américaine aux Jeux olympiques.

Les fondateurs des Jeux olympiques avaient voulu promouvoir la compétition entre les athlètes et non entre les pays, mais plus le monde s'est divisé, plus les Jeux sont devenus la tribune d'un intense chauvinisme national. L'esprit de compétition dans les sports internationaux s'est accentué pendant la guerre froide. Réussissant tout de même à ne pas se bombarder les uns les autres (la peur d'un holocauste nucléaire ayant créé une détente), les pays se sont mis à s'affronter par athlètes interposés. Une fois encore, la guerre (même s'il s'agissait de la guerre froide) a eu l'effet ironique d'élargir les horizons des femmes. Grâce aux athlètes féminines qui rehaussaient le prestige de chaque pays, les préjugés qui les avaient autrefois fait exclure des compétitions, s'estompaient, du moins temporairement.

Les Jeux panaméricains à Buenos Aires et les Jeux asiatiques à New Delhi en 1951 ont marqué l'entrée de femmes du Tiers-Monde dans l'arène sportive internationale. En 1964, des femmes du Ghana, du Nigeria, de l'Ouganda, de l'Iran, de la Malaisie, de la Mongolie, du Nicaragua, du Pérou et de la Thaïlande ont fait leurs débuts olympiques aux Jeux de Tokyo.

Nous gagnons comme nous ne l'aurions jamais imaginé

Les années soixante ont marqué un point tournant pour les femmes prenant part aux Jeux olympiques. En 1964, on a inclus pour la première fois dans les Jeux olympiques le volley-ball féminin (le premier sport d'équipe féminin), les quatre nages individuelles 400 m pour dames et le pentathlon d'athlétisme féminin. En outre, on a finalement jugé que le 800 mètres féminin était suffisamment « sûr » pour qu'il puisse être rétabli. Quatre ans plus tard, en 1968, six autres épreuves de natation ont été ajoutées au programme féminin.

La télévision a probablement été l'élément qui a le plus contribué à la présence des femmes dans le sport, comme il a le plus contribué au sport en général. L'âge moderne des sports télévisés a débuté lorsque la télévision en direct a fait son entrée en masse dans les foyers, suscitant l'intérêt d'un nombre croissant de téléspectateurs dans le monde entier. Le mouvement des femmes a aussi stimulé l'intérêt pour les sports féminins et ces deux forces, la télévision et le féminisme, se sont unies pour produire un « événement » sportif d'une portée décisive, c'est-à-dire le tristement célèbre match de tennis de la « Guerre des sexes » entre Billie Jean King et Bobby Riggs, en 1973. L'idée qu'une femme puisse battre un homme était considérée tellement absurde que le match a instantanément acquis une valeur marchande. Les organisateurs ont déployé tous les efforts, faisant la promotion du match de manière à peine moins minable que s'il avait été question d'un match de lutte dans la boue. Billie Jean a été amenée à l'Astrodome de Houston sur une litière égyptienne portée par quatre très beaux garçons à la poitrine nue. Riggs a fait son entrée dans un pousse-pousse chinois tiré par de jolies femmes légèrement vêtues appelées « Bobby's Bosom Buddies » (les amies de cœur de Bobby). Le battage publicitaire axé sur les sexes a porté fruit. Plus de trente mille spectateurs ont assisté au match dans les gradins, pendant que 50 millions de téléspectateurs étaient rivés à leur poste, soit l'audience la plus importante qu'une compétition sportive ait jamais attirée. La victoire de King sur le tennisman de cinquante-cinq ans (elle en avait vingt-neuf) a mis en relief l'ostracisme dont les femmes étaient frappées lorsqu'il s'agissait de compétitions sportives importantes. Malgré tout son éclat et malgré la différence d'âge entre les deux joueurs, un net désavantage pour Riggs, l'événement notoire a insinué dans l'inconscient collectif la notion alarmante que les hommes *n'étaient* peut-être pas le sexe fort.

Kings avait voulu se mesurer à Riggs surtout pour aider à éliminer la division des sexes dans le sport. « Je savais que ce match pourrait fournir aux jeunes filles et aux femmes un tremplin pour se lancer dans le sport », a-t-elle dit. Le jour du célèbre match, son très visible rôle de modèle pour les femmes a fait monter les enchères. « Assise dans le vestiaire en attendant de vomir, je n'arrêtais pas de me dire qu'il n'était pas question ici d'un match de tennis, mais d'un changement social. »

Et c'était le cas. Soudainement, on ne parlait plus que de la question des femmes dans le sport. Le *Sports Illustrated* a publié une série d'articles sur le sexisme dans le sport. En 1976, le magazine *Time* a publié en article-couverture « Sexe et tennis : le nouveau champ de bataille », qui traitait de la vie dans le monde du tennis après la victoire de Billie Jean King. Dès que les femmes commencent véritablement à se distinguer dans un sport, on soulève toujours deux questions : *jusqu'à quel point* sont-elles bonnes ? et comment se comparent-elles aux hommes ? La deuxième question est une question de pure forme, qu'on soulève uniquement parce que sa réponse peut nous réconforter en nous rappelant que les femmes ont beau devenir de plus en plus fortes, elles ne seront *jamais* aussi fortes que les hommes. Deux ans plus tard, le magazine *Time*, toujours chauvin et heureux de l'être, faisant encore tout un tapage au sujet d'une nouvelle athlète dans un article-couverture au titre long et grisant : « Une révolution : ayant enfin été admises à jouer, les femmes transforment le sport américain. » Il s'agissait d'un de ces articles suffisamment accrocheurs pour stimuler les ventes en kiosques, mais qui ne dit pas grand-chose. « La révolution dans le sport féminin bat son plein et opère un changement monumental non seulement dans les activités, mais aussi dans les attitudes », clamait le magazine.

Il ne fait aucun doute que les femmes avaient besoin qu'un changement monumental s'opère dans les activités et les attitudes, mais ce genre de battage publicitaire masque les préjugés et la discrimination qui subsistent. Tant que les femmes n'étaient pas réellement perçues comme une menace pour les hommes, la révolution qui « battait son plein » se vendait bien. Aucun renversement de la structure de pouvoir ne semblait imminent. En vérité, le développement physique de la femme ordinaire était tout aussi systématiquement restreint que l'était autrefois la croissance des pieds bandés des Chinoises.

Lors des Jeux olympiques de Los Angeles, en 1984, les organisateurs ont finalement accepté d'inclure une épreuve de marathon pour les femmes. Quatre-vingt-huit ans après l'exploit non officiel de Meloponème qui s'était faufilée aux premiers Jeux olympiques modernes, Joan Benoit a rendu la chose officielle : les femmes sont capables de courir de longues distances et de tenir le coup malgré une blessure. Trois mois avant de remporter la médaille d'or au marathon, Mme Benoit avait subi une chirurgie au genou. L'opération avait eu lieu seulement 27 jours avant les essais olympiques américains. Elle était déterminée à prendre part aux compétitions, chirurgie ou non. Trois jours avant la course de 42,19 km, elle avait fait une course d'essai de 24 km. « Même en me rendant à la ligne de départ, je ne savais honnêtement pas si j'allais pouvoir tenir le coup », a-t-elle écrit dans son autobiographie *Running Tide.* Cependant, elle a pris de l'avance au 5e km et avait définitivement pris la tête au bout de 22 km, sous les applaudissements de sa famille et de ses amis. « Comme ces personnes m'encourageaient très fort, j'ai fait ce jour-là ce que je considère comme la course de ma vie. » Le 5 août, le jour du premier marathon féminin des Jeux olympiques, Mme Joan Benoit était prête.

Pour les athlètes américaines en athlétisme, 1984 a été une année marquante. Valerie Brisco-Hooks est devenue la première femme à remporter à la fois le 200 m et le 400 m à la course. Une course cycliste de 78 km et une épreuve de nage synchronisée figuraient aussi parmi les premières pour les femmes aux Jeux de 1984. Connie Carpenter-Phinney a remporté la première course cycliste pour femmes. En 1984 aussi, l'équipe de Pat Summit de l'université du Tennessee a remporté la première médaille d'or en basket-ball féminin.

En 1988, la sprinteuse Florence Griffith Joyner a raflé trois médailles d'or et une médaille d'argent. Louise Ritter a remporté le championnat de saut en hauteur en 1988. Une autre percée majeure pour les femmes s'est produite en 1989, lorsque Ann Trason, une enseignante de microbiologie de Californie, est devenue la première femme à remporter un championnat national mixte, la course de 24 heures. Elle a parcouru 228 km. L'homme qui a enregistré la meilleure distance a parcouru 7 km de moins qu'elle. Les compétiteurs masculins avaient dit à Trason qu'ils « préféreraient mourir » plutôt que de la laisser les dépasser. Mais elle les avait dépassés.

L'histoire des Jeux olympiques a été une histoire du mépris — envers les gens autres que les Blancs, envers les pays en voie de développement et envers les femmes. Pour faire sa place aux Jeux, il fallait se blinder contre des pratiques et des comportements dégradants. Faire sa place voulait dire prendre son rang dans l'ordre hiérarchique. Lorsque la coureuse kenyane Tegla Loroupe a participé aux Jeux olympiques au début des années quatre-vingt-dix, les athlètes mâles s'attendaient à ce qu'elle fasse leur lessive, et elle la faisait. Il a fallu qu'elle fasse honneur à son pays en remportant le Marathon de New York en 1994 pour trouver le courage de tenir son bout et de leur dire « Je ne suis pas votre femme ».

Les années quatre-vingt-dix ont été la décennie au cours de laquelle les athlètes féminines ont réalisé les gains les plus importants. Le basket-ball féminin, le hockey sur glace féminin et le soccer féminin ont très vite connu du succès, ce qui a fait plaisir aux femmes tout en divertissant des hommes et des femmes en nombres suffisants pour que les réseaux commencent à couvrir leurs matchs. Cela leur a valu un auditoire, des ententes de commandite et de meilleurs salaires. Conscientes des progrès économiques qu'elles faisaient, les joueuses n'ont pas perdu de temps pour affronter les ligues administrées exclusivement par des hommes qui les traitaient sans ménagement. À la fin de 1999, six mois après leur spectaculaire victoire de la Coupe du monde, les membres de l'équipe américaine féminine de soccer on fait la grève pour obtenir une augmentation de salaire. Les joueuses touchaient encore la misérable somme de 3500 $ par mois depuis 1996, et la fédération américaine de soccer continuait à parler pour ne rien dire. Elles voulaient 5000 $ par mois, tandis que la fédération, par stupidité, par arrogance ou simplement pour les dégonfler, refusait de leur accorder la moindre augmentation. « Avec son leadership de l'âge de pierre, la fédération américaine de soccer a des cailloux dans la tête », titrait le *St. Louis Post Dispatch.* Même après que la fabuleuse équipe américaine de soccer féminin eut remporté la Coupe du monde l'année passée – et malgré l'adulation de tout Américain se trouvant devant un téléviseur – la USSF continue à être mesquine et autrement difficile avec l'équipe féminine. » Par conséquent, un mois avant la date où elles devaient entreprendre une tournée d'hiver à l'extérieur qui ne leur aurait pas rapporté beaucoup, les joueuses ont fait la grève. Elles ont immédiatement organisé leur propre tournée à l'intérieur, une tournée qui leur garantissait 100000 $ chacune. Comme les Jeux olympiques de Sydney approchaient, elles se tiendraient coites et laisseraient monter la pression à la fédération. Elles n'ont pas eu besoin d'attendre longtemps.

En février 2000, elles sont arrivées à une entente leur garantissant un contrat de cinq ans grâce auquel les joueuses plus anciennes toucheraient au moins 60000 $, tandis que les joueuses moins expérimentées gagneraient 42000 $. Plus important encore, elles toucheraient le même cachet de présence que les joueurs de l'équipe nationale masculine, soit 2000 $ par match. Il ne fait aucun doute que cela aura un effet sur le salaire qu'obtiendront à l'avenir les meilleures athlètes féminines. « Il y a maintenant un précédent grâce auquel les femmes peuvent dire qu'elles n'accepteront vraiment pas d'être sous-payées », dit Bruce Levy, un agent basé à New York qui représente 35 joueuses de la WNBA.

Les abominables tests de vérification du sexe

L'ambivalence masculine au sujet de la force des femmes n'est nulle part aussi manifeste que dans les humiliants « tests de vérification du sexe » que doivent subir les femmes (mais non les hommes) lors de compétitions sportives internationales. De nombreux sociologues du sport sont convaincus qu'il ne s'agit pas d'une coïncidence si les tests de vérification du sexe ont été institutionnalisés au moment même où les femmes envahissaient les échelons supérieurs des compétitions sportives. Comme nous l'avons vu, le nombre des disciplines olympiques pour femmes a augmenté de manière phénoménale dans les années soixante. C'est aussi au cours de cette décennie que les femmes prenant part à diverses compétitions internationales ont été obligées de se présenter devant des juges pour un examen visuel de leurs organes génitaux. Appelés « parades de nudité » par les médias, ces examens étaient humiliants pour les femmes qui devaient laisser les juges chercher une preuve de l'absence d'un orifice vaginal ou de la présence d'un clitoris hypertrophié pouvant être un protopénis, un pénis ou des testicules. Comme les examens visuels étaient gênants et que des anomalies génitales pouvaient être corrigées par la chirurgie, le Comité olympique international est vite passé des inspections visuelles aux tests technologiques plus avancés, notamment le test « Barr » de vérification du sexe ou le « test par frottis jugal », signale Laura Wackwitz dans un article sur les tests de vérification du sexe. Mieux connus sous le nom de « test de salive », ces examens génétiques consistaient à prélever du tissu à l'intérieur de la joue et à en analyser les cellules pour s'assurer que la personne suspecte comptait deux chromosomes X complets et aucun chromosome Y. Toute femme qui échouait à ce test scientifique avancé était automatiquement rayée des Jeux olympiques (et de nombreuses autres compétitions internationales), sans compter qu'on lui enlevait tout prix qu'elle avait pu remporter dans le passé et tout droit de participer à des compétitions sportives pour le restant de ses jours. On justifiait le recours à ces tests en soutenant qu'ils protégeaient les athlètes de sexe féminin contre tout gros « Géant vert » qui pourrait s'insinuer dans une compétition féminine et la remporter, commettant ainsi une injustice contre le sexe faible. Le concept relève clairement de la paranoïa et il est impossible de le voir autrement que comme une aberration gothique dans l'esprit d'organisateurs sportifs du XXe siècle. Pourtant, on ne le considère pas comme une aberration. En fait, c'est plutôt une idée que les organisateurs de compétitions sportives internationales trouvent irrésistibles, et une pratique qui a encore cours, bien qu'elle ait été critiquée par des associations scientifiques et médicales des plus crédibles.

Ewa Klobukowska, une sprinteuse polonaise, a été la première femme à échouer le test chromosomique. Mme Klobukowska avait remporté une médaille d'or aux Jeux olympiques de 1964. Des médecins lui ont fait subir sa première inspection visuelle en 1967. Cependant, des tests chromosomiques plus sophistiqués l'année suivante ont ruiné ses chances de prendre part aux Jeux olympiques de 1968. Ewa Klobukowska comptait « un chromosome de trop pour qu'on puisse la déclarer une femme aux fins des compétitions sportives », ont signalé les médecins. Un an plus tard, la Fédération internationale d'athlétisme amateur, l'organisme régissant les sports d'athlétisme, lui a enlevé les deux médailles qu'elle avait remportées aux Jeux olympiques de 1964, ainsi que toutes les autres récompenses qu'elle avait obtenues, tout en annulant les records qu'elle avait établis pendant sa vie. « C'est une chose qu'il est malhonnête et stupide de me faire », a dit Mme Klobukowska à la presse. « Je sais qui je suis et comment je me sens. Je connaissais tout le sensationnalisme malsain de la presse, mais je ne m'attendais jamais à une chose pareille. »

Le test Barr produit dans 15 % des cas de faux résultats négatifs attribuables en partie à des « erreurs d'interprétation de la part de travailleurs inexpérimentés ». Le problème encore plus grave qui se pose est que ce test identifie et punit les femmes qui présentent toutes les caractéristiques physiques de leur sexe, mais qui ont un chromosome sexuel mâle. L'anomalie congénitale de ces femmes ne leur confère aucun avantage sportif, de sorte qu'elles ne devraient pas être exclues des compétitions. Mais elles le sont.

Selon le Prince Alexandre de Mérode, éminent membre du Comité olympique international depuis 1964 et responsable de la création en 1968 de la commission sur les médailles olympiques, le travestisme est le principal problème que visent à détecter les tests de vérification du sexe : « Nous avons commencé à utiliser les tests de vérification du sexe en 1968 aux Jeux olympiques de Grenoble… pour mettre un terme à toute tricherie et empêcher une personne de prendre part à une compétition féminine sans être une femme », a-t-il déclaré en 1992, lorsque les journaux ont commencé à parler du rapport selon lequel le véritable motif des tests de vérification du sexe était dès le début de repérer les femmes qui pourraient profiter « d'anomalies génétiques » cachées, mais le prince avait déjà dévoilé son jeu en annonçant à l'Agence France Presse : « Nous avons atteint notre but. Nous avons mis un terme à une pratique immorale qui menaçait de se répandre, une pratique douteuse qui encourageait… les anomalies génétiques pour remporter des médailles ».

C'était là le véritable fond de l'histoire. Les organisateurs des Jeux olympiques ne craignaient pas que les hommes s'insinuent dans les compétitions féminines et privent les pauvres femmes de médailles qu'elles méritaient. Ils s'inquiétaient plutôt que des athlètes de sexe féminin profitent lors des compétitions de l'avantage de « caractéristiques masculines » cachées. Des femmes qui *savaient* qu'elles n'étaient pas réellement des femmes pourraient injustement battre celles qui ne possédaient pas les précieuses caractéristiques masculines cachées et confondre du même coup le monde entier. Non seulement un tel raisonnement est-il très compliqué, mais il témoigne aussi de l'étroitesse d'esprit du Comité olympique international, qui s'entête à maintenir en place les tests de vérification du sexe, même si le monde médical les remet en question depuis plus de trente ans !

Les protestations contre les tests de vérification du sexe ont continué pendant les années quatre-vingt. En 1985, Kirsten Wengler a été empêchée de prendre part à des épreuves internationales de natation. « Après le test, les nageuses ont fait la queue pour obtenir leur carte confirmant leur sexe féminin et toutes en ont obtenu une sauf Mme Wengler. Devant le groupe, on lui a dit que ses chromosomes étaient douteux et qu'elle devait retourner au laboratoire, affirmait un rapport publié dans le *New York Times.* Au laboratoire, les médecins lui ont fait savoir que non seulement ses chromosomes étaient douteux, mais qu'elle ne pourrait peut-être jamais avoir d'enfants. « Je pleurais et j'étais complètement horrifiée », se souvient-elle. Comme on devait le constater plus tard, cependant, Kirsten Wengler *avait* les chromosomes XX qui permettaient de déterminer qu'elle était une femme. Les résultats des tests avaient été erronés. Quatre mois plus tard, après avoir payé pour subir d'autres tests, Mme Wengler a été informée de l'erreur et jugée admissible aux compétitions sportives féminines.

Au cours de la même année, María José Martínez Patino, qui comptait prendre part aux épreuves de haies aux Jeux mondiaux universitaires, ne s'en est pas aussi bien tirée. Elle avait passé un test génétique de vérification du sexe deux ans plus tôt, mais le nouveau test avait révélé des chromosomes XY antérieurement non décelés qui prouvaient aux officiels qu'elle était en fait « un homme ». « J'arrivais à peine à comprendre ce qui se passait », aurait-elle dit selon le *International Journal of Sports Medicine.* « J'avais peur et j'avais honte, mais j'étais aussi très en colère, car je ne voyais pas en quoi mon corps était différent de celui des autres filles. »

Extérieurement, il n'était pas différent de celui des autres filles. Patino était née avec des chromosomes mâles ; cependant, elle n'avait pas la capacité de traiter la testostérone. Son corps s'était développé comme celui d'une femme – c'est-à-dire qu'elle possédait les organes génitaux extérieurs et l'apparence d'une femme, mais elle n'avait pas d'utérus. D'un point de vue médical, les personnes ainsi faites ne sont pas des hommes. « En fait, elles n'en retirent aucun avantage parce qu'elles ne possèdent pas les récepteurs musculaires qui leur permettraient de profiter de l'hormone mâle », soutient le Dr Robert Voie, ancien examinateur médical pour les Jeux olympiques aux États-Unis. Par conséquent, elles n'ont pas les muscles d'un homme. Elles sont donc très femmes. Elles ont seulement cette anomalie génétique congénitale. »

Quatre mois après avoir échoué à un premier test, le Comité olympique international a indiqué à Mme Patino de simuler une blessure pour mettre fin à sa carrière. Elle a refusé de le faire. « Je savais que j'étais une femme aux yeux de la médecine, aux yeux de Dieu et, surtout, à mes propres yeux. Si je n'avais pas été une athlète, ma féminité n'aurait jamais été remise en question. »

Mme Patino a défié les officiels et a quand même pris part à la course de haies. Après avoir terminé la course, elle a été publiquement humiliée dans les journaux et bannie pour toujours de toute compétition sportive. Elle a perdu son emploi, son petit ami et bon nombre de ses amis. Aussi incroyable que cela puisse paraître, la Fédération internationale d'athlétisme amateur lui a rendu son statut d'athlète féminine en 1988, ce qui a fait d'elle la première femme à contester avec succès les résultats d'un test de vérification du sexe et la décision qui en découlait. « Les femmes doivent se battre et pas seulement pendant une journée ou une année, soutient-elle. Ce qui m'est arrivé était comme un viol. Je suis certaine que j'ai éprouvé le même incroyable sentiment de honte que si j'avais été violée. La seule différence est que, dans mon cas, le monde entier en était témoin. »

Ironiquement, il n'y a eu qu'un seul imposteur mâle qui a réussi à se faire accepter aux Jeux féminins de 1936 sous le nom de « Dora Ratgent » et on ne lui a jamais fait subir de test. Hermann Ratgent a avoué des années plus tard, soit en 1955, qu'il avait été forcé par le Mouvement de la jeunesse hitlérienne de participer aux Jeux de Berlin de 1936 en tant que femme, ce qui lui avait permis d'établir un record mondial féminin. Au cours des Jeux olympiques suivants, cependant, il a été battu par trois femmes qui ont sauté plus haut que lui. Adieu Dora. Lorsqu'il a tout avoué en 1955, il a dit avec amertume : « Pendant trois ans, j'ai vécu la vie d'une jeune fille. C'était tout à fait assommant ».

Bien que les tests de vérification du sexe n'ait révélé aucune tentative d'escroquerie, on continue à assurer aux femmes cette « protection » humiliante. Tous les ans, environ douze femmes échouent au test Barr et sont bannies à vie de toute compétition sportive. Après cet échec, la plupart se retirent, humiliées et en état de choc, prétextant une blessure, comme les officiels des tournois le leur conseillent, pour déguiser la véritable raison de leur abandon. Depuis toujours, le Comité olympique international fait de son mieux pour préserver un voile de secret sur cette façon de persécuter les athlètes féminines. Et il n'a toujours pas cessé, même devant les protestations de la médecine. L'American College of Physicians et l'American College of Gynecologists se sont tous deux opposés aux tests de vérification du sexe sous prétexte qu'ils n'ont pas de base scientifique et sont discriminatoires. Malgré cela, le test Barr continue à être utilisé.

Pendant toute la première partie des années quatre-vingt-dix, on a chaudement débattu de la question des tests de vérification du sexe. La Fédération internationale d'athlétisme amateur a éliminé toutes les exigences en matière de test génétique de vérification du sexe, les remplaçant par l'exigence que tous les athlètes, hommes et femmes, subissent un examen médical complet qui inclut « une simple inspection des organes génitaux externes ». Certains critiques ont estimé que cela laissait la porte trop grande ouverte à la tricherie. « C'est horrible, a déclaré un officier médical britannique au sujet de la nouvelle approche de la Fédération internationale d'athlétisme amateur. « Grâce à une chirurgie cosmétique, une femme possédant des avantages physiologiques... pourrait aisément réussir le test (visuel). »

Le Comité olympique international n'était pas prêt à abandonner la partie. Un nouveau test génétique de vérification du sexe, le « test ACP » a été mis au point par un biochimiste, le Dr Bernard Dingeon. « L'ancien test visait à établir qu'une femme était femelle, dit le Dr Dingeon. Nous avons voulu prouver qu'elle n'était pas un homme. » Lorsque le test ACP a été utilisé pour la première fois lors des Jeux olympiques d'hiver d'Albertville en 1992, un groupe de scientifiques français a demandé au gouvernement de leur pays de mettre un terme à ces tests. Ces scientifiques soutenaient que : « Le recours à ce test génétique constitue une agression et représente une discrimination sexuelle contre les femmes... Cette pratique établit la définition de la féminité, qui en aucun cas ne devrait être établie à l'aide d'un simple déterminant génétique ». La commission d'éthique de l'Association médicale française a menacé de prendre des mesures disciplinaires contre tout médecin qui utiliserait ces tests. Malgré cela, le Comité olympique international a tenu son bout et fait prévaloir sa position. « On ne nous fera pas la morale », a dit le Prince Alexandre de Mérode, chef de la Commission médicale du Comité olympique international.

La boxe a fait son entrée dans la controverse des tests de vérification du sexe à mesure qu'a augmenté la présence des femmes dans la boxe professionnelle et amateur aux États-Unis. En 1995, les femmes ont été admises au prestigieux tournoi de boxe amateur Golden Gloves et fait leur entrée dans le monde de la boxe professionnelle. Dans l'état de New York, le premier combat de boxe professionnel pour femmes a été couvert par la télévision. Une controverse a éclaté lorsque la New York

State Athletic Commission a exigé des tests gynécologiques comme condition préalable au combat. La commission exigeait que ces tests soient effectués, malgré l'accréditation que les femmes avaient reçue de leur propre médecin. De toute évidence, la génétique joue un rôle dans le succès relatif des athlètes individuels. « Cependant, les tests de vérification du sexe ne concernent pas la taille d'une femme ou le pourcentage de sa masse corporelle musculaire, écrit Laura Wackwitz. Il s'agit plutôt d'une tentative de maintenir le contrôle sur les femmes qui contestent les attentes relatives à la féminité en entrant dans un domaine stéréotypé en tant que mâle. »

En 1996, les médecins qui avaient été responsables pendant plus de vingt ans de l'octroi de « passeports attestant le sexe » des athlètes féminines aux Jeux olympiques ont annoncé la faillibilité des tests de vérification du sexe dans l'*International Journal of Sports Medicine.* Ayant à ce moment-là examiné 364 athlètes olympiques féminines âgées de seize à vingt-neuf ans et n'en ayant trouvé que trois qui étaient des « négatives chromatiques », ils ont proposé un « retour aux critères originaux », c'est-à-dire un retour aux examens visuels effectués pendant les humiliants défilés de nudité.

Retour à la case départ. Fait très révélateur, le Comité olympique international n'a jamais, au cours de toutes ces années, publié une seule raison expliquant la raison pour laquelle il exigeait que toutes les femmes subissent des tests de vérification du sexe. Se pourrait-il qu'il pense que le risque d'être accusé de discrimination deviendrait beaucoup plus important si jamais une quelconque explication était couchée sur papier ?

Les médias, le marketing et la nouvelle athlète féminine

Que les femmes se fassent admettre aux Jeux olympiques est une chose, mais qu'elles s'infiltrent dans le monde masculin du sport professionnel organisé en est une autre. En annonçant qu'elle appuierait une équipe féminine, la National Basketball Association (NBA) des États-Unis a fortement étonné sinon amusé les hommes. Que *pouvait-elle* bien penser ?

Sans doute un grand nombre de choses, mais aucune n'ayant à voir avec le concept d'égalité des sexes. Premièrement, il y avait eu les incroyables équipes féminines lors des Jeux olympiques de 1996, année qui fut par la suite nommée « l'année des femmes ». Deuxièmement, il y avait eu une période estivale longue et vide au cours de laquelle le basket-ball avait simplement disparu de l'imaginaire du public, une période au cours de laquelle les commanditaires et la NBA auraient pu faire de l'argent. Enfin, il y avait le problème des joueurs mâles qui devenaient de plus en plus gênants. Les joueurs de la NBA devenaient beaucoup trop connus pour leurs bagarres et leurs démêlés avec la police. Ils donnaient à la NBA une image de lèche-bottes. Du point de vue du marketing, pensait la NBA, ne serait-il pas plus constructif de mettre sur pied une équipe d'athlètes féminines matures qui occuperait les terrains pendant l'été, lorsqu'il ne se passait rien d'autre de toute façon ? Ne valait-il pas mieux offrir un divertissement sain pour toute la famille ?

Par « matures », la NBA entendait non pas des adolescentes de quatorze ou quinze ans, mais un groupe de femmes dures ayant les muscles et l'esprit de compétition bien développés — des femmes de plus de vingt et un ans, dont certaines pourraient être mariées et même avoir des enfants. Elles porteraient des shorts amples, non de petits costumes à paillettes, et leur sueur se verrait en gros plan à la télé. L'Amérique était-elle prête à voir un tel spectacle ? Si le marketing était suffisamment sophistiqué et si les choses allaient bien, le succès pourrait être retentissant. « Pensez à la publicité ! Pensez aux recettes possibles ! » se disait-on.

Newsweek a suivi le mouvement, utilisant tous les bons arguments : « Entre les sports aux heures de grande écoute et les politiques d'égalité des sexes, la Women's National Basketball

Association (WNBA) propose une combinaison non éprouvée de vieux et de nouveau, un match d'agressivité féminine brute en dessous de la ceinture. » Notez bien le mot « brute ». Notez bien « l'agressivité féminine ». Amusant ! Choquant, mais amusant ! La WNBA se préoccupait surtout de se représenter « d'une manière qui neutraliserait les craintes du public américain quant à toute possibilité d'homosexualité dans le sport lui-même ou chez les joueuses », a écrit Sarah Banet-Weiser dans une analyse perspicace publiée dans le *Journal of Sport and Social Issues*. La NBA jugeait important que l'équipe féminine ait une image qui convienne à la grille horaire à laquelle elle était destinée : les heures de divertissement sain en famille. En cherchant à attirer un auditoire payant, le plus important était d'enrayer toute possibilité que le sport soit entaché de lesbianisme. Des stratégies étaient donc nécessaires pour redéfinir et remanier les « sports mâles » en sports féminins. On dit que les joueuses de tennis jouent pour leur amoureux dans les gradins, note Banet-Weiser. De même, on a fait la promotion des joueuses de basket-ball professionnelles comme modèles et comme mères. Lorsque la star de la WNBA, Sheryl Swoopes, des Comets de Houston, est devenue enceinte pendant la première saison, l'image de toute la ligue a semblé devenir plus acceptable. Lorsqu'on a demandé aux officiels de la ligue ce qu'il pensait de la grossesse de Mme Swoopes, le responsable en chef du marketing de la NBA et de la WNBA a dit : « Nous applaudissons la maternité. »

Vous voulez rire ! Sheryl est devenue un produit de valeur marginale non pas parce qu'elle était une marqueuse de premier plan, mais parce qu'elle est revenue au jeu six semaines après avoir eu son bébé. Lorsqu'elle a refait son apparition sur le terrain, toutes les mères dans les gradins se sont levées pour l'applaudir : « Bravo Sheryl ! », « Quelle bonne mine tu as ! », « Tu allaites toujours ? », « Quelle forme extraordinaire ! », lui criaient-elles avec enthousiasme.

D'autres joueuses qui ont des enfants font l'objet d'une adoration semblable. Sur le site Internet officiel de la WNBA, il y a une section intitulée : « Demandez à Olympia » qui permet aux visiteurs de poser des questions à Olympia Scott-Richardson, de l'Utah. Mme Banet-Weiser dit que les trois quarts des questions posées portaient sur la grossesse récente de la joueuse, sur le sexe de son bébé, sur le nom qu'elle lui donnerait et sur ses intentions de l'emmener ou non en tournée. Dans les publicités de la WNBA, on s'attarde beaucoup à dire que « les filles ne cherchent qu'à s'amuser ». On dit par exemple que Lisa Leslie divise allègrement son temps entre son travail de mannequin et sa carrière de joueuse de basket-ball. C'est ce que j'appelle ma théorie de la « Wonder Woman », dit-elle. « Lorsque je joue, je sue et je parle mal. En dehors du terrain de jeu, cependant, je suis rouge à lèvres, talons hauts et jupes courtes. Je suis très féminine, très douce et très sensible. »

Encore maintenant, la meilleure façon de remettre les femmes à leur place consiste à les représenter comme des objets sexuels. Pensez à Martina Hingis en petite robe blanche très ajourée sur les côtés sur la couverture du magazine GQ. Les éditeurs du magazine l'ont d'abord habillée comme une garce, puis ils l'ont traitée de garce. « The Champ Is a Vamp » (la championne est une allumeuse) disait le texte placé en travers de son corps. Naturellement, personne n'enchaîne ces femmes à la caméra. De nombreuses athlètes proclament leur féminité parce qu'elles y trouvent un intérêt matériel. Selon la théorie du « rôle sexuel conflictuel », les contradictions entre la femme sportive et la femme féminine sont tellement extrêmes que bon nombre de femmes choisissent de ne pas faire de sport, tandis que celles qui décident d'en faire éprouvent des conflits débilitants entre leur rôle d'athlète et leur rôle de femme. Certaines tentent de résoudre ce conflit en exagérant leur côté féminin ; elles portent des tonnes de bijoux et des jupes courtes et parlent sans cesse de leurs amoureux.

Le plan de marketing de la WNBA influence les sujets auxquels s'attachent les journalistes dans les articles sur la ligue des femmes. Donnez une image hétérosexuelle des femmes, et même une image maternelle, si cela est possible, commande-t-on. Les négociants se laissent gagner par une « rhétorique de la pureté ». Il y a aussi un ordre du jour secondaire pour les joueuses de la NBA (horreur, la NBA possède la WNBA !). Pures et saines, les femmes offriront, espère-t-on, un correctif à l'image de voyous des joueurs. La division du marketing les a astucieusement présentées comme les gardiennes morales du sport, qui se tiennent aux aguets pour le préserver des « coupe-jarrets » de la NBA.

Depuis le début, on a toujours comparé la WNBA avec la NBA et jugé ses joueuses dépourvues de compétences particulières. Les femmes étaient des athlètes extraordinaires, mais pouvaient-elles jouer aussi bien que les hommes ? Ou étaient donc leurs lancers coulés violents ? Et leurs compétences pour le rebond ? La presse pouvait être très mordante dans ses comparaisons. « La WNBA est à la NBA ce que les Jeux olympiques spéciaux sont aux Jeux olympiques », a écrit un chroniqueur. « Le sport qu'elle pratique ne ressemble que superficiellement au basket-ball que jouent les hommes, même au secondaire. »

Voici encore le vieil argument voulant que « les femmes ne jouent même pas aussi bien que les garçons du secondaire ». En réalité, elles étaient bonnes et tout le monde le savait. Comment la NBA pouvait-elle échapper au fouet de cyniques chroniqueurs et prévenir la possibilité que l'équipe des femmes ne devienne « trop bonne » ? Les officiels de la ligue espéraient faire d'une pierre deux coups en changeant les règles qui s'appliquaient aux joueuses. La WNBA joue avec un ballon plus petit, dans une zone réservée plus étroite et avec une distance plus courte entre les trois espaces. Elle joue aussi des demis de 20 minutes au lieu de quarts de 12 minutes.

Vous pouvez imaginer que les règles modifiées aurait pu produire un jeu différent et avoir pour effet de « délégitimer » les matchs des femmes et peut-être même d'infantiliser les joueuses. En fait, le « jeu différent » des femmes a aidé la ligue à regagner un certain respect. La WNBA jouait des matchs honnêtes selon des règles de base et des principes de camaraderie, sans la désagréable façon sans cesse plus marquée de faire de l'épate et de voler la vedette de la riche et hyper masculine NBA.

Dernier point mais non le moindre, la fonction de modèle de rôle des joueuses a été utilisée à grand profit par les commanditaires en publicité. Naturellement, il est bon que les filles aient maintenant quelqu'un d'autre que Barbie ou Miss Amérique comme modèle, mais il est intéressant de voir comment Nike et Reebok, les principaux commanditaires de la WNBA, ont adopté une sournoise rhétorique féministe dans leurs publicités. Une publicité de Nike à Lifetime montrait Cynthia Cooper des Comets de Houston en train de dire en regardant la caméra : « Nous sortons dans les centres commerciaux et nous faisons des blagues, et j'ai posé pour une photo avec la première personne, avec la première fillette qui portait mon maillot – photo qu'elle ne m'a pas encore envoyée. C'est impressionnant. J'avais envie de pleurer. Elle est venue vers moi et m'a dit "Puis-je avoir un autographe s'il vous plaît ?". Je lui ai répondu "Puis-je faire prendre ma photo avec toi, s'il te plaîîît !" J'étais absolument ravie ! »

La publicité se termine par une image en noir et blanc de Cooper avec les mots *Je peux être une source d'inspiration* fusionnant avec *Je peux aspirer à être une source d'inspiration*. Comme la plupart des femmes, je peux verser une larme lorsque je vois des publicités de ce genre, qui sont tellement positives et qui semblent faire voler les stéréotypes en éclats. Ce qui est moins apparent est l'étroitesse du rôle dans lequel on est en train de mouler la nouvelle athlète féminine. *Newsweek* décrit la WNBA comme « la pomme saine dans le baril de plus en plus pourri du sport professionnel. » Méfions-nous de la pomme tentante. Quelqu'un quelque part est en train de recréer la vieille dichotomie de la Madone et de la putain et de pousser les formidables athlètes féminines dans un coin étroit de celle-ci. Oubliez vos muscles. Oubliez vos rebonds, vos glissades en luge et vos méchants tirs frappés. Vous avez un travail à faire ici, et une place à occuper. Projetez ces bonnes veilles valeurs familiales. Quand vous jouez, soyez «la bonne pomme» pour conserver votre rôle à la télévision dans la rentable grille de divertissement familial (ou borné). Enfin, jouez un jeu sur un terrain rétréci avec une balle plus petite. Ainsi, personne ne pourra jamais vous comparer — favorablement — aux hommes.

La presse a créé une espèce de différence hiérarchique dans la façon dont elle «nomme» les hommes et les femmes dans ses reportages sportifs. Un chercheur a découvert qu'au tennis et au basket-ball, on parle de «filles» de «jeunes dames» et de «femmes». On peut aussi créer une confusion risible en insistant sur le sexe de l'athlète, comme lorsqu'on a appelé Steffi Graf la «fille prodige du tennis féminin». Une étude sur les reportages sportifs a montré d'autre part qu'on ne parlait presque jamais des athlètes masculins en utilisant des expressions comme «les garçons». Rien de plus infantilisant que «jeune homme» n'est jamais utilisé. Même les attributions de force chez les femmes sont exprimées de manière ambivalente: la «grande fille», «elle est menue, toute petite, mais tellement efficace contre sa vis-à-vis», « son petit saut», et ainsi de suite. En revanche, il y avait peu d'ambivalence quant aux descriptions des hommes, ont noté les auteurs de l'étude sur les reportages télévisés: «Des mecs forts, avec de puissants coups droits, qui jouent des matchs impressionnants». Même les faiblesses des hommes sont présentées de manière positive, par exemple: «Il a été l'artisan de son erreur». Lorsque les athlètes masculins donnent des signes de nervosité, on s'arrange pour que cette nervosité passe pour de la force ou de l'héroïsme. Les auteurs de l'étude ont entendu cet échange entre deux commentateurs d'un match de tennis masculin:

«Ils étaient tous les deux très nerveux, ce qui est assez normal.

— Il serait anormal qu'il en soit autrement.

— Cela veut dire qu'ils ne s'en fichent pas.

— Comme des Marines se dirigeant vers Iwo Jima qui diraient qu'ils ne sont pas nerveux. Ce serait louche. »

Parlant de Iwo Jima, les commentateurs sportifs utilisent souvent des métaphores martiales (tendre une embuscade, exploser, fouetter, manquer son coup, attaquer, traquer, appuyer sur la gâchette, s'armer jusqu'aux dents, se battre en duel, fusiller, réduire en miettes, faire saigner le premier, etc.) et ils sont beaucoup plus susceptibles de les utiliser comme puissants descripteurs des athlètes masculins. Au tennis, les commentateurs utilisent deux fois plus souvent des métaphores martiales en parlant des hommes. Au basket-ball, c'est près de trois fois plus souvent. Les descriptions utilisées pour les femmes sont moins évocatrices de puissance. Un homme « attaque » tandis qu'une femme « y va ». Le jeu d'un homme sera « agressif », tandis que celui d'une femme sera « actif ». Un homme « fonce sur la défense », mais une femme la « déjoue ». Même si le résultat est négatif, on peut compter qu'un homme se sera montré plus énergique : il a « raté la cible » ; elle a simplement « manqué son coup ».

Comparant les succès de Boris Becker et de Steffi Graf après leur victoire respective à Wimbledon en 1989, un chroniqueur du *Sports Illustrated* a trouvé le moyen de souligner surtout les exploits de Becker. Bien qu'il ait parlé de la force et de la technique des deux joueurs, il a terminé son article en citant Becker : « J'étais le pire chez les hommes et elle était la meilleure chez les femmes… il fallait bien que je l'égale ». Ainsi, les lecteurs sont amenés à comparer les talents de Steffi Graf et de Boris Becker à la lumière du « pire » joueur s'étant mesuré à la « meilleure » joueuse. Ce genre de traitement crée nettement une hiérarchie hommes-femmes : même le pire homme peut battre la meilleure femme. On nous rappelle une fois encore qui sont les « véritables » athlètes.

Au chapitre premier, j'ai parlé de l'exclusion des femmes du sport au XIXe siècle, tout en montrant comment les attitudes victoriennes sur la fragilité des femmes ont aussi dominé pendant la première moitié du XXe siècle. Dans le présent chapitre, nous avons vu comment les vieux préjugés se sont effrités au cours des cinquante dernières années sous la pression des femmes qui revendiquaient l'égalité et le droit de développer leur corps et leurs compétences physiques. Les femmes ont lutté pour avoir le droit de développer leur intellect et elles n'ont pas obtenu le droit de développer leur corps sans une lutte aussi longue et aussi acharnée. La veille « guerre des sexes » a été, autant que toute autre chose, une lutte physique — une bataille pour faire reconnaître leur force et la puissance de leur corps. La raison pour laquelle nous n'avons pas su voir et saisir la portée de la guerre pour l'égalité des sexes en éducation physique est que nous n'avions jamais représenté, en tant que groupe, une menace à la domination des hommes. Ces derniers ne voyaient donc pas de raison de se défendre. Les exemples isolés d'exploits sportifs féminins étaient considérés comme tels : des exemples isolés. Il était même facile de faire fi des athlètes olympiques féminines, à qui on prêtait quelque chose d'anormal.

Cependant, à mesure que des femmes ordinaires se sont mises à gagner du terrain et à mesure que des athlètes féminines d'élite ont commencé à faire concurrence aux hommes pour s'approprier les auditoires, les commanditaires et les dollars de publicité, la balance du pouvoir dans le monde du sport s'est modifiée. Pendant les dix dernières années du XXe siècle, une espèce de bond évolutif s'est produit à mesure que les femmes ont rétréci l'écart de la force. Des choses qui étaient inimaginables quelques années plus tôt ont été démontrées de manière stupéfiante : les femmes ne se fatiguent pas aussi vite que les hommes ; elles peuvent courir, nager et pédaler sur de plus longues distances ; leurs muscles réagissent à l'entraînement aussi bien que ceux des hommes. De par leur nature, elles ne craignent pas les contacts physiques ou même les blessures. Dans leur cas, allait-on découvrir, le courage physique n'appartient pas seulement aux athlètes de niveau olympique, mais aussi aux filles ordinaires, aux élèves du secondaire qui ont commencé à mettre des masques de protection pour se lancer dans le plaqué au football et jouer dans des équipes masculines contre des garçons.

Aux États-Unis, l'épanouissement du potentiel physique des femmes, qui leur a longtemps été refusé, a nécessité l'intervention de la justice et seize années de lutte acharnée pour qu'une loi soit mise en vigueur. Il a fallu que les femmes résistent à de virulentes tentatives de les exclure des Jeux olympiques. Il a fallu qu'elles se soumettent pendant trente ans à d'humiliants tests de vérification du sexe les forçant à prouver que même si elles étaient fortes, elles n'étaient pas des hommes. Au cours du dernier siècle, les athlètes féminines ont été repoussées chaque fois qu'elles ont fait la moindre percée pour ébranler la résistance des hommes. Pourquoi les femmes ont-elles dû lutter avec autant d'acharnement pour être incluses dans les sports de compétition ? Ce n'est pas tant que les hommes ne veulent pas qu'elles fassent du sport, disent-ils, mais ils ne veulent pas qu'elles les privent de fonds et qu'elles compromettent ainsi leur avenir. Ils ont d'ailleurs invoqué le même argument lorsque les femmes ont fait leur entrée sur le marché du travail — ils ne voulaient pas qu'elles prennent leurs emplois.

Il n'a pas été plus facile pour les femmes d'entrer dans le monde du sport, car la menace qu'elles représentaient pour les hommes était encore plus alarmante que celle qu'ils avaient perçue lorsqu'elles étaient entrées dans les bureaux et les conseils d'administration. C'est un peu comme si le sol sur lequel les hommes se tiennent se transformait en sables mouvants lorsque les femmes laissent entrevoir la possibilité d'une égalité physique avec eux. C'est d'ailleurs pourquoi ils prennent des mesures pour les en empêcher. Fondamentalement, c'est ce qui explique pourquoi on a toujours empêché les femmes d'avoir le même accès que les hommes à l'éducation physique : les hommes ne voulaient pas de cette égalité d'accès. À la fin du siècle, le mythe du sexe faible était en lambeaux, mais cela n'a pas mis fin à l'inégalité. Plus d'un quart de siècle après l'adoption du titre IX, moins de 40 % des bourses universitaires sont décernées à des athlètes féminines. Tous les ans, les athlètes masculins reçoivent en bourses 179 millions de dollars de plus que les athlètes féminines. Les programmes sportifs visant les hommes accaparent 77 % des budgets d'exploitation consacrés aux sports. De toute évidence, les femmes ont encore beaucoup à faire pour atteindre l'égalité avec les hommes au chapitre de la formation, du financement et de l'acceptation. La réalisation de l'égalité sur tous ces plans n'est cependant pas leur but ultime ; il faut encore qu'elles jettent les bases nécessaires à un changement de paradigme beaucoup plus important, c'est-à-dire le changement qui doit se produire pour que les filles puissent se défaire des liens du conditionnement restrictif de leur sexe et qu'elles puissent passer la porte et se mettre à courir, à lancer et à plaquer à un âge aussi précoce que les garçons, et à ne pas mettre un terme à ces activités lorsqu'elles arrivent à la puberté.

Chapitre 6

Réduire l'écart de la force

J'ai grandi dans une maison où, tous les samedis, ma mère écoutait la diffusion de l'opéra du Metropolitan Opera à la radio tandis que mon père suivait au moins deux parties de base-ball, l'une à la radio et l'autre à la télévision. J'ai détesté le base-ball pendant très longtemps. Ce n'est que beaucoup plus tard, lorsque les femmes sont soudainement devenues lanceuse, ailier rapproché ou gardienne de but et ont risqué leur vie, leurs membres et leur cage thoracique pour participer aux sports de contacts les plus vigoureux que j'ai commencé à me demander pourquoi les femmes avaient été exclues de certains sports (dont le base-ball). Qu'est-ce qui avait entravé le sens que les femmes ont de leur potentiel physique pour qu'elles en arrivent à l'adolescence à considérer les sports comme un royaume réservé aux garçons ? Quel message donnait-on aux filles de tout âge sur les risques, le courage et la possibilité — oh ! horreur — d'être blessées ? Pourquoi avions-nous tellement *peur* ?

Tous les jours quand j'étais enfant, je revoyais les mêmes images à la télévision et dans le cahier des sports : des mâles musclés et agressifs, d'une puissance explosive. Des hommes qui se frappaient au visage avec des gants et des bâtons. Des hommes qui sautaient en hauteur, des hommes qui s'empilaient les uns sur les autres, des hommes qui se plaquaient. Des hommes, des hommes, des hommes. Dieu que les sports masculins m'ennuyaient quand je grandissais à Baltimore et quels efforts je faisais pour réprimer le message sous-jacent : les hommes sont les meilleurs. Mon père portait toujours une cravate et une chemise blanche au travail, au dîner et pendant le week-end. Je ne l'ai jamais vu faire plus que lancer quelques balles avec mon frère dans le jardin, et cela en chemise blanche. Mais sa chemise était une ruse, un déguisement inoffensif, car j'associais davantage mon père aux voix assourdissantes des commentateurs sportifs qu'à l'élégance de ses vêtements. Je l'associais, ainsi que mon frère et les garçons avec lesquels je grandissais, aux hommes qui se battaient dans le ring en se frappant sans merci, aux énormes empilements d'hommes sur les terrains de football. Je les associais aux bâtons de crosse si populaires à Baltimore, inventés par les Amérindiens avant le début de la colonie et conçus pour permettre de lancer une balle avec force afin que sa seule vitesse suffise à arracher l'œil d'une personne. Je les associais aux cris d'enthousiasme et aux bruits qui faisaient vibrer les gradins les rares fois où on m'emmenait à une partie. Je les associais à la clameur d'une foule qui réclamait du sang sur la glace, à la puissance physique brute qui ne semblait être réfrénée que par les règles d'un jeu. N'y avait-il pas de lien entre le sang sur la glace, le sang sur les champs de bataille et le sang dans les rues ? La violence omniprésente était symbolisée par le pouvoir des hommes, contenu bien sûr, mais toujours prêt à exploser. Il y avait une part de rage et certaines personnes s'y laissaient prendre et se faisaient blesser. Il y avait toujours le risque d'être blessé, la possibilité d'un dérapage. Les filles en étaient averties : ne sortez pas la nuit, évitez les rues étroites, baissez les yeux, ne regardez pas les garçons, ne prenez pas de risques, car si vous êtes blessées, vous n'aurez que vous-mêmes à blâmer. Toute cette attitude, de la conviction que nous étions faibles à la crainte excessive de la force et de la puissance mâles, était encouragée par l'institution culturelle du sport.

Le sport ne se limite pas seulement à lancer une balle, à sauter une haie, à glisser couvert de boue jusqu'au but. Il s'agit d'un domaine masculin qui véhicule un message aussi puissant que l'éducation ou même la religion, à laquelle il est d'ailleurs souvent comparé. Le sport a toujours été porteur d'un message depuis les cités-États grecques, où l'on excluait les esclaves et les femmes pour mieux les asservir, jusqu'au XIXe siècle, où il servait à préparer les garçons de la classe moyenne et privilégiée au service militaire. On a utilisé le sport pour perpétuer le racisme et la division des classes et on s'en sert encore pour dominer les femmes. Le corps est, après tout, un instrument de puissance. Grâce au sport, le corps masculin signifie « meilleur », « plus fort », toujours « plus ». Et cette supériorité semble être inévitable et résulter « naturellement » de différences physiques dans la taille, la force et la puissance.

Plus je réfléchissais à cette idée en apparence évidente mais complètement erronée, plus j'étais perturbée. *En moyenne*, les mâles ont une stature physique de 15 à 20 % supérieure à celle des femmes. Il y a des femmes qui sont plus grandes que certains hommes, évidemment, tout comme certains hommes sont petits par rapport aux hommes de grande taille. Quelle différence de pouvoir peut-on mesurer en invoquant l'argument que *certains* hommes sont plus grands que *certaines* femmes ? N'y a-t-il pas une part de mythe dans tout ça ? Et qu'arriverait-il à ce mythe si les femmes — plus de femmes, *la majorité* des femmes — recevaient l'enseignement, l'entraînement et l'encouragement dont elles ont besoin pour tirer vraiment parti de leurs capacités physiques ? Quels changements se produiraient-ils si les femmes savaient comment utiliser leur corps comme source de pouvoir, d'influence et de reconnaissance sociale, comme le font les hommes ? Si elles se servaient de leur corps, non pas pour obtenir un pouvoir dérivé en plaisant passivement aux hommes, mais directement, pour obtenir ce qu'elles veulent dans la vie grâce à un sentiment de compétence et de pouvoir physiques ?

De nos jours, les compétitions féminines sont aussi relevées que les compétitions masculines et cette menace amène les responsables des sports à déployer des efforts constants pour en ralentir les progrès. Mais il est trop tard maintenant pour exclure les femmes des sports, de sorte que les tactiques pour miner leurs réalisations ont dû se faire plus subtiles. Aujourd'hui, elles consistent davantage à détourner l'attention du *degré* de ressemblances physiques entre les hommes et les femmes.

Pour y arriver, il suffit de diviser pour conquérir : garder les jeux des hommes ségrégués de ceux des femmes. Tout bien considéré, les hommes n'ont pas envie de se mesurer au sexe opposé. Les raisons invoquées, quand il y en a, sont d'un ridicule consommé. Dans une variation sur le thème « pas de femmes dans les vestiaires », les pêcheurs de perche ont exclu les femmes de la compétition sous prétexte qu'elles ne devraient pas regarder les hommes uriner par-dessus bord. Il a fallu qu'une association aussi improbable que l'Army Corps of Engineers lance un défi à la modestie masculine en refusant qu'une compétition de pêche soit tenue sur un lac si les femmes en étaient exclues. (Cela se passait au début des années quatre-vingt-dix, époque où le monde mâle de la pêche était encore au Moyen Âge.)

Une autre tactique consiste à créer d'infimes différences dans les règles du jeu, ce qui complique la comparaison des compétences toujours plus semblables des femmes et des hommes. Au tir à l'arc, par exemple, les hommes tirent à 30, 50, 70 et 90 mètres, tandis que les femmes le font à 30, 50, 60 et 70 mètres. Pourquoi établir une distinction aussi minime, d'aucuns diraient une fausse distinction ? Les athlètes féminines ont le sentiment que les règles ont changé aussitôt qu'elles ont semblé combler l'écart avec les hommes. Elles trouvent suspect, par exemple, qu'immédiatement après que la Chinoise Zhang Shan ait remporté la médaille d'or à une compétition mixte de tir en

1992, le CIO ait décidé de ségréguer les compétitions de tir au pigeon d'argile lors des Jeux olympiques suivants. (Il ne s'agissait pas d'un précédent. L'International Shooting Federation a rapidement ségrégué la plupart des compétitions mixtes lorsqu'une femme a pris la première place lors d'une compétition de tir à la carabine en 1976.)

Plus tôt, les femmes qui gagnaient contre des hommes se voyaient retirer leur titre. Lorsque Helene Mayer a battu le champion d'escrime des États-Unis en 1938, la Fencing Commission a non seulement imposé un embargo sur les compétitions mixtes, mais elle a révoqué le titre de la gagnante. Pour quels motifs ? Le combat avait été inégal, puisque les hommes n'osent pas attaquer à fond lors d'un combat contre une femme. Continuer à tenir des compétitions mixtes, ont décidé les autorités, « serait l'équivalent de donner un coup de poing à une fille. »

Comme le seul contact physique consiste à toucher de la pointe d'un fleuret un joueur portant une veste rembourrée, le danger est plutôt limité. Il nous faut donc conclure que l'association voulait éviter que les femmes battent les hommes.

La crainte de la puissance physique des femmes transcende les cultures. Lorsque Barbara Mayer Winters est devenue finaliste de la compétition de plongée à Acapulco, elle a immédiatement été disqualifiée, « pour sa propre protection », lui a-t-on dit. Les hommes s'étaient plaints d'avoir à lui faire la concurrence. « Il s'agit d'une activité dangereuse dans laquelle on défie la mort, a déclaré un plongeur. Pourquoi continuer si tout le monde se rend compte que même une femme peut le faire ? »

Pourquoi le faire, en effet ? Dans certaines cultures, les rites de passage exigent que les hommes soient capables d'effrayer les femmes par leur audace physique. Les jeunes garçons de Bunlap sur l'île de la Pentecôte dans le Pacifique Sud apprennent à se lancer d'une plate-forme de 7 mètres de haut dès l'âge de cinq ans, puis de plates-formes de plus en plus hautes à mesure qu'ils vieillissent. Un reporter du *National Geographic* a regardé un garçon de seize ans plonger d'une hauteur de 20 mètres. Lorsque les lianes retenant ses chevilles pour amortir sa chute ont cédé, le garçon est resté immobile la face contre le sol jusqu'à ce que sa mère et ses sœurs éclatent en sanglots. Il s'est alors levé en riant.

Je me demande ce que ce jeune penserait de la dame de quatre-vingt-trois ans qui a fait un saut à l'élastique d'un pont surplombant la gorge de Queenstown en Nouvelle-Zélande, un saut de 45 mètres. A-t-elle eu peur ? Pas vraiment. Elle a déclaré avoir ressenti une certaine exaltation.

Les hommes craignent la force des femmes

Historiquement, les hommes ont toujours été capables d'asservir les femmes, d'utiliser leur main-d'œuvre, d'influencer leurs pensées et de s'assurer leur coopération grâce au pouvoir qu'ils détenaient sur leur corps. À un niveau conscient, ce pouvoir s'est manifesté par une véritable servitude physique, dans laquelle les femmes ont été forcées de s'acquitter de tâches supposées appropriées à leur sexe. Par exemple, les coéquipiers mâles de l'athlète kenyane Tegla Loroupe s'attendaient à ce qu'elle fasse leur lessive pendant les Jeux olympiques. Mais il y a des formes plus subtiles de domination, dont la plus efficace consiste à amener les femmes à se servir de leur corps pour rendre plus agréable la vie des *hommes*. Il suffit de regarder les culturistes féminines pour constater que les femmes sont complices de leur propre oppression physique. Ce sport est devenu « sérieux » avec la création de la Federation of Women Bodybuilders en 1980. Dès le début, les femmes ont pris soin d'établir leur féminité en adoptant des poses différentes de celles des culturistes mâles. Elles imitent des poses de danse, moins statiques, qui empêchent les gens de bien voir leur développement musculaire. Cette attitude a été encouragée, sinon requise, par les juges masculins qui mettaient uniquement l'accent sur l'image féminine comme critère de jugement. « D'abord et avant tout, le juge doit garder à l'esprit qu'il ou elle juge une compétition de culturisme féminin et est à la recherche d'un physique féminin parfait », énonce clairement la Federation of Bodybuilding dans ses directives. « L'aspect le plus important est donc la silhouette, une silhouette féminine, et le développement contrôlé des muscles, qui ne doit pas être poussé à l'extrême et ressembler à la musculation massive d'un physique masculin. »

Nous voyons enfin, écrit en toutes lettres, le message transmis aux filles depuis leur plus tendre enfance : *ne devenez pas trop musclées. Restez menues, de manière à paraître plus faibles que les garçons*. Or, le culturisme est un concours de force dans lequel on développe ses capacités physiques au maximum. Mais, à mesure que les femmes sont devenues plus musclées, les compétitions de culturisme féminin ont été modifiées, de sorte qu'elles consistent davantage à avoir l'air féminine qu'à avoir l'air forte. La vieille conclusion s'inscrivait noir sur blanc dans les critères de l'International Federation of Women Bodybuilders : pour les femmes, le critère n'est pas ce qu'elles peuvent faire mais leur apparence pendant qu'elles le font. La beauté extérieure est ce qui compte pour les femmes. En plus de récompenser une musculature moins développée et des poses de danse plus féminines, les juges des compétitions de culturisme féminin ont pour consigne d'enlever des points pour des signes de vieillissement normal, comme des vergetures, des cicatrices chirurgicales ou de la cellulite. Alors, les filles, n'oubliez pas de les faire disparaître si vous voulez avoir une chance dans l'arène du culturisme.

Lorsqu'il s'agit de muscles, la question de savoir quel degré de développement convient aux femmes est continuellement révisée et redéfinie. Dans les épreuves féminines de culturisme, les femmes vraiment musclées ont toujours eu un désavantage. Cela n'a pas empêché deux cinéastes d'utiliser la musculation extrême pour dramatiser leur film *Pumping Iron II : The Women* (non traduit). Pour créer un effet documentaire, ils ont utilisé deux vraies culturistes féminines, Bev Francis, une redoutable haltérophile, et Rachel McLish qui se définit comme « une houpette ». Bev peut lever plus de 235 kg. « Voici une femme, dit la sociologue Ellis Cashmore, qui a non seulement défié les notions traditionnelles de féminité, mais les a écrasées comme une canette de bière en aluminium dans son poing puissant. »

En comparaison, les compétences de Rachel sont d'un tout autre ordre. Elle pose pour des magazines en costumes très féminins, comme un bikini zébré noir et rose assorti d'une coiffure en plumes et de longues chaînes en or autour de la taille. Dans l'histoire, la lutte entre Bev et Rachel, qui se préparent à une compétition, sert de structure au scénario. « D'une part, le film porte sur la compétition entre ces deux corps féminins mais, d'autre part, il s'agit aussi d'un film sur les idéologies de la féminité », dit l'auteur féministe Anne Balsamo.

Le film *Pumping Iron II* illustre bien qui récompense les culturistes féminines — et pour quelles raisons — et son message est clair : on ne récompense pas la force brute. Des huit concurrentes, Bev est arrivée au dernier rang, non parce qu'elle n'a pas réussi à lever les poids, mais à cause de son apparence. Sa dernière place servait à symboliser « l'écart entre son corps et les normes du culturisme », dit Balsamo. On montrait un juge expliquant que les « femmes qui ont de gros muscles grotesques violent les différences naturelles entre les hommes et les femmes », au cas où l'auditoire n'aurait pas compris le message.

À la fin, Rachel ne gagne pas non plus. Une telle fin aurait été trop rétrograde. Pour conclure, le scénariste a fait intervenir une troisième femme, ni trop massive, ni trop féminine. Comme cette Carla Dunlap est de race noire, le scénariste introduit une nouvelle variable dans l'histoire et la tension initiale entre la femme macho et la femme houppette n'est jamais résolue, simplement oubliée. Carla devient pour les cinéastes une façon de se sortir d'un dilemme apparemment impossible à résoudre. Bien qu'ils semblent fascinés par le drame des femmes très fortes, ils n'ont pas trouvé le moyen de traiter efficacement cette question à laquelle ils trouvaient une telle intensité dramatique. Ils ont été incapables d'affirmer qu'une femme capable de soulever 235 kg est une femme comme les autres.

Dans le monde réel du culturisme féminin, 1993 a été une année déterminante, car la fédération a enfin levé son interdiction des gros muscles. Les exploits de Bev Francis ont été pour quelque chose dans la modification des règles du jeu. À la fin des années quatre-vingt-dix, une silhouette plus forte et plus ferme était devenue la norme et les culturistes féminines étaient jugées d'après les mêmes critères, à peu de choses près, que les hommes. Aujourd'hui, les championnes peuvent gagner autant d'argent que les culturistes masculins, que ce soit grâce à des commanditaires ou lors de démonstrations, ce qui constitue peut-être l'injure suprême pour un grand nombre d'hommes.

Bien que le développement musculaire extrême chez une femme déplaise à beaucoup de gens, certains progrès ont été accomplis et les femmes aux muscles développés et durs commencent à être mieux acceptées. Les magazines sportifs féminins publient continuellement des photos de corps bien développés et même très musclés. Les magazines de mode n'ont pas encore emboîté le pas, bien que certains mannequins aient des corps subtilement musclés. Avant les années quatre-vingt-dix, le moindre muscle était un anathème.

Le mythe de la femme « masculine »

Une autorité aussi respectée que Lewis Terman, le créateur du premier test de QI, a joué un rôle dans la délicate distinction entre la masculinité et la féminité dans les sports. Il a élaboré un test (Attitude Interest Analysis Survey) qui allait devenir très influent. Selon lui, les attitudes et les intérêts d'une personne sont la clé qui détermine le point où elle se situe dans le spectre masculin-féminin. Dans le schéma de Terman, un intérêt pour les sports était l'intérêt « le plus masculin » qu'une femme pouvait manifester. D'après lui, ses tests montraient que les athlètes universitaires, hommes ou femmes, étaient à l'extrémité masculine du spectre.

L'un des étudiants de Terman a poussé cette absurde distinction entre masculin et féminin jusqu'à son inévitable conclusion lorsqu'il a inventé un système pour repérer des signes « d'homosexualité potentielle ». Fondés sur un échantillon ridiculement petit, les résultats de la recherche, fortement médiatisés, ont attiré l'attention générale. Après avoir analysé un groupe témoin de 18 lesbiennes, il a découvert, rien de moins, qu'elles étaient « légèrement moins masculines » qu'un groupe de 37 athlètes universitaires féminines. Les « échelles » de Terman et Kelly procuraient un semblant de validité scientifique à la notion que les athlètes féminines manquent non seulement de féminité, mais qu'elles sont encore plus masculines que les dangereuses lesbiennes. Voilà de quoi se mettre sous la dent. Les magazines populaires en ont fait leurs choux gras en publiant des tas d'articles sur ces nouvelles études, des questionnaires comme « Êtes-vous masculine ou féminine ? », accompagnés de petits tests qui encourageaient les lectrices anxieuses à s'évaluer. Par exemple, elles devaient choisir leur sport favori parmi le football, le patinage et le tennis. Le football donnait deux points, tandis que le patinage et le tennis étaient assez neutres pour ne valoir aucun point. Plus le total des points était élevé (il y avait d'autres catégories que le sport), plus la lectrice était masculine. Les échelles M/F tant vantées de Terman et Kelly jouaient sur les proscriptions sexuelles du milieu du siècle et venaient les appuyer. Si une jeune fille voulait faire partie de l'équipe de football de son école, il y avait certainement quelque chose d'anormal chez elle. Point à la ligne.

La crainte de paraître masculine a empêché un grand nombre de jeunes filles et de femmes de pratiquer sérieusement un sport, et c'est bien compréhensible. Des athlètes féminines formidables ont été ridiculisées de manière éhontée et comparées à des monstres de cirque. Plus elles étaient fortes et plus leurs prouesses athlétiques étaient brillantes, plus les médias les dépeignaient comme des anomalies de la nature. L'exemple classique de ce traitement est Martina Navratilova. Après avoir fui la Tchécoslovaquie, Mme Navratilova a obtenu la citoyenneté américaine en 1981 et a révolutionné le monde du tennis féminin. Au cours de sa carrière, elle a remporté 18 titres du Grand Schlem et 1 438 victoires en simple, du jamais vu. En 1985, elle avait accumulé 8,5 millions de dollars en bourses, plus que n'importe quelle autre joueuse dans l'histoire de ce sport. On aurait pu attribuer les prouesses étonnantes de Mme Navratilova à son talent naturel, à son travail acharné et à son entraînement de qualité supérieure. Mais les médias ont plutôt privilégié la thèse que quiconque réussissait à offrir de telles performances ne pouvait pas être une vraie femme, mais une sorte d'inadaptée exagérément agressive. Martina Navratilova a été traitée de « création bionique de science-fiction », « *d'amazone* » et même de « prédatrice géante qui "s'acharne sur toutes ces innocentes jeunes filles" ». Un journaliste du *Sports Illustrated* l'a décrite comme « la transfuge tchèque bisexuelle oxygénée » qui a « assommé » et « tourmenté » ses adversaires désespérément inférieures, tout en suggérant qu'elle n'était pas une « femme naturelle ». On a même pu lire dans le magazine *Time* que pour jouer aussi bien, Mme Navratilova « devait avoir un chromosome fou quelque part ».

En quelques années, d'autres femmes avaient suffisamment développé leurs compétences pour battre Martina Navratilova, mais les allusions au virilisme n'ont pas cessé. Au lieu de considérer normales les athlètes féminines talentueuses à mesure que leur nombre augmentait, les journalistes mâles devenaient de plus en plus hostiles et soupçonneux. Même dans les années quatre-vingt-dix, les athlètes féminines de haut niveau étaient ridiculisées pour leur manque de féminité. Un article publié dans le *Washington Post*, « Les jeux (inférieurs) que jouent les femmes », décrivait ainsi les membres de l'équipe féminine de basket-ball aux Jeux de Barcelone en 1992: « Elles marchent comme des hommes, se frappent les mains comme des hommes. » Elles se comportent peut-être comme des hommes, mais elles ne jouent pas comme des hommes. Le commentateur se moque plutôt d'elles: « Elles ont joué comme des garçons du secondaire. »

Les athlètes féminines qui connaissent le succès finissent toujours, un jour ou l'autre, par être décrites comme étant masculines. La championne de golf britannique Enid Wilson faisait preuve de « puissance masculine en décochant avec un fer ». Les joueuses de tennis étaient comme des robots exhibant « la froideur et l'intensité d'une machine ». On encense les athlètes masculins agressifs, mais leurs homologues du sexe opposé ne sont pas talentueuses, seulement impitoyables. Quand Helen Wills jouait au tennis, c'était « presque comme si un homme armé d'une épée dirigeait ses coups contre un ennemi désarmé ».

Dans les sports féminins, la tension sous-jacente a toujours découlé de la supposée contradiction entre l'intelligence physique et la féminité. Au cours des années trente et jusqu'aux années cinquante, les prouesses athlétiques extraordinaires de Mildred « Babe » Didrikson ont été dénigrées par les journalistes. Les tabloïdes étaient remplis de commentaires sur son apparence « masculine », son visage « aquilin et poilu » et son « inhabituel degré de dominance mâle ». Les journalistes demandaient sans cesse à Mme Didrikson si elle avait l'intention de se marier. « J'en ai assez, a-t-elle dit. Ils ont l'air de penser que je suis une créature étrange et anormale qui se réduit au vocable de nana musclée. » Pauvre Babe. Pas étonnant qu'elle ait finalement pris mari (qui était au courant de son homosexualité). Son mariage a sauvé sa carrière. « Babe est une dame maintenant: l'athlète la plus extraordinaire au monde a appris à porter des bas de nylon et à faire la cuisine pour son gigantesque mari », se réjouissait le magazine *Life*. Cependant, avec toute la controverse entourant la féminité de Didrikson, ses prouesses athlétiques étaient reléguées au deuxième rang. D'abord une étoile au basket-ball, en athlétisme et au base-ball, elle est devenue malgré sa lutte contre le cancer, la meilleure golfeuse des États-Unis. Quand elle est morte de cette maladie dans la quarantaine, la presse a moins insisté sur ses prouesses athlétiques que sur sa « féminité retrouvée ».

Les hommes n'ont cependant pas hésité à accoler l'étiquette d'anomalie sexuelle à des *enfants* de sexe féminin qui ont des talents athlétiques. Lors d'un match de soccer féminin à Louisville au Texas, des pères furieux que l'équipe de leurs filles ait été battue se sont précipités sur le terrain et ont réclamé que les trois meilleures joueuses de l'équipe adverse soient convoquées pour un examen sexuel. (Cela se passait en 1990.) Après la partie, l'un des pères a continué à humilier la gardienne de neuf ans de l'équipe adverse en lui disant : « Belle partie, fiston ! » À son honneur, la jeune Natasha Dennis n'a pas flanché et a suggéré que quelqu'un vérifie si les hommes « avaient quelque chose entre les deux oreilles ».

Ces pères ne faisaient que manifester leur propre insécurité. Historiquement, les hommes ont dominé les terrains de jeux grâce à des qualités sportives essentiellement masculines, comme l'agressivité, la compétitivité, la force, la vitesse et la puissance. Et maintenant, non seulement les femmes mais les filles, des *enfants*, font preuve des mêmes traits. La remarque délibérément mesquine adressée à la gardienne (« Belle partie, fiston ! ») est le signe d'un monde à la dérive.

Toutes les filles n'ont pas la même assurance que Natasha. Les insinuations d'homosexualité représentent toujours un défi redoutable, surtout pour les jeunes filles. La faible augmentation du taux de participation des filles aux sports scolaires dans les années soixante et soixante-dix peut être partiellement attribuée aux attitudes homophobes envers les athlètes féminines fortes. Après le titre IX, un nombre beaucoup moins élevé de filles se sont inscrites aux activités sportives que ne l'avaient espéré les éducateurs progressistes. Une fille devait être courageuse si elle voulait se donner à fond au jeu. Même dans les années quatre-vingt-dix, elle pouvait être conspuée et réduite en purée pour une telle transgression.

La rumeur d'homosexualité est l'équivalent moderne du marquage au goudron. Pour certaines femmes, un tel marquage change tout et les décourage de poursuivre des carrières d'entraîneuses ou d'administratrices sportives. Ancienne athlète à l'école secondaire et subséquemment entraîneuse, Laura Noah savait dès son plus jeune âge qu'une grande partie de son identité était liée aux sports : « Ma mère dit que j'étais déjà une sportive dans son ventre. Je pouvais attraper un ballon de basket avant de savoir marcher. » Pourtant, elle avait constamment le sentiment qu'elle ne pourrait réussir dans les sports « tant et aussi longtemps que je conservais l'apparence et le comportement d'une fille ». Laura était une étoile de soccer et de basket-ball à l'école secondaire et elle a été partante pendant quatre ans au sein de l'équipe du Division III Kenyon College en Ohio. Elle a remporté tous les honneurs de conférence et les honneurs régionaux, ainsi que le prix de la North Coast Athletic Conference décerné à la meilleure athlète universitaire. Mais elle était aussi lesbienne. À la fin de sa dernière année universitaire, Laura avait avoué son homosexualité aux capitaines de son équipe et voulait s'en ouvrir à ses compagnes. Les capitaines n'étaient pas d'accord. Selon eux, si son homosexualité était connue, cela aurait un effet trop perturbateur sur l'équipe. Laura avait l'impression qu'elle ne pouvait pas être à la fois une lesbienne avouée et une sportive. « Je me retenais, je ne me sentais pas moi-même. » Lorsqu'elle a abandonné la carrière d'entraîneuse à vingt-six ans, c'est parce qu'elle craignait d'être obligée de cacher son orientation sexuelle pour pouvoir réussir dans son domaine.

Certains disent que l'homophobie s'accroît à mesure que les femmes deviennent plus fortes. L'homophobie a toujours été un gros problème pour les entraîneuses, qu'elles soient ou non lesbiennes. Si elles le sont, on leur conseille de ne pas le déclarer ouvertement. Si elles ne le sont pas, on les traite de lesbiennes de toute façon. Pour certaines, comme Laura, cette atmosphère est tellement destructrice qu'elles sont forcées de quitter la profession pour protéger leur intégrité.

La confusion qui règne au sujet du sexe et de l'athlétisme n'a jamais été illustrée de façon aussi dramatique que par l'histoire de Richard Raskind, un joueur de haut niveau de 1,88 m dans la division des trente-cinq ans et plus de la United States Tennis Association (USTA). À la suite de nombreuses chirurgies, Richard est devenu une femme en 1975 et il a changé son nom pour celui de Renee Clarke. En 1976, il a battu à plate couture la championne en titre de la division féminine locale à La Jolla en Californie. Un journaliste curieux a décidé de fouiller le sujet — après tout la gagnante mesurait 1 m 88 — et a découvert que Renee Clarke était en réalité Renee Richards, le nom qu'avait adopté Richard Raskind après être devenu transsexuel. Quel cirque médiatique ! La clameur se serait probablement tue si Richards avait refusé l'invitation de participer à un tournoi national en préparation au U. S. Open. C'en était trop. La USTA et la Women's Tennis Association (WTA), ainsi que le comité du U. S. Open, ont réagi en exigeant que toutes les participantes subissent un test chromosomique. Richards a refusé et, un an plus tard, il a porté sa cause devant la Cour suprême de l'État de New York qui a déclaré que « cette personne était dorénavant de sexe féminin » et que l'exigence d'un test chromosomique était une mesure « grossièrement injuste, discriminatoire et inéquitable qui violait ses droits ». N'est-il pas ironique que la cour déclare finalement illégaux les tests sexuels dans le cas d'une personne biologiquement mâle transformée en femme. Cette décision a permis à Renee Richards de participer au simple féminin du U. S. Open en 1977, où elle a perdu dès le premier tour aux mains de Virginia Wade. Hé oui. La grande Renee de 1,88 m a perdu contre une femme. De quoi avait-on eu peur ? « Que cela crée un précédent et que des hordes de Néandertaliens transformés brutalisent Chris Evert et Evonne

Goolagong... Un joueur qui ne réussit pas à se hisser au sommet du tennis masculin pourrait décider de changer de sexe pour écraser les joueuses féminines. »

Voici sans doute l'explication la plus bizarre. Richards a-t-il perdu la partie en raison de sa transformation ? S'est-il inconsciemment affaibli de manière à jouer — comme le chantait Dylan — « juste comme une femme »

De nouvelles façons d'évaluer la performance

L'idée voulant que les femmes soient incapables d'atteindre le même degré de développement physique que les hommes commence à être remise en question. Les sociologues du sport et même les médecins suggèrent que si certaines femmes n'atteignent pas ce genre de niveau de développement, c'est qu'on les a convaincues depuis toujours qu'elles en sont biologiquement incapables. Dans la nouvelle édition de l'*Oxford Textbook of Sports Medicine*, Per-Olof Åstrand, professeur émérite au Karolinska Institute en Suède, est l'un de ceux qui suggèrent que les records féminins pourraient se rapprocher de plus en plus des records masculins, et cela malgré les différences physiologiques.

Ellis Cashmore, professeur de sociologie à l'université Staffordshire en Angleterre, a fait une analyse historique des résultats de marathons, comparant les changements dans les temps des hommes et ceux des femmes. Sur une période de trente ans, entre 1964 et 1995, le record du monde féminin s'est amélioré de 1 heure 5 minutes et 21 secondes. Pendant la même période, celui des hommes ne s'est amélioré que de 5 minutes et 2 secondes. Pour la dernière année couverte par l'étude, l'écart évident entre les hommes et les femmes n'était plus aussi criant. La différence entre les meilleurs au monde avait été réduite à 12 minutes et 13 secondes ou environ 9 %.

« La performance des femmes est-elle inférieure à celle des hommes ? demande l'analyste du mouvement Jackie Hudson. Elle dépend des critères de comparaison. Qui et quoi compare-t-on ? » On commence à considérer une méthode mise au point pour comparer les haltérophiles masculins comme une façon plus juste et plus précise d'évaluer les comparaisons des performances entre les hommes et les femmes. En se fondant sur la biomécanique, le calcul convertit les distances de course fixes en unités de la taille du compétiteur. Voici un exemple : imaginons que vous mesurez 1,67 m et courez 10 km en 50 minutes ou 3 000 secondes. Convertissez la longueur de la course en multiple de votre taille en divisant la longueur par la taille, soit 10 000 mètres divisés par 1,67 m égale 6 000 fois la taille. On calcule ensuite la vitesse en divisant les tailles par le temps. À l'aide de cette méthode, dit Mme Hudson, il est possible d'obtenir une comparaison précise entre les détenteurs de records du monde féminins et masculins. Elle s'en est servie pour faire une analyse comparative de Carl Lewis et de Florence Griffith Joyner. Spécialiste du 100 m, Lewis, qui mesure 1,88 m et détient le record du monde de 9,92 secondes, avait une vitesse relative de 5,36 fois sa taille par seconde. Mais courait-il le 100 mètres plus vite que Flo Jo ? Vous avez sans doute deviné la réponse biomécanique : Flo Joyner, qui mesurait 1,69 m et courait le 100 mètres en 10,49 secondes avait une vitesse relative de 5,64 fois sa taille. « Autrement dit, s'exclame Mme Hudson avec ravissement, la femme la plus rapide au monde était de 5,3 % plus rapide que son pendant masculin ! »

Que dire de la force thoracique et des larges épaules masculines tant vantées ? Les hommes sont-ils mieux préparés à un sport qui exige beaucoup de force dans le haut du corps, comme la natation ? Pas nécessairement. Mme Hudson compare Janet Evans, une femme de 1,66 m détentrice du record mondial de 15 minutes 52,1 secondes au 1 500 mètres style libre et Vladimir Salnikov, 1,80 m, détenteur du record masculin de 14 minutes 54,76 secondes. Lorsqu'on fait une analyse biomécanique, indique Mme Hudson, la vitesse de Evans est de 0,949 fois sa taille par seconde et celle de Salnikov de 0,926 fois sa taille par seconde, une différence de 2,5 % en faveur de Mlle Evans. (Vive les maths sophistiquées !) Lorsque les mesures sont exprimées en termes absolus, les mâles sont plus rapides. Mais lorsqu'on fait des calculs biomécaniques, plus équitables parce qu'ils tiennent compte de la taille de chacun, les habiletés physiques des athlètes féminines de haut niveau semblent égales, et parfois supérieures, à celles des athlètes masculins de haut niveau.

Les sceptiques se demandent peut-être ce qui arrive quand on élargit la base de comparaison. Lorsqu'on a comparé 57 femmes et 70 hommes ayant participé au 100 mètres style libre lors des Jeux olympiques de 1998, les hommes avaient un avantage de 2,1 %. Cette différence semble appuyer l'idée que la natation, un sport qui sollicite le haut du corps, favorise les hommes. Cependant, d'autres facteurs ont aussi leur importance : il existe une corrélation significative entre l'âge des participants et leur vitesse. Or, les hommes étaient de 2,8 ans plus âgés. Les femmes pourraient-elles réduire l'écart de vitesse si elles s'entraînaient 2,8 années de plus ? Cette intrigante question demeure sans réponse.

Pourtant, les mâles ont sûrement *quelque* avantage physique. Oui, mais les femmes ont aussi les leurs. En moyenne, les hommes transportent et utilisent plus d'oxygène. Ils sont généralement plus robustes — un avantage au football — et de plus grande taille — un avantage au basket-ball et au volley-ball. Les hommes ont une plus grande masse musculaire maigre, très utile dans les sports qui exigent une puissance explosive. Moins musclées, les femmes sont généralement plus souples, ce qui est utile en gymnastique, au plongeon et en patinage. Leur centre de gravité plus bas les avantage au hockey, au golf, au tennis, au base-ball et même au basket-ball. Elles transpirent mieux (moins de ruissellement, meilleure évaporation), un facteur critique puisque le corps doit rester frais pour fonctionner de manière efficace. Une physiologiste de l'université de Virginie a testé des athlètes dans diverses conditions de chaleur, d'humidité, d'intensité d'exercice et de consommation alimentaire. « Dans tous les cas, les femmes ont mieux résisté au stress », dit-elle.

Vous vous demandez peut-être si seules les athlètes féminines de haut niveau sont capables de réduire l'écart entre la force des hommes et celle des femmes. En effet, l'écart entre les athlètes d'élite et les athlètes féminines ordinaires est plus grand qu'entre les athlètes masculins de haut niveau et les athlètes ordinaires. Par exemple, une jeune fille moyenne de dix-huit ans court le mille en 10 minutes 51 secondes, tandis que le record mondial féminin ne représente que 39 % de ce temps (4 minutes 15 secondes). Pour les hommes, le détenteur du record masculin du mille prend environ la moitié (49 pour cent) du temps que met un jeune homme de dix-huit ans moyen (7 minutes et 35 secondes). Donc, les jeunes femmes sont plus loin de leur potentiel athlétique que les jeunes hommes.

Cet écart est attribuable en grande partie à des différences prévisibles dans le degré de compétence. La recherche de Jackie Hudson a révélé que lorsqu'on compare la technique de lancer franc des joueuses de basket-ball collégial de tous les niveaux, novice, intermédiaire-avancé ou élite, on se rend compte que les novices sont plus susceptibles d'utiliser des mouvements restreints — ou partiellement « figés » et de perdre l'équilibre. Elle a déduit que cette gamme limitée de mouvements pouvait jouer un rôle dans l'instabilité et que les joueuses *en phase novice* devraient travailler à améliorer leur équilibre. Au *niveau intermédiaire-avancé* du développement des compétences, une gamme limitée de mouvements se traduit par des paniers manqués, ce qui a conduit Mme Hudson à conclure qu'à ce stade les joueuses devraient avoir pour objectif général d'étendre leur répertoire de mouvements.

Dans le cadre d'une analyse d'hommes et de femmes qui font du saut en hauteur, des chercheurs ont testé la hauteur de saut verticale maximale de recrues militaires portant une carabine et un sac à dos de 36 kg. Les hommes et les femmes différaient de trois façons : les hommes sautaient plus haut, mettaient plus de temps à sauter et développaient une plus grande force au sol en se préparant à sauter. D'après ces données, les chercheurs ont déduit que les hommes étaient de meilleurs sauteurs que les femmes. Pourtant, des experts en biomécanique comme Jackie Hudson vous diront que les différences entre les sauts auraient été moins grandes si on avait tenu compte de la taille des recrues. Elle souligne en outre que mettre plus de temps à sauter est la caractéristique d'une mauvaise performance. Fait intéressant à noter, la performance des recrues déclinait lorsqu'elles portaient le sac de 36 kg et ce déclin était semblable pour les femmes de 61 kg et pour les hommes de 73 kg.

La plupart des comparaisons de la force des hommes et des femmes sont grossières et trompeuses, mais ce sont celles-ci qu'on entend le plus souvent. On dira, par exemple, que la main d'une femme n'est pas assez grande pour tenir un boyau d'une seule main (raison invoquée par les pompiers de New York pour expliquer le nombre peu élevé de femmes dans leurs rangs). Ce même groupe de pompiers a récemment offert un programme de conditionnement à l'intention des femmes avant que celles-ci subissent l'examen pour devenir pompier. Dans le test le plus récent, les candidates qui ont échoué étaient celles qui n'avaient pas suivi le programme de conditionnement physique. Mais les candidates ne sont apparemment pas encore au courant de toute la différence que peuvent faire deux mois d'entraînement trois fois par semaine.

Qu'est-ce que cela signifie pour les femmes ? Toutes ces anecdotes soulignent une fois de plus l'influence de l'entraînement. Les modèles biomécaniques décortiquent les problèmes d'habileté en unités précises et proposent des techniques claires pour y remédier. À mesure que le mythe de la performance est soumis à des outils d'évaluation plus complexes, non seulement se rend-on compte des mesures qu'il faut prendre pour améliorer la performance, mais on constate aussi que le potentiel d'amélioration n'a rien à voir avec le sexe; il tient surtout du savoir-faire.

Le contrecoup

À mesure que les femmes partout dans le monde développent leur intelligence physique, l'évocation de la force pour justifier l'écart de pouvoir entre les sexes devient de plus en plus anachronique. Tout comme nous redécouvrons des documents historiques faisant état des prouesses physiques oubliées d'athlètes féminines du passé, nous accumulons présentement de plus en plus de preuves scientifiques que les femmes ne sont pas plus fragiles que les hommes sur le plan physiologique. Lorsque cette information s'est répandue, avec tout ce qu'elle sous-entend, le contrecoup masculin ne s'est pas fait attendre. Comme l'a dit Susan Faludi avec justesse dans son ouvrage *Backlash*, lauréat du prix Pulitzer, la réaction négative aux progrès des femmes est un phénomène récurrent. On peut s'attendre à son effet « refroidissant » chaque fois que les femmes semblent faire un pas vers l'égalité.

Pratiquement toutes les personnes engagées dans le mouvement en faveur des sports féminins ont subi l'hostilité de la gent masculine. Parfois, le contrecoup est personnel, parfois il est institutionnel; il a un effet parfois ridicule, parfois dévastateur. Cependant, on peut dire sans craindre de se tromper que les hommes n'aiment pas l'intrusion audacieuse des femmes dans le monde insulaire, réconfortant et historiquement misogyne du sport. Comme l'a écrit Susan Faludi, le contrecoup n'est pas déclenché par l'égalité presque complète des femmes, mais par leurs démonstrations que celle-ci est de plus en plus possible. « C'est un coup préventif, écrit-elle, qui arrête les femmes bien avant qu'elles n'atteignent la ligne d'arrivée. »

Même les femmes indirectement associées aux revendications des femmes pour le droit de jouer, non pas les joueuses mais celles qui écrivent à leur sujet, ont été punies de leur témérité, surtout lorsque leurs articles portaient sur des hommes. Jeannie Roberts, une chroniqueuse sportive de Floride, se rappelle être allée dans des vestiaires au début des années soixante-dix. « On me lançait « accidentellement » divers objets, comme des coquilles... et mes collègues masculins faisaient comme s'ils ne voyaient rien. La fraternité mâle des chroniqueurs sportifs était trop « embarrassée » pour manifester le moindre appui à leurs collègues féminines. » L'empathie était un signe de « faiblesse ». La moindre manifestation de solidarité était interprétée comme une trahison à la fraternité.

Il n'y avait qu'une douzaine de femmes commentatrices sportives lorsque Time Inc. s'est adressé aux tribunaux pour que la commentatrice Melissa Ludtke du magazine *Sports Illustrated* ait le droit de fréquenter le club-house des Yankees de New York, devenant ainsi la première femme à pénétrer dans l'univers hermétiquement clos de la sueur et de la vantardise masculines. Cela se passait en 1978. Les pionnières des sports n'avaient certainement jamais eu la vie facile lorsqu'elles pénétraient dans les club-house, les vestiaires ou toute autre forteresse exclusivement masculine, mais dans l'arène sportive, l'atmosphère très physique attisait l'hostilité des hommes. Celle-ci ne s'est pas atténuée avec le temps. En septembre 1990, Lisa Olson, la chroniqueuse sportive du *Boston Herald* qui couvrait régulièrement le football a été harcelée sexuellement dans le vestiaire des Patriots de Nouvelle-Angleterre. Zeke Mowatt a exhibé ses parties génitales devant elle en faisant des remarques obscènes. Ses coéquipiers ont observé la scène en criant des hourras. La direction n'est pas intervenue.

Appuyée par ses pairs, Mme Olson a protesté. Le propriétaire de l'équipe, Victor Kiam, l'a ignorée jusqu'à ce que l'attention médiatique qu'elle recevait le convainque que le public prenait l'incident au sérieux. Kiam a fini par faire parvenir une lettre d'excuses à Mme Olson, mais la muflerie a continué. Quatre mois plus tard, Kiam s'est retrouvé dans l'embarrassante situation d'avoir à s'excuser de nouveau, cette fois pour avoir fait une blague sexiste au sujet de la chroniqueuse lors d'un banquet des Patriots.

Entre-temps, Olson recevaient des menaces et subissait du harcèlement téléphonique. L'incident dans le vestiaire des Patriots avait apparemment touché une corde sensible et la réaction était généralisée et venimeuse. Des poupées gonflables « Lisa » étaient vendues à la porte du stade Foxboro et les partisans mâles s'amusaient à leur faire prendre des poses « suggestives et obscènes ». Cette joyeuse folie s'est étendue à d'autres stades. L'année suivante, à Fenway Park, les spectateurs d'une partie de base-ball se sont mis à se lancer des poupées gonflables en plastique grandeur nature dans une atmosphère de viol collectif. « Allez, prends-la », criaient les hommes en donnant des coups de poing en l'air. La reporter Bella English a écrit : « Ils lui touchaient les seins… se la lançaient l'un à l'autre. On parle d'hommes adultes. C'était dégoûtant. On aurait dit une publicité pour le viol. »

Les incidents de harcèlement des chroniqueuses sportives se sont multipliés : un joueur de football a passé une lame de rasoir sur la jambe d'une femme ; un autre a envoyé un rat dans une boîte rose à une chroniqueuse sportive ; les joueurs ont lancé des projectiles comme des coquilles aux reporters féminines qui, à l'instar de leurs homologues masculins, voulaient obtenir le compte rendu des parties dans le vestiaire. Certaines personnalités du monde des sports, comme Frank Deford (six fois chroniqueur sportif de l'année), ont tenté de justifier cette hostilité envers les femmes. « Il ne s'agit pas de… prendre sa place dans une profession, dit-il. Il s'agit de la destruction d'une culture et cela, c'est beaucoup plus difficile à réaliser. Nous (les hommes) avons besoin de vous pour procréer et nous divertir, mais pas dans les sports. »

La misogynie n'est nulle part plus évidente que dans la culture du rugby masculin. Après les parties, les hommes chantent des chansons qui dépeignent les femmes comme des « créatures méprisables aux appétits sexuels insatiables et aux organes sexuels dangereux. » Steven P. Schacht a informé la North American Society for the Sociology of Sport que les joueurs parlent ouvertement de violer les femmes et les mères des autres. Lors d'un exposé sur la misogynie qui prévaut dans le monde du rugby, Schacht a dit avoir entendu un entraîneur crier à un joueur : « Va te faire foutre espèce de "chatte". La ferme ou je te retourne et je t'encule comme une chienne. » Les mots de passe désignant les jeux comprenaient « j'ai baisé ta mère », « ta mère est une poufiasse », « viol collectif de ta copine » et « suce-moi la bite ».

« Le sport a un côté sordide qui joue sur l'inégalité, l'oppression, la discrimination, le scandale, les comportements déviants et la violence », ont écrit les auteurs d'un ouvrage sur la sociologie des sports. Ce côté sordide est demeuré caché pendant de nombreuses années et n'a commencé à se manifester ouvertement que lorsque les femmes ont fait une percée importante dans le monde du sport masculin. La misogynie décrite par Schacht dans la culture du rugby est un concentré de violence et de haine ; elle est une réflexion de l'attitude de la société en général. Pour les hommes, l'habileté sportive est *assimilée* à la virilité. Et les athlètes féminines très fortes et très agressives ne sont pas les seules à représenter une menace, car les autres femmes pourraient arriver à faire la même chose qu'elles si elles faisaient l'effort de s'entraîner. « Nous toutes, collectivement, représentons une menace, a écrit l'entraîneuse de base-ball Mariah Burton Nelson. Une menace au privilège mâle et à la virilité telle qu'on la définit dans les sports masculins. »

L'effet œstrogène

Les anatomistes du XIXe siècle croyaient que le sexe ne se limitait pas aux organes génitaux, mais touchait toutes les parties du corps. Le squelette lui-même était une preuve de plus de l'infériorité féminine, plus particulièrement le crâne de plus petite taille (soi-disant signe d'infériorité intellectuelle). À la fin du XIXe siècle, on avait pratiquement réduit le corps féminin et le corps masculin à des opposés, chaque sexe ayant des organes, des fonctions et même des sentiments distincts.

Au cours des années vingt et trente, la découverte de l'œstrogène et de la testostérone a ajouté une nouvelle dimension aux théories médicales sur les différences sexuelles. Les découvertes de l'endocrinologie semblaient confirmer la polarité entre les hommes et les femmes. L'œstrogène et la testostérone (qui ne sont plus considérées comme des hormones « sexuelles », les deux étant essentielles à la santé et à la fonction des hommes *et* des femmes) ont été récupérés et utilisés comme nouveaux fondements de la notion voulant que les femmes soient faibles et douces et les hommes durs et forts. Dans l'imagination populaire, les hormones ont presque remplacé les organes génitaux comme signifiants sexuels. La vision endocrinologiste de l'homme et de la femme a persisté jusqu'à l'an 2000.

Les femmes sont le « sexe désavantagé ». Vous pensez peut-être que plus personne n'a le culot de l'affirmer, mais détrompez-vous. C'était l'argument principal d'un article sur les merveilles de la testostérone, « The He Hormone » (l'hormone mâle) publié dans le *New York Times Magazine*. Son auteur, Andrew Sullivan, y décrivait en détail et avec une certitude accablante les différences biologiques qui empêchent les femmes de réussir en politique, dans l'armée et même dans le monde des placements à risques élevés. Elles n'ont tout simplement pas ce qu'il faut, sous-entendant des testicules.

Depuis la découverte de cette hormone dans les testicules au cours des années trente (on en a ensuite découvert dans les ovaires et dans les glandes surrénales), on a faussement associé la testostérone à la plus grande agressivité des mâles humains (la recherche ne corrobore pas cette théorie), de même qu'à leur plus grande assurance et même à leur pensée plus claire. Au fil de l'histoire, on a toujours utilisé ces « lumineuses » qualités masculines comme base de la discrimination en matière d'emploi dans tous les domaines imaginables, de la construction à la lutte contre les incendies et à l'enseignement avec titularisation.

L'article fortement controversé de Sullivan représente donc un terrible recul qui nous ramène à la vieille misogynie médicale du XIXe siècle. À l'aube du XXIe siècle, se servir de la testostérone pour perpétuer la discrimination envers les femmes est inacceptable sur le plan scientifique. Cette théorie n'a pas plus de fondement scientifique que les conseils que donnaient aux femmes les médecins du XIXe siècle, notamment s'abstenir de tout travail physique et mental afin de conserver leur énergie limitée pour la reproduction. La fragilité féminine n'est pas une réalité, mais un mythe entretenu pour des raisons bien précises.

La vieille perception que les femmes sont le « sexe faible » continue à teinter les attitudes des femmes elles-mêmes envers le sport et l'activité physique. Heureusement, les choses commencent à changer grâce aux extraordinaires prouesses des athlètes féminines de haut niveau, qui sont sur le point de fracasser ce qu'il reste du mythe de la fragilité. Prenons l'exemple dramatique de la Suédoise Ludmila Engquist qui a remporté à trente-deux ans la médaille d'or du 100 mètres haies aux Jeux olympiques d'Atlanta en 1996. Au printemps 1999, elle a dû relever le plus grand défi de sa vie après avoir découvert au mois de mars qu'elle avait une masse dans l'un de ses seins. Elle a subi une mastectomie et a commencé des traitements de chimiothérapie en mai. Contre toute attente, elle était de retour en compétition après avoir reçu quatre des six traitements prévus ! Lorsqu'on a annoncé son nom avant le signal de départ, les autres coureuses l'ont applaudie. Finir la course aurait déjà constitué un exploit, mais elle l'a gagnée, et pas n'importe comment, en 12,68 secondes, améliorant son record olympique de 18 centièmes de seconde !

Le médecin de Ludmila, le Dr Arne Ljungqvist, vice-président de la Fédération internationale du sport amateur et directeur de la fondation du cancer en Suède, a expliqué que la force de l'athlète avait joué un rôle positif dans le processus de guérison. Cinq jours après son opération, elle utilisait déjà des petits poids; un mois plus tard, elle faisait des exercices d'épaulé-jeté avec des poids de 54 kg. Elle a continué à s'entraîner pendant toute la durée de son traitement de chimiothérapie.

On peut dire adieu au culte de l'invalidité féminine. Oui, un grand nombre d'hommes ont une masse musculaire maigre plus importante que les femmes, en partie parce qu'ils ont plus de testostérone, mais les femmes ont aussi des avantages physiques en ayant des taux plus élevés d'œstrogène. Des études récentes suggèrent que l'hormone longtemps associée à la fonction reproductrice des femmes contribue à atténuer les douleurs musculaires consécutives à l'exercice. Ces douleurs résultent de minuscules déchirures dans les tissus musculaires. « Les données animales sont très claires », dit le Dr Priscilla Clarkson, une physiologiste de l'exercice à l'université du Massachusetts à Amherst. On observe plus de lésions musculaires consécutives à l'exercice chez les rats mâles que chez les femelles. « L'œstrogène semble expliquer cette différence. » Lorsqu'on en a donné aux rats mâles, ceux-ci ont subi moins de lésions musculaires. Le mécanisme de protection de l'œstrogène n'a pas encore été élucidé, mais le Dr Clarkson pense que l'hormone pourrait « avoir la capacité de s'insérer dans les cellules, comme les membranes musculaires, et de les stabiliser, ce qui les protégerait des déchirures ».

Cette différence dans le seuil de douleur musculaire pourrait aider à expliquer pourquoi les femmes peuvent supporter des sessions d'exercices plus longues que les hommes. « Il se pourrait que les femmes accumulent moins de lésions pendant une épreuve plus longue, ce qui les aiderait à mieux performer, » suggère un physiologiste.

De nouvelles recherches sur les hormones contestent la notion traditionnelle voulant que l'ostéoporose soit une maladie de « femmes » liée à la ménopause. Des 10 millions d'Américains qui souffrent d'ostéoporose, plus de 1,5 million sont des hommes et, passé la cinquantaine, un homme sur 8 subira une fracture reliée à l'ostéoporose. Renversement ironique du mythe de la fragilité, l'ostéoporose est en réalité beaucoup plus répandue chez les hommes qu'on ne le croyait. Les manuels de médecine décrivaient autrefois l'ostéoporose masculine comme une maladie résultant d'un déficit de testostérone causé par l'hypogonadisme, un phénomène plutôt rare. De nouvelles études indiquent cependant que l'œstrogène joue un rôle central dans l'ostéoporose masculine. À Framingham, au Massachusetts, des chercheurs ont étudié pendant 8 ans la densité osseuse et les taux d'œstrogène de 385 hommes âgés. La corrélation était étonnante : les hommes dont les os étaient les plus sains avaient les taux d'œstrogène les plus élevés. Le lien entre l'hypogonadisme et une faible densité osseuse était en fait négligeable. « Ces résultats sont très étonnants », dit le Dr B. Lawrence Riggs, professeur de recherche médicale à la clinique Mayo de Rochester, au Minnesota, qui a découvert que le taux d'œstrogène diminue naturellement chez les hommes de plus de 65 ans. « Il y a trois ans, personne n'aurait pensé que l'œstrogène jouait un rôle dans l'ostéoporose masculine. »

Historiquement, on a toujours pensé que la capacité reproductrice des hommes ne pouvait pas être compromise par l'effort physique, mais la science moderne vient infirmer cette idée. (La médecine donne et la médecine reprend.) Par exemple, une étude récente a montré que la numération des spermatozoïdes diminuait après une course de fond. De plus, les recherches en endocrinologie sont en train de démontrer que les précieuses « hormones sexuelles » procurent parfois des avantages au sexe *opposé*. Ainsi, l'androgène (testostérone) *améliore la capacité spatiale des femmes mais l'inhibe chez l'homme,* révèle une étude fascinante publiée en 1998 dans *Perceptual Motor Skills.* Les chercheurs ont testé les habiletés spatiales (visualisation et orientation) de 150 athlètes masculins et 150 athlètes féminines pratiquant divers sports intercollégiaux. Si les femmes ont obtenu de meilleurs résultats que les hommes à tous les tests d'orientation et de visualisation, leurs capacités spatiales supérieures au basket-ball dépassaient pour leur part absolument toutes les prévisions.

Le resserrement de l'étau de la discrimination sexuelle à des moments précis dans l'histoire n'a rien de fortuit. Au début du XIXe siècle, des changements dans le travail et la famille, l'urbanisation et la domination croissante des femmes dans les écoles ont conduit à une crise de la masculinité qui a déclenché les cultes du « vrai mâle » et de la femme invalide. À l'aube du XXIe siècle, la compétence physique croissante des femmes dans tous les sports imaginables, du soccer à l'escalade, est apparemment à l'origine d'une autre crise de la masculinité. La testostérone refait surface, comme s'il s'agissait d'une potion magique qui confère aux hommes une noblesse royale.

Pendant tout le XXe siècle, le culte de l'invalidité a inhibé les efforts qu'ont déployés les femmes pour se faire accepter aux Jeux olympiques, pour participer à des courses de plus de 400 mètres, pour pratiquer des sports de contact (finalement, des milliers de fillettes américaines jouent au hockey sur glace et au football de contact) et même pour entrer dans la Little League. Imaginez la crise de la masculinité ! De nos jours, cependant, les progrès des athlètes féminines de haut niveau remettent en question le concept même de l'existence de différences significatives entre la force des hommes et celle des femmes, ce qui détruit toute justification de la domination des hommes. Les hommes ne sont pas mieux équipés que les femmes pour faire face aux lance-pierres et aux flèches de la vie. Et ils n'ont pas besoin de protéger les femmes parce qu'elles sont plus faibles. L'argument sur lequel reposait toute la structure sociale, les hommes sont forts et les femmes sont faibles, s'effondre à mesure que se rétrécit l'écart entre la force féminine et la force masculine. La testostérone semble le dernier argument des hommes, aussi erroné soit-il. C'est précisément la raison pour laquelle les hommes ont recommencé à invoquer comme raison ultime de leur supériorité « des appendices » qui manquent aux femmes.

La femme nouvelle physiquement active

Il y a depuis très longtemps dans la ville de New York un terrain de basket-ball extérieur situé à l'angle de la 4e Rue et de la 6e Avenue. On l'appelle « la Cage ». Les hommes s'affrontent dans la Cage toute l'année. Un jour de l'été 1999, une fille est entrée dans la Cage. Natasha Green, une étoile de basket-ball scolaire, avait pris le métro du Bronx pour venir mesurer ses compétences à celles des hommes et des garçons. Âgée de seize ans et mesurant 1,75 m, Natasha s'est lancée dans la mêlée. « Elle est restée collée à son adversaire alors que celui-ci tentait de changer de direction et de dribbler jusqu'au panier », a déclaré Chris Ballard, un journaliste qui passait par là. « Allongeant le bras, elle lui a retiré le ballon alors qu'il filait en direction du panier. Elle s'est retournée, a fait cinq dribbles et a foncé vers le panier pour un lancer. Sa prestation lui a valu des cris et des sifflements d'appréciation des badauds qui n'étaient pas habitués de voir une femme se défendre sur le bitume, encore moins à cet endroit précis, le plus réputé de Manhattan pour le basket-ball improvisé.

Que les gars « jouent avec elle comme si elle était un des leurs » est le plus grand compliment que puisse recevoir une athlète féminine, a dit Natasha à Chris Ballard. Ce n'est pas parce qu'elle veut jouer comme un gars, mais parce qu'elle veut améliorer son jeu. « C'est en venant ici que je m'améliore, dit-elle. Alors, si un gars ne veut pas jouer fort avec moi, je préfère ne pas jouer du tout. »

Les attitudes des femmes changent lorsqu'elles cherchent à exceller sur le plan sportif. L'allemande Nicola Thost représente une nouvelle race de planchistes féminines qui sont en train de devenir « plus impressionnantes » que jamais. À dix-neuf ans, elle a remporté la médaille d'or aux Jeux olympiques de Nagano en 1998. Elle a des mouvements tellement extrêmes que les spectateurs la prennent souvent pour un garçon. « C'est un réel plaisir de voir d'autres filles s'améliorer autant, comme Shannon Dunn avec un 720 et de nombreuses autres filles qui font des pirouettes précises et nettes, dit-elle. Nous devons constamment repousser les limites. »

Il s'agit simplement de comprendre les défis particuliers que pose n'importe quel sport. En planche à neige, il est important d'atteindre la hauteur voulue. Il faut être forte, mais la force n'est pas le seul facteur en jeu. Comme le dit Nicola, certains des garçons qui font de la planche à neige sont « tellement petits et tellement musclés qu'on voit bien que le secret est dans la technique. »

La technique et la bonne attitude. « Il faut bien se mettre dans la tête qu'on peut y arriver. » Nicola affirme ne pas avoir le moindre « sentiment de crainte ». La peur n'y est pour rien dans son cas. « Je prends simplement de la vitesse, je ne vérifie pas ma vitesse et je vois jusqu'où je peux monter. C'est vraiment merveilleux de risquer le tout pour le tout. Si vous pensez "Oh mon Dieu, il ne faudrait pas que je tombe, je pourrais me faire mal," il est déjà trop tard. »

Surmonter la peur de tomber est un défi pour la femme d'aujourd'hui, tout comme surmonter la « peur de prendre son envol » — la peur du risque et de l'aventure — l'était pour les femmes surprotégées de la génération d'Erica Jong. Grand succès de librairie dans les années soixante-dix, son livre intitulé *Le complexe d'Icare* glorifiait la prise de risques *émotionnels* et l'aventure sexuelle pour les femmes. De nos jours, les femmes se rendent compte que c'est la peur de prendre des risques *physiques* qui les entrave. Elles veulent le courage d'aller jusqu'au bout, d'aspirer à des horizons qu'elles croyaient inaccessibles pour elles. Les prouesses des athlètes féminines de haut niveau en sont un bon exemple. Ce sont des femmes qui commencent avec des compétences ordinaires, mais qui ne cessent jamais de se pousser. Sans même le faire volontairement, elles remettent ainsi en question le concept de la supériorité physique des hommes.

Aller jusqu'au bout

« En 1967, les gens pensaient que les femmes étaient incapables de courir sur de longues distances. Ce n'était pas « féminin », dit Katherine Switzer, celle qui a pavé la voie aux succès phénoménaux des femmes dans les courses de fond. Cette année-là, un organisateur outré avait tenté de retirer Mme Switzer du marathon de Boston, jusque-là réservé aux hommes. Elle avait réussi à l'esquiver et à devenir la première femme à terminer la course. Son exploit a fait les manchettes et non seulement la collégienne de vingt ans est-elle passée à l'histoire, mais la course féminine a pris son envol. C'est d'ailleurs Katherine Switzer qui a réussi à imposer la course de fond pour femmes jusqu'aux Jeux olympiques. En 1974, elle a gagné la division féminine du marathon de New York et elle a organisé une série de courses internationales qui ont mené à la présentation du premier marathon olympique féminin aux Jeux d'été de 1984. Aujourd'hui dans la cinquantaine, Mme Switzer fait la promotion de la course auprès de femmes de tous les âges en prêtant son appui aux courses Avon. Elle s'inspire de sa propre mère, Ruth Rothfarb, qui a commencé à faire de la marche à l'âge de soixante-douze ans pour se remettre d'une chirurgie cardiaque et qui a couru son premier marathon à l'âge de quatre-vingt-un ans.

C'est en natation que les athlètes féminines ont accompli certains des progrès les plus remarquables. Dans les marathons et les courses de fond en eau froide, les femmes nagent habituellement mieux que les hommes. En 1995, la championne australienne Shelley Taylor-Smith a établi le record pour les deux sexes en faisant le tour de l'île de Manhattan à la nage en 5 heures, 45 minutes et 26 secondes. Elle a répété son exploit en 1998 en reprenant la tête après avoir été devancée d'un demi-mille par deux nageurs masculins. « C'est ce que j'appelle "rattraper les garçons" », a-t-elle déclaré.

Seana Hogan a récemment parcouru à bicyclette les 640 km séparant San Francisco de Los Angeles en 19 heures et 49 minutes, fracassant l'ancien record masculin par près d'une heure. Le record mondial de distance pour une course de 24 heures (175,2 km), que détient Helen Klein, dépasse la plus longue distance réalisée par tout mâle américain dans sa catégorie d'âge, les 65 à 69 ans.

Le phénomène des athlètes féminines plus âgées est un autre facteur fascinant qui contribue à fracasser le mythe de la fragilité. Si les femmes continuent à s'entraîner, elles peuvent conserver leur capacité d'endurance jusqu'à un âge avancé. Je pense à une femme en particulier qui attend avec impatience chaque année la chance de participer aux courses de l'Avon Running Global Women's Circuit. J'ai entendu parler d'elle pour la première fois au cours de l'été 1998, alors qu'elle s'entraînait pour le 10 kilomètres de Hartford au Connecticut. Elle avait quatre-vingt-trois ans. Elle avait commencé à courir une quinzaine d'années plus tôt, à l'âge de soixante-cinq ans. « J'ai perdu 10 kg quand j'ai commencé et je ne les ai jamais repris », dit Mme Hanes, qui joue aussi au tennis et au basket-ball et s'exerce au lancer du javelot. « Une fois qu'on a commencé, on est étonné de ce qu'on peut accomplir. »

Aujourd'hui, les résultats de nombreuses études médicales encouragent la femme qui veut bouger, peu importe son âge. Une étude publiée dans le *New England Journal of Medicine* a montré qu'une promenade de 3 kilomètres par jour réduit de près de la moitié les risques de mortalité des sexagénaires, septuagénaires et octogénaires. Une étude réalisée à la faculté de médecine de l'université Harvard en 1995 a indiqué pour sa part une diminution de 40 % des risques de crise de cardiaque chez les femmes qui font de l'exercice.

À l'autre extrémité du spectre d'âge, les fillettes qui jouent au football sont tout aussi étonnantes que les marathoniennes octogénaires. Les filles ont commencé à jouer au football à la fin des années quatre-vingt et, dès le début des années quatre-vingt-dix, elles avaient progressé au football *tackle*, portant le même équipement de protection et les mêmes casques que les garçons de leur âge et jouant dans les équipes scolaires avec et contre ceux-ci. Au tournant du siècle, une élève de sixième année de la Nouvelle-Orléans qui jouait au football tackle depuis cinq ans est devenue la première fille à faire partie de l'équipe des étoiles de sa paroisse. Son entraîneur affirme qu'elle est l'un des meilleurs joueurs offensifs qu'il ait rencontrés au cours de sa carrière.

Et ce n'est pas seulement pour la forme. Quatre filles font partie de l'équipe de football de l'école secondaire Lincoln de Los Angeles. À l'automne 1999, l'une d'entre elles a été finaliste au concours de reine de beauté de l'école. « Le monde tel que nous le connaissions a changé pour toujours », pouvait-on lire dans un article du magazine *Time* sur son double exploit. Selon les National Federation of State High Schools Associations, en 1998, 708 filles jouaient au football dans l'équipe de leur école.

Des démarches ont été entreprises pour lancer une ligue professionnelle de football tackle féminin. En 1999, les Sharks de New York ont joué une partie amicale contre les Vixens du Minnesota. « C'est la réalisation d'un rêve pour nous toutes, a déclaré Lyn Lewis, une avocate qui joue à l'offensive pour les Sharks. « J'ai grandi en jouant au football avec les garçons. Puis, arrivée à un certain âge, les filles ne pouvaient plus faire partie d'aucune équipe organisée... De tous les sports importants, c'est le dernier où les femmes ont été admises sur le terrain. »

Il n'y a plus aucun doute que les femmes vont maintenant jusqu'au bout. L'équipe féminine de hockey des États-Unis a fait ses débuts olympiques en 1998 et elle a remporté la médaille d'or ! « C'était de vraies guerrières, des compétitrices féroces qui étaient venues pour gagner et pas seulement pour jouer, a-t-on pu lire dans une description de l'équipe féminine de hockey sur glace parue dans le *New York Times*. Les répercussions sociales de cette victoire n'ont pas échappé au monde du sport. Comme l'a déclaré l'entraîneuse de l'équipe Tara Mounsey : « Ceci sonne une fois pour toutes le glas de la différence artificielle entre les sports masculins et les sports féminins. »

Il semble que personne n'ait vu venir les changements radicaux que devait entraîner le titre IX. Qui aurait pensé que les filles réussiraient non seulement à rattraper les garçons, mais à les surpasser dans certains sports et qu'elles envahiraient les gymnases et les stades ; qu'elles participeraient à des compétitions et pratiqueraient les sports les plus exigeants et les plus agressifs ; qu'à la fin du siècle, elles joueraient au football, au hockey sur glace et au rugby et commenceraient à le faire de plus en plus jeunes ; et que mêmes les fillettes de la maternelle feraient l'apprentissage de sports de contact, comme le hockey sur glace, encouragées par leur père et leurs frères.

À la fin du XXe siècle, l'engouement pour la compétition, les sports d'équipe et les prouesses individuelles était devenu contagieux. Deux millions de jeunes filles jouaient au soccer et 16 millions de femmes jouaient au soft-ball. Les percées des jeunes filles ont eu des répercussions sur la vie des femmes plus âgées, comme leurs mères, leurs tantes et leurs grands-mères. À mesure que grimpaient les cotes d'écoute des sports féminins à la télévision, les autres femmes ont emboîté le pas, comme si le sifflet annonçant le début de la partie avait retenti pour elles aussi. Soudainement, semble-t-il, des femmes de soixante et de soixante-dix ans faisaient du patin à roues alignées ; des jeunes filles faisaient de l'escalade et des expéditions dans la nature sauvage. Les adolescentes et même les préadolescentes excellaient aux sports « extrêmes » : patinage de vitesse, planche à neige, planche à roulettes. Les fillettes et les femmes de tous âges découvraient qu'elles n'avaient plus besoin de se retenir.

Ce n'est que maintenant, après être entrées dans un nouveau millénaire, que nous comprenons enfin la vérité : les femmes n'ont plus besoin de se restreindre physiquement parce qu'elles sont mères. Non seulement peuvent-elles supporter les rigueurs des sports d'élite, mais elles réussissent même à élever leurs enfants tout en le faisant. Trente-trois des membres de la WNBA ont des enfants ; un grand nombre d'entre elles emmènent enfants, nounous et grands-mères en tournée à travers le monde. Elles ont d'ailleurs été bouleversées, au printemps de 1999, lorsque Pamela McGee, qui jouaient la saison précédente pour les Sparks de Los Angeles, a perdu la garde de sa fille de trois ans, son ex-mari ayant déclaré qu'elle avait manqué plusieurs de ses visites avec son enfant. En cour, l'avocat du mari a allégué que la carrière de basket-ball de Mme McGee lui faisait négliger ses responsabilités parentales. Forcée de choisir entre son enfant et sa carrière, Mme McGee a pris sa retraite. « Être une professionnelle, une vedette qui gagne bien sa vie, c'est déjà difficile dans une relation, dit-elle. Ajoutez à cela les voyages, et beaucoup de gens ne tiennent pas le coup. »

Heureusement, ce ne sont pas tous les maris qui répriment les ambitions sportives de leur épouse. Suzie McConnell Serio avait quatre enfants âgés de un à sept ans quand elle a décidé de revenir à la compétition sportive, qu'elle avait abandonnée six ans auparavant. Gagnante d'une médaille d'or en 1988, elle avait pris sa retraite pour élever ses enfants. C'est son mari, Peter, qui lui a déclaré en 1997 en regardant avec elle un match de basket-ball télévisé dans leur maison de Pittsburgh : « Tu es aussi bonne qu'elles. » Elle allaitait alors son quatrième bébé. « Tu devrais penser à jouer l'an prochain. »

Dix mois plus tard, elle était de retour au sein de la WNBA dans l'équipe des Rockers de Cleveland. Elle s'amusait et elle était très enthousiaste, car elle ne s'était pas rendu compte à quel point le sport lui avait manqué. En août 1998, elle a été nommée joueuse de la semaine de la WNBA pour avoir joué 36 minutes au cours d'une même partie, faisant cinq lancers et devenant ainsi la joueuse la plus utile à son équipe. Son mari, qui entraîne des jeunes filles du secondaire, n'était pas peu fier. Il considère sa femme comme un leader.

Les joueuses de la WNBA sont rarement en déplacement plus de quelques jours à la fois. Celles qui ont des enfants peuvent donc concilier leur rôle de mères et leur rôle d'athlètes. La situation est très différente pour les joueuses de soccer. Joy Fawcett et Carla Overbeck sont en tournée pratiquement six mois par année, à l'exception d'une semaine par mois pendant laquelle elles se préparent pour la Coupe du Monde. Leurs enfants les suivent. « Allaiter pendant la pause entre les deux demies ou sur le bord du terrain peut être intéressant, a dit Mme Fawcett à un journaliste. C'est comme si je disais : "De retour dans une minute". »

Mme Fawcett a deux filles de trois et six ans, Katey et Carli. Quand Carli est née en 1997, Joy Fawcett était entraîneuse de l'équipe de soccer de UCLA. Il lui fallait deux heures dans chaque direction pour se déplacer entre l'université et sa maison de Orange County, en Californie. De plus, elle entraînait une équipe de jeunes et jouait dans l'équipe nationale. À trente-deux ans, Carla Overbeck montait à la course les escaliers du stade pendant son neuvième mois de grossesse pour garder la forme. Elle a soulevé des poids le jour même de la naissance de son fils Jackson, aujourd'hui âgé de trois ans.

L'équipe de ces femmes voyage avec beaucoup d'équipement, des sièges pour enfants aux poussettes et aux sacs de couches. Elles ont des nounous qui sont payées 750 $ par semaine par la fédération de soccer des États-Unis ! Mais les joueuses de soccer qui voyagent avec leurs enfants demeurent l'exception. Les Japonaises en visite aux États-Unis pour une partie préparatoire à la Coupe du Monde semblaient « mélancoliques » en constatant que Mmes Fawcett et Overbeck pouvaient poursuivre leur carrière après avoir eu des enfants. Selon une Américaine qui a joué dans une équipe professionnelle au Japon pendant des années, les Japonaises doivent renoncer au sport lorsqu'elles se marient. « Voir nos joueuses réussir à concilier la maternité et le sport leur donne l'espoir qu'elles aussi pourraient le faire. »

Greg Overbeck, qui reste à la maison à Chapel Hill en Caroline du Nord, essaie de voir son fils tous les 15 jours. « C'est dur, mais je comprends pourquoi nous le faisons et j'appuie complètement Carla, dit-il. Je suis impressionné par tout le chemin que les femmes ont parcouru. Avant la Coupe du Monde de 1991, elles n'étaient pas payées et ne bénéficiaient d'aucune assurance, d'aucune publicité et d'aucun commanditaire. Elles n'arrivaient même pas à gagner leur vie, si bien que Carla travaillait dans une école primaire. » Greg Overbeck y voit une victoire physique, émotionnelle et professionnelle pour sa femme, ses co-équipières et toutes les femmes. Pour lui, ces femmes sont des héroïnes : « Elles ont sacrifié leurs relations et leur carrière, elles ont tout mis de côté et elles se sont rendues au sommet... C'est vraiment merveilleux pour les femmes. »

« Au début, je me demandais si ce genre de vie était bon pour les enfants », dit Mme Fawcett. Elle a parlé à d'autres mères dont les enfants mangent et dorment à heures fixes. « Mes enfants mangent quand ils le peuvent, ils dorment dans leur poussette, mais ils s'adaptent facilement. Rien ne semble les déranger. Je pense que c'est bon. Ils voient le monde et moi je peux jouer au soccer. »

L'histoire de la vie personnelle des mères qui participent à la Coupe du Monde, qu'elles aient un mari et des enfants ou qu'elles vivent la situation plus difficile d'être monoparentales, m'a fait réfléchir : je ne pensais jamais que je verrais une telle chose de mon vivant. J'ai été transportée de joie en voyant jouer ces femmes dégagées, libres et belles lors de la finale contre la Chine. Mais, connaissant leurs histoires personnelles, leur lutte pour arriver à jouer, pour obtenir l'appui de leur mari, de leur famille et des autorités qui détiennent les cordons de la bourse, et tout cela en voyageant des milliers de kilomètres par année et en séjournant dans des motels avec leurs enfants, j'étais encore bien plus impressionnée. Cela m'a émue jusqu'aux larmes.

L'indépendance que les femmes obtiennent aujourd'hui n'est pas une libération *de* quelque chose, mais la liberté *d'être*; la liberté de soulever des poids, de courir pendant des kilomètres, et de se défendre contre la discrimination et les agressions sexuelles. C'était le chaînon manquant dans l'émancipation des femmes. Elles peuvent maintenant montrer leur véritable stature physique, bomber le torse et affronter le monde.

Chapitre 7

L'égalité physique : le stade final

La peur d'une sexualité « mature » était autrefois considérée comme une maladie féminine, un moyen de défense enfantin contre les exigences de l'âge adulte. Freud et ses disciples ont décrété que les désagréments dont parlaient de nombreuses patientes étaient en grande partie imaginaires, qu'il s'agissait de vues de l'esprit qui hantaient les femmes apeurées cataloguées comme « hystériques ». Cette étiquette a été abandonnée depuis longtemps, sauf par les Freudiens les plus rétrogrades. En fait, c'est la réalité effrayante qui a toujours perturbé les femmes, aujourd'hui comme à l'époque de Freud. Cependant, la société continue à nier à la fois la peur qui habite les femmes et ses causes. Or, un petit groupe influent qui se qualifie de « féministes du pouvoir » exprime maintenant ce déni avec beaucoup de virulence.

Dans son ouvrage controversé intitulé *The Morning After*, Katie Roiphe soulève de nombreuses questions, dont une qui est particulièrement notoire : « Si 25 % de mes amies se faisaient violer, est-ce que je le saurais ? » La jeune auteur fait un réquisitoire passionné contre la victimisation malsaine des femmes et, ce faisant, elle ne peut s'empêcher de dénoncer ce qui est devenu une « culture du viol », une culture que d'autres féministes (les soi-disant féministes victimes) définissent comme une culture où la violence sexuelle et la peur de la violence sexuelle sont considérées comme normales. Mme Roiphe s'inquiétait des conséquences qu'il y a à infantiliser les femmes, à les faire paraître plus faibles qu'elles ne le sont, mais son argumentation se fait aux dépens des femmes et de la réalité : elle a jeté le bébé avec l'eau du bain. Du haut de son statut privilégié d'étudiante de deuxième cycle à Princeton, où elle dit « craindre davantage les oies sauvages que les violeurs en traversant le terrain de golf pour se rendre au collège », la position de Mme Roiphe est d'une naïveté ahurissante.

Mais elle n'est pas nouvelle. Betty Friedan disait la même chose au début des années quatre-vingt lorsqu'elle a écrit : « Être obsédée par le viol et même offrir des sparadraps aux victimes équivaut à se complaire dans un état de victime, dans une rage impuissante et une stérile polarisation ». Friedan réagissait au traité sur la fréquence et les effets destructeurs du viol intitulé *Against Our Will* (Contre notre gré), publié en 1975 par Susan Brownmiller. Très choquant pour l'époque, cet ouvrage a fait sortir le viol de l'ombre. Il a rassuré les femmes, du moins sur le plan psychologique, en démontrant de manière très convaincante que le viol n'est pas un phénomène personnel, mais un phénomène politique. Il ne s'agit pas du sexe en soi ou des femmes elles-mêmes, mais du désir qu'ont les hommes de les contrôler en les intimidant physiquement. C'était une théorie qui a détruit toute prétention voulant que les femmes soient en quelque sorte personnellement responsables d'avoir été choisies comme victimes de ce crime. C'est ce que les femmes voulaient entendre et l'ouvrage bien documenté de Mme Brownmiller a connu un énorme succès en librairie.

Une vingtaine d'années plus tard, Mme Roiphe, enragée par l'attitude de mauviette des étudiantes de sa ville universitaire, est montée dans le train de Betty Friedan : « Quand on pense à toutes les choses dont on peut avoir peur, craindre de marcher tard le soir dans les rues de Princeton au New Jersey n'apparaît pas l'une des plus grandes injustices divines». *The Morning After* était un retour en arrière réactionnaire au culte de l'invalidité du siècle dernier, époque où les médecins se plaisaient à présenter les femmes comme des êtres faibles, tout en leur refusant toute empathie lorsqu'elles se plaignaient d'agressions sexuelles. Des auteurs comme Betty Friedan et Katie Roiphe se dissocient des souffrances des femmes traumatisées et suggèrent qu'il pourrait en être autrement, si seulement les femmes se prenaient en main et cessaient de parler de ce qui leur est arrivé. C'est une sorte de double agression, pas très différente du blâme subtil qu'essuient les cancéreux et dont Susan Sontag a été la première à parler dans *Illness as Metaphor*. Dans le cas des féministes, l'argumentation tordue consiste à dire que les femmes qui crient au viol donnent mauvaise réputation aux *autres* femmes, autrement dit qu'elles ne sont pas bonnes pour le féminisme.

Les féministes du pouvoir acquièrent un pouvoir creux en critiquant leurs sœurs qui ont moins de chance qu'elles. Katie Roiphe a ridiculisé les efforts que font les femmes pour surmonter les affres du viol, leurs marches de solidarité et leurs manifestations pour se réapproprier la nuit, lesquelles attiraient de grandes foules sur les campus universitaires partout aux États-Unis dans les années quatre-vingt et quatre-vingt-dix. «On peut obtenir un certain pouvoir en déclarant son état de victime et d'opprimée, a écrit Mme Roiphe. On acquiert une certaine force à être en grand nombre. En ce moment, malheureusement, être la plus opprimée peut conférer une certaine force. Les étudiantes veulent toutes prendre le micro pour avoir leur moment de gloire.»

Pourquoi «malheureusement» ? Pourquoi les femmes qui ont été violées ne chercheraient-elles pas de soutien dans leur collectivité ? Pourquoi ne tenteraient-elles pas d'exercer une certaine maîtrise sur leur vie en déclarant publiquement que le viol existe et qu'il est fréquent ? À cette époque, c'était la seule façon qu'avaient les femmes de se retrouver elles-mêmes après avoir subi une agression sexuelle. Même les thérapeutes ne savaient pas comment traiter les victimes de viol. Aujourd'hui, un nouveau mouvement d'autodéfense enseigne aux femmes que savoir se défendre est non seulement le meilleur moyen de se protéger contre les attaques, mais aussi une façon de surmonter les séquelles une fois qu'elles ont subi une agression.

Apprendre à nous défendre n'est pas une mesure extrême, au contraire ; c'est une mesure cruciale dans un monde où les différences de pouvoir sont liées aux différences de force. La préoccupation des féministes de pouvoir quant à la victimisation des femmes a au moins un aspect constructif. Les femmes doivent sortir du cloître de la féminité et développer leur force physique, du moins celles qui veulent pouvoir marcher la nuit dans les rues de Princeton ou de toute autre ville universitaire. Elles doivent apprendre à se battre offensivement (et un grand nombre le fait) ou elles doivent apprendre comment repousser leurs assaillants en projetant leur énergie, comme l'enseignent les arts martiaux. Au fond, elles doivent développer leur force comme le font les hommes et, comme le font les hommes plus chétifs qui veulent pouvoir se défendre contre les gros costauds, elles peuvent apprendre des techniques de défense compensatoires. Il y a plusieurs siècles, certaines femmes pratiquaient les arts martiaux avec grand talent mais, comme dans les sports, il y a eu une tentative systématique de garder les femmes modernes *sans* défense et physiquement menacées. Aujourd'hui, même les fillettes commencent à comprendre qu'en apprenant à se protéger elles peuvent modifier leur attitude envers la culture du viol. Cette connaissance peut leur procurer du pouvoir et faire diminuer leur peur du monde qui les entoure.

Les agressions physiques : garder les femmes soumises

Un tiers des femmes interrogées dans divers centres urbains des États-Unis ont déclaré que ce dont elles avaient le plus peur était d'être blessées et, plus particulièrement, d'être violées. Les femmes de moins de trente-cinq ans craignent davantage d'être violées qu'assassinées, attaquées ou volées. Plus de la moitié des femmes réagissent à cette peur en s'isolant ; nombreuses sont celles qui ont avoué rester à la maison le soir et éviter de rendre visite à des amis ou de sortir dans des endroits publics. Ces données suggèrent que les femmes vivent dans une ambiance menaçante caractéristique de leur sexe, un « fardeau particulier que ne partagent pas les hommes », dit un chercheur. Selon un rapport de l'American Psychological Association, environ une femme sur quatre sera victime d'une agression sexuelle au cours de sa vie. C. Everett Koop, ancien chirurgien général des États-Unis, a déclaré que la violence familiale était le principal problème de santé des femmes américaines, causant plus de blessures que les accidents de voiture, les agressions et les viols combinés.

Parlez à des femmes de nos jours et vous entendrez des histoires incroyables, les leurs ou celles de femmes qu'elles connaissent ; des histoires de femmes qui courent dans des ruelles, par-dessus des dunes ou dans les escaliers des dortoirs universitaires. Des histoires d'armes et de menaces. Les pires cas font les manchettes des journaux. Certaines d'entre nous, confortablement installées sur le canapé en pyjama devant la télé, sont incapables de s'identifier à ces femmes en raison de l'état extrême dans lequel elles sont trouvées. *Nos* histoires sont vraisemblablement plus anodines, les ecchymoses moins visibles, les résultats moins publics. *Nos* histoires risquent d'être recouvertes par des années de répression.

Je n'ai commencé à me souvenir de choses qui me sont arrivées que beaucoup plus tard dans ma vie : le professeur de piano qui tournait autour de moi quand j'avais onze ans, me soufflait dans le cou et s'asseyait trop près de moi sur le banc de piano ou l'étudiant de théologie qui a tenté de me violer dans le dortoir d'un séminaire de New York ou, encore, un autre étudiant qui m'enfonçait constamment la tête sous l'eau lors d'une fête à la plage et qui, en me raccompagnant, faisait semblant de me pousser hors d'une décapotable qui roulait à fond de train. Je ne savais pas s'il en avait vraiment l'intention ou s'il voulait simplement me faire peur. Cela n'a aucune importance puisque, de toute façon, j'étais terrifiée et totalement impuissante. Pourquoi ces souvenirs avaient-ils mis tant de temps à refaire surface ? Je n'avais pas vraiment oublié ces incidents, mais j'avais décidé de ne pas leur accorder d'importance, de sorte que les détails, les « images » et la terreur extrême que j'avais ressentie s'étaient fondus en un tout tolérable.

Les femmes vivent avec la peur au ventre et, quand un incident se produit, elles sont souvent tenues responsables de leur malheur, même par d'autres femmes. « Cette femme *aurait dû* le savoir, a déclaré une enseignante que j'interviewais au sujet d'une connaissance qui avait été attaquée quelques années plus tôt. Elle était journaliste et avait voyagé partout dans le monde. Mais cette fois-là elle n'avait pas été prudente. Elle avait commandé quelque chose du service aux chambres et quand on a frappé à sa porte elle a ouvert sans vérifier qui était là… »

La journaliste avait été violée et son visage balafré par un homme qui n'a jamais été retrouvé. La femme qui me racontait cette histoire semblait presque en colère et pas contre l'agresseur.

« Séjourne-t-elle toujours seule dans des hôtels ? » ai-je demandé.

« Oui, a dit la femme. Je suis certaine que oui. C'est une dure. »

Une dure qui aurait dû être plus prudente. Une dure qui ne peut pas s'accorder une seule minute de répit et présumer que la personne qui frappe à sa porte dix minutes après avoir passé une commande au service aux chambres est bien le serveur qu'elle attend. Non, nous devons constamment vivre sur nos gardes et, en vieillissant, nous finissons par ne plus remettre cet état de fait en question. Nous apprenons à nous accommoder de la violence en nous disant qu'il n'y a rien d'autre à faire. Nous tentons d'oublier car y penser n'accomplit rien sinon nous rendre plus anxieuses. Nous tentons d'être adultes, d'accepter, d'être au-dessus de tout ça, de faire comme si de rien n'était.

Mais les souvenirs finissent par revenir nous hanter. Au fil des ans, combien de fois ai-je entendu des amies évoquer à ma grande surprise « la fois où j'ai été violée » ou « la fois où mon mari m'a frappée ». Je leur demandais de me raconter ce qui s'était passé et elles le faisaient, le visage douloureux. Certaines n'en avaient parlé qu'à une sœur ou à leur meilleure amie. D'autres n'en avaient soufflé mot à personne, pas même à leur thérapeute. Certaines pensaient que les gens s'en ficheraient ou que l'événement n'avait ni plus ni moins d'importance que les autres désagréments de la vie. D'autres encore se sentaient concernées à certains égards, donc coupables. Certaines pleuraient.

Évidemment, ces conversations n'ont aucune valeur statistique, mais les statistiques abondent. Selon une récente étude nationale, 18 % des participantes ont affirmé avoir été violées ou avoir subi une tentative de viol. Plus de 60 % des victimes de viol ne le rapportent jamais. Les jeunes sont plus susceptibles d'être ciblées par les agresseurs sexuels. Une étude aléatoire portant sur 930 femmes a permis d'établir que 12 % d'entre elles avaient été agressées sexuellement par un membre de leur famille et que 25 % avaient subi des abus de la part d'une personne étrangère à leur famille, et cela *avant l'âge de dix-sept ans* !

Au secondaire, une élève sur quatre a subi une agression physique ou sexuelle. Une sur trois a des pensées suicidaires. Un grand nombre de filles souffrent de stress post-traumatique. Et ce phénomène pourrait ne pas être nouveau. Freud a été le premier à noter le repliement émotionnel des filles lorsqu'elles arrivent à l'adolescence. En effet, il a évoqué en 1905 « la nouvelle vague de répression » dont les filles semblent atteintes après la puberté ». Les psychanalystes réputées Karen Horney dans les années vingt et Helen Deutsch et Clara Thompson dans les années quarante ont fait des commentaires similaires. Toutes ces femmes ont évoqué l'étonnante « régression » qui survient à l'adolescence chez des jeunes filles qui semblaient auparavant fortes et en santé. Mais c'est seulement dans les années quatre-vingt-dix que les chercheurs ont commencé à faire le lien entre l'abus sexuel des filles et des femmes et une maladie, le syndrome de stress post-traumatique, qui cause cette régression émotionnelle. On commence à publier des études montrant que les filles qui ont subi des abus manifestent les symptômes classiques du syndrome de stress post-traumatique : la rage, les comportements autodestructeurs comme la mutilation, les cauchemars, les tremblements et les souvenirs d'événements traumatiques que les thérapeutes décrivent comme « intrusifs » parce qu'ils sont trop frappants et totalement incontrôlables.

Debora Miranda, qui avait sept ans quand le petit ami de sa mère a commencé à la violer, se souvient du vieux verger près de la grange et de ce qu'il s'y passait. « À sept ans, je n'avais pas de mots pour décrire la douleur dans mon vagin, la main qui me serrait la gorge et le souffle irrégulier d'un homme près de mon oreille, a-t-elle écrit. Je hais le fait qu'il soit encore en moi, que des cellules de mon cerveau gardent son image. Certaines personnes oublient avoir été molestées, mais, moi, j'en suis incapable. »

Une grande partie des recherches effectuées par les théoriciens du développement ne tient pas compte du cadre extrêmement violent et traumatique dans lequel vivent les filles. Les ramifications des sévices que subit leur corps et qui restent subséquemment gravés dans leur cerveau, n'ont pas encore été complètement comprises. Quand un groupe d'athlètes masculins du secondaire se réunit pour violer des fillettes dont certaines n'ont pas plus de dix ans et traitent ensuite leurs victimes de putains, détruisant du même coup leur réputation, les forçant à changer d'école, personne ne peut nier qu'il s'agit d'événements traumatiques.

Mais il existe aussi dans la vie des filles des formes d'abus plus insidieuses. Inquiets du nombre croissant de jeunes filles qui endurent des abus de la part de leurs petits amis, les spécialistes estiment que celles qui grandissent dans un milieu traditionnel où l'homme domine et les femmes se soumettent sont particulièrement vulnérables. Même si elles n'ont pas été témoins d'abus dans leur propre famille, les jeunes filles peuvent avoir de la difficulté à reconnaître les abus dans leurs relations. La culture de la peur devient de plus en plus étouffante à mesure qu'elles vieillissent. Quand elles arrivent à l'université, certaines voient leurs amies se faire tuer par leur petit ami ou une connaissance ou subissent elles-mêmes des abus, comme des gifles ou des agressions plus graves. C'est le cas d'une collégienne sur cinq.

La culture du viol par une connaissance rend les jeunes filles craintives non seulement sur le campus, mais à bicyclette ou en faisant du jogging, dans les endroits publics ou même à la maison.

La « nécessité » pour les femmes de restreindre leur vie est considérée comme une réaction rationnelle à la condition féminine. Cela devient un mode de vie. « Je connais des jeunes filles qui, sans être timides, ne trouvent aucun plaisir à se promener seules dans Paris, écrivait Simone de Beauvoir. Comme elles sont sans cesse importunées, elles doivent toujours être sur leurs gardes. » On conseille aux femmes et aux jeunes filles de ne pas sortir le soir, de ne pas traverser un campus sans être accompagnées d'un garde de sécurité, de toujours avoir sur elle du poivre en aérosol, d'utiliser un sifflet et ainsi de suite. Est-ce une vie ? Les femmes sont conditionnées à se réprimer pour leur propre sécurité de la même manière qu'on conditionne les chiens à se tenir éloignés d'une clôture électrifiée.

La constriction est un symptôme médical d'un état psychologique, un état de frayeur causé par un traumatisme. Il s'agit d'un réflexe pavlovien, une réponse conditionnée à une menace environnementale. Tous s'entendent sur la sagesse pour les femmes de vivre leur vie de cette manière. On considère qu'il s'agit là d'une attitude normale et féminine, une attitude qui fait preuve d'une sensibilité empreinte de modestie voulant qu'une femme ne mène pas une vie trop publique ou ne se donne pas en spectacle. Nous apprenons que la constriction est non seulement la voie de la sécurité, mais un comportement mature, adulte et rationnel – pour les personnes de sexe féminin. Mais on vient seulement de découvrir que le traumatisme et des effets psychologiques, comme la constriction, deviennent programmés dans le cerveau. Comme nous le verrons, ce phénomène se produit chez toutes les femmes, pas seulement chez celles qui ont subi des abus graves.

Les traumatismes : le petit détour de Freud

Vers la fin des années 1800, l'omniprésence des abus dont les femmes étaient victimes est demeurée un énorme secret social même après que la médecine ait commencé à traiter ce qu'on croyait être de mystérieux troubles féminins. Les femmes se présentaient chez le médecin se plaignant de certains problèmes physiologiques : un engourdissement des sensations, une tendance à perdre le contact avec la réalité ou à connaître de brefs états de transe, des troubles du sommeil et, dans des cas plus rares, des problèmes de mutisme. Les gens fortunés cherchaient de l'aide auprès d'éminents médecins comme Sigmund Freud. Les pauvres allaient frapper aux portes de la clinique de l'hôpital de la Salpêtrière, un immense complexe hospitalier pour les plus démunis de Paris. Là-bas, Jean-Martin Charcot, un célèbre neurologue, découvrait chez des prostituées, des mendiantes et d'autres femmes abandonnées qu'il traitait un ensemble de symptômes auquel il a donné le nom « d'hystérie », d'après le mot latin pour utérus. Charcot était célèbre pour ses conférences-démonstrations au cours desquelles des assistants malmenaient ces femmes, qui sombraient alors dans des états de transe pour se protéger, tout en appelant leur mère. Des personnes de toutes les disciplines y assistaient, car cette mystérieuse maladie avait fasciné l'imaginaire du public. Charcot lui-même s'intéressait surtout aux symptômes comme preuves de dommages neurologiques : paralysie motrice, pertes sensorielles, convulsions et amnésie, mais il ne les reliait pas à des expériences dans la vie de ses patientes. Malgré cela, ses travaux étaient importants. Freud a dit de Charcot qu'il avait « mis tout le poids de son autorité du côté de l'authenticité et de l'objectivité du phénomène de l'hystérie ». Jusqu'à ce moment-là, on considérait les femmes qui disaient éprouver de mystérieux symptômes physiques comme des simulatrices. Les travaux de Charcot ont donné de la crédibilité à la prétendue hystérie. « Petit à petit, les gens ont laissé tomber le sourire méprisant avec lequel les patientes de l'époque étaient certaines d'être accueillies », a écrit Freud.

À la fin des années 1800 et au début des années 1900 à Vienne, Freud entendait ses patientes lui raconter des histoires épouvantables – des histoires d'agressions sexuelles, d'abus et d'inceste infantile. Ces femmes manifestaient le même genre de symptômes que les patientes du Dr Charcot. Au bout de dix ans, le psychologue Pierre Janet, en France, et Freud et son collaborateur Josef Breuer, à Vienne, sont arrivés indépendamment à des conclusions très semblables : l'hystérie était une affection causée par un traumatisme psychologique résultant d'un abus physique. En outre, cette affection ne frappait pas seulement les femmes pauvres et démunies, comme les patientes du Dr Charcot. Freud voulait que le monde sache que des expériences traumatisantes pouvaient être la source de difficultés psychologiques chez les personnes « à l'intellect le plus pur, à la volonté la plus inébranlable, au caractère le plus fort et au pouvoir critique le plus élevé ». Bref, les attentats à la pudeur et leurs effets n'étaient pas limités à une classe sociale. Qu'une femme soit riche ou pauvre, qu'elle vienne d'un milieu urbain ou rural, qu'elle soit instruite ou ignorante, elle pouvait être traumatisée et se retrouver devant la porte du bureau d'un médecin.

À la fin des années 1800, Freud et Breuer avaient clairement démontré que lorsque les patientes parlaient de leurs souvenirs traumatisants et des sentiments intenses qui les accompagnaient, leurs symptômes physiques s'atténuaient. Le traitement que Freud a élaboré pour traiter les femmes traumatisées, qu'il a appelé « psychanalyse », est devenu par la suite le fondement de la psychothérapie moderne. À ce point dans sa carrière, il était convaincu qu'il y avait « au fond de tout cas d'hystérie un ou plusieurs incidents sexuels prématurés, des incidents s'étant déroulés pendant les premières années de l'enfance, et qu'il était possible de les reproduire en psychanalyse, malgré les dizaines d'années pouvant s'être écoulées ». Pour dissiper tout doute, a-t-il écrit dans un document célèbre intitulé *Étiologie de l'hystérie*, je crois qu'il s'agit d'une découverte importante… en neuropathologie. Cet article demeure pertinent de nos jours en raison de ses similarités avec « les descriptions cliniques contemporaines des effets des attentats à la pudeur chez les enfants, note Judith Herman, professeur à la faculté de médecine de l'université Harvard et spécialiste des traumatismes. Il s'agit d'un document brillant, empreint de compassion, extrêmement bien défendu et bien raisonné. »

Cependant, la notion voulant que les femmes puissent souffrir parce qu'elles avaient été victimes d'abus sexuels pendant leur enfance avait quelque chose de répugnant, sinon d'inconcevable pour de nombreux contemporains victoriens de Freud. Moins d'un an après la publication de son célèbre article, Freud répudiait en privé son « importante découverte ». Sa correspondance montre qu'il s'inquiétait des effets que pouvait avoir sur sa réputation ses propos au sujet de l'étendue des abus sexuels dont les femmes et les enfants étaient victimes. « L'hystérie était tellement courante chez les femmes que si les histoires de ses patientes étaient vraies et si ses théories étaient justes, note Judith Herman, il serait forcé de conclure que ce qu'il qualifiait de "gestes pervers envers les enfants" était endémique non pas seulement au sein des prolétaires de Paris, où il avait d'abord étudié l'hystérie (avec le Dr Charcot), mais aussi au sein de la respectable bourgeoisie de Vienne, où il avait ouvert son cabinet. »

Cédant aux pressions sociales, Freud s'est radicalement détourné de son instinct initial qui le portait à croire les femmes lorsqu'elles lui disaient qu'elles avaient été physiquement et sexuellement blessées. Il s'est donc mis à diagnostiquer les histoires des femmes disant avoir été violées comme étant « intra-psychiques », c'est-à-dire de simples manifestations de leur esprit dérangé. Il a formulé une théorie complexe pour expliquer pourquoi leur esprit concoctait de pareils scénarios et s'est mis à parler d'hystérie de « conversion ». Les pauvres névrosées étaient tellement réprimées sexuellement qu'elles ne pouvaient qu'avoir des fantasmes de gratification sexuelle — et qu'elles ne pouvaient se les permettre qu'en s'imaginant être de passives victimes de violence. Transformer leurs désirs sexuels en fantasmes de viol et d'inceste les soulageait d'une culpabilité intolérable, supposait-il. Aussi tordue qu'elle puisse paraître, la notion de « conversion » de Freud allait influencer le traitement des symptômes psychologiques des femmes pendant presque cent ans. Il faudrait que les femmes parcourent une route longue et difficile avant qu'on ne les croie lorsqu'elles disaient avoir été victimes de violences traumatisantes. « Entre 1900 et 1910, écrit Judith Herman dans son ouvrage classique intitulé *Trauma and Recovery,* Freud a conclu, sans jamais fournir la moindre documentation clinique sur de fausses plaintes, que les comptes rendus de ses patientes hystériques concernant les abus sexuels dont elles avaient été victimes pendant leur enfance étaient faux : "J'ai finalement été obligé de reconnaître que ces scènes de séduction n'avaient jamais eu lieu et qu'il ne s'agissait que de fantasmes que mes patientes avaient inventés". »

La sexualité est demeurée le point central des questions que Freud posait à ses patientes, mais le contexte social abusif dans lequel elles devaient souvent se débattre sur le plan sexuel est redevenu « tout à fait invisible » lorsque Freud a décidé de se rétracter. Qu'il est ironique « que la théorie psychologique dominante au cours du siècle suivant ait été fondée sur le déni de la réalité des femmes », poursuit Mme Herman.

Il a fallu attendre que le même ensemble de symptômes soit d'abord reconnu puis identifié comme une maladie légitime chez les hommes pendant les années soixante-dix pour que l'on finisse par comprendre les réactions psychologiques des femmes aux abus physiques. Au XXe siècle, l'histoire des traumatismes physiques est née lorsqu'on a commencé à parler des « traumatismes dus aux bombardements », c'est-à-dire les dommages neurologiques qu'avaient subi des vétérans de la Première et de la Deuxième Guerre mondiale à la suite de leurs brutales expériences sur les champs de bataille. Les gens croyaient que la proximité des obus qui éclataient avait rendu les hommes fous, et peut-être était-ce le cas. Je me souviens encore de l'homme qui se promenait dans notre village lorsque j'étais enfant, toujours vêtu de son uniforme vert de la Deuxième Guerre mondiale, et du coquelicot rouge à sa boutonnière qui signalait son statut de vétéran. Les gens se tenaient à distance respectueuse. La compréhension du phénomène, tout comme son traitement, était très limitée. Les médecins et les psychiatres considéraient avoir réussi s'ils arrivaient à calmer suffisamment ces gens pour qu'ils puissent retourner sur le champ de bataille. En outre, il y avait un stigmate lié à la maladie des soldats, comme si ceux-ci n'avaient pas eu la force de supporter les horreurs qu'ils avaient vécues. Il a fallu un changement culturel majeur, inspiré en partie par le mouvement des vétérans du Vietnam contre la guerre, pour que les gens se mettent enfin à réfléchir et à se rendre compte que les combats pouvaient être très destructeurs sur le plan psychologique, tout en étant moralement répréhensibles. « De nombreux soldats se sont mis à se conduire comme des femmes hystériques, signale Judith Herman. Ils hurlaient et pleuraient de manière incontrôlable. Ils figeaient et ne pouvaient plus faire un seul mouvement. Ils devenaient muets et apathiques. Ils perdaient la mémoire et la capacité de ressentir quoi que ce soit. » Les flash-back, les cauchemars, les images récurrentes et les déficits d'attention n'étaient pas des bagatelles. Les hommes qui avaient été exposés aux pires horreurs de la guerre ne pouvaient peut-être pas faire autrement que d'être traumatisés.

Après l'avoir évalué adéquatement en 1980, on a donné au syndrome appelé plus tôt le « traumatisme dû aux bombardements » le nom de syndrome de stress post-traumatique et on l'a inclus dans les ouvrages de diagnostics et de statistiques sur les troubles mentaux. Ayant une maladie mieux définie à laquelle attribuer leurs symptômes et jouissant de l'appui massif de la société qui les avait envoyés à la guerre, les vétérans du Vietnam se sont retrouvés dans une situation politique leur permettant de réclamer davantage de fonds pour la recherche. Il en est résulté une explosion de travaux scientifiques en neurobiologie et de recherches sur le traitement des troubles de stress aigu.

Les femmes victimes d'un syndrome étonnamment semblable comportant des larmes, des cauchemars, des flash-back et des dissociations ou des états de transe — tous des symptômes fréquents après le viol, l'inceste ou quelque autre forme d'abus — ont amené les thérapeutes féministes à se demander si leurs patientes présentant ces symptômes ne souffraient pas elles aussi du syndrome de stress post-traumatique. Les médecins et les thérapeutes en sont alors venus à considérer les expériences traumatiques des femmes sous un jour nouveau. Contrairement à la théorie de Freud, les femmes n'exprimaient pas un phénomène de « conversion » qui leur faisait projeter leurs désirs érotiques sur quelque figure maléfique pour qu'elles n'aient pas à assumer leurs propres désirs. Les femmes disaient avoir été victimes d'agressions qui avaient réellement eu lieu, des agressions tellement terrifiantes qu'elles développaient la maladie même qui frappait tant de vétérans. C'était là une découverte remarquable et Judith Herman s'est trouvée en première ligne de cette nouvelle compréhension des femmes. « L'hystérie est la névrose de combat de la guerre des sexes », a-t-elle écrit.

On a encouragé les cliniciens travaillant avec des victimes de viol à mieux se renseigner sur les expériences psychologiques liées aux traumatismes. En 1972, une infirmière en psychiatrie, Ann Burgess, et une sociologue, Lynda Holmstrom, ont entrepris une étude sur les effets psychologiques du viol. Elles ont pris des dispositions pour être averties à toute heure du jour ou de la nuit afin de pouvoir interviewer et conseiller toute victime de viol se présentant aux urgences de l'hôpital de la ville de Boston. Après avoir étudié au cours d'une année 92 femmes et 37 enfants victimes de viol, Mmes Burgess et Holmstrom ont observé un pattern de réactions psychologiques qu'elles ont appelé le « syndrome du traumatisme de viol ». Elles ont découvert que les femmes vivent le viol comme une expérience qui menace leur vie et qu'elles ont souvent peur d'être mutilées ou tuées pendant l'agression. Par la suite, elles se plaignent d'insomnie, de nausées, de réflexes de tressaillement, de cauchemars, de dissociation et « d'engourdissement », autant de symptômes semblables à ceux que signalent les combattants, ont noté les deux chercheuses.

Trois ans après l'étude de Mmes Burgess et Holmstrom, le National Institute of Mental Health a créé le premier centre de recherche pour l'étude du viol. Un sondage épidémiologique sophistiqué avait révélé des statistiques choquantes : une femme sur quatre avait été violée. Une sur trois avait été victime d'abus sexuel pendant son enfance. Pour une femme, la probabilité d'être exposée à un incident traumatisant pendant sa vie se situe à près de 70 %. « Les conséquences à l'heure actuelle sont aussi horrifiantes qu'elles l'étaient il y a cent ans », dit Judith Herman.

L'utilisation de la force contre les femmes et les enfants est ancrée tellement profondément dans notre culture que ce n'est que récemment qu'on a reconnu qu'il s'agit d'une violation fondamentale des droits de la personne. Il a fallu attendre le mouvement féministe pour que les modèles répandus de contrôle coercitif, comme la violence, le harcèlement criminel, le harcèlement sexuel et le viol par une connaissance, soient non seulement nommés, mais considérés comme des crimes. De nos jours, ces crimes font l'objet de très nombreuses études. L'omniprésence des agressions contre les femmes sur leur lieu de travail est le dernier scandale, car on pourrait s'attendre qu'un minimum de professionnalisme assure au moins une certaine protection aux femmes. Ne pourraient-elles pas se sentir en sécurité au travail, sinon nulle part ailleurs ? Pourtant, environ une femme sur deux sera soumise à une forme quelconque de harcèlement sexuel au cours de sa vie professionnelle.

Un siècle s'est écoulé depuis que Freud et Breuer, d'une part, et Janet, d'autre part, ont identifié le lien entre la violence faite aux femmes et les symptômes qu'elles manifestaient. Aujourd'hui, la neurologie moderne a exposé le lien neurologique : la violence cause des changements dans les voies neuronales du cerveau. Même la violence verbale, si elle est répétée suffisamment de fois, peut influencer la capacité d'un individu de penser, de croître et de s'épanouir. Dans les années quatre-vingt-dix, la tomographie par émission de positrons et l'imagerie par résonance magnétique ont prouvé ce qu'il est dorénavant impossible de nier : la peur soude les circuits neuronaux et les met dans un état d'hyper excitation, de sorte qu'ils sont prêts à réagir instantanément à la plus légère suggestion sensorielle d'un incident traumatisant. Un éminent spécialiste des neurosciences à l'université de New York, le Dr Joseph LeDoux, soutient qu'une seule expérience horrifiante est parfois tout ce qu'il faut pour produire un souvenir qu'on gardera toute sa vie.

Les scintigraphies cérébrales montrent que les traumatismes endommagent la connexion entre les deux hémisphères du cerveau. Les souvenirs teintés par la peur demeurent dans l'hémisphère droit du cerveau, où résident les émotions. L'hémisphère gauche, siège du langage, ne reçoit pour sa part aucune information liée au traumatisme. En conséquence, les émotions profondes et les sensations physiques qui l'accompagnent ne sont pas traitées par la partie du cerveau qui agirait normalement comme médiateur pour les expliquer et leur permettre de s'exprimer. Très souvent, les personnes traumatisées sont incapables d'associer des symptômes comme des troubles du sommeil, le manque de concentration ou le réflexe de tressaillement à une ou des expériences particulières qu'elles ont vécues. Les incidents choquants qui ont déclenché leurs symptômes sont coupés de la région de leur cerveau qui peut les interpréter de manière sensée, les nommer et les intégrer dans leur « vécu » autobiographique. Ainsi, les traumatismes sont emprisonnés dans leur propre réseau mnémonique, explique Debra Niehoff dans *The Biology of Violence.*

Voici ce qui se produit dans la vie d'une personne. En 1999, lors d'un colloque sur le viol à Los Angeles, Pam Spencer, cadre supérieur chez Neutrogena, a raconté qu'elle avait été violée vingt-deux ans plus tôt par un intrus qui était entré chez elle et qu'elle s'était demandé pendant tout le temps qu'avait duré l'agression s'il allait ou non la tuer. Elle a dit qu'il y avait maintenant certains jours où les souvenirs ne la hantaient plus, mais que le moindre incident pouvait les faire resurgir. « Cela se produit parfois lorsqu'un homme m'examine physiquement avant de me regarder dans les yeux, a-t-elle confié. »

Les images, les sensations physiques et les croyances associées à l'incident demeurent, comme figées dans le temps, exactement comme elles ont été vécues, dit Mme Niehoff. Un homme qui survit à une catastrophe ferroviaire continue à avoir peur des trains. La vue et même le bruit d'un train restent gravés dans son système nerveux parce qu'il a été incapable de les traiter dans son esprit. Certaines expériences sensorielles peuvent déclencher la séquence de l'accident au complet. C'est ce qu'on appelle un flash-back. Les femmes victimes d'agressions ont constamment des *flash-back*. L'odeur d'une cigarette Camel peut suffire à les déclencher. Les gens ne comprennent peut-être pas ce phénomène lorsqu'ils accusent les femmes d'être obsédées par le viol, pour reprendre l'expression de Betty Friedan. Les femmes victimes d'un assaut ne peuvent s'empêcher d'être obsédées. C'est *physique.*

Heureusement, il existe des moyens de défaire ce conditionnement. Les femmes qui ont été menacées ou qui ont été blessées après avoir été immobilisées de force peuvent se guérir en développant leur propre force physique. Il ne s'agit pas ici seulement d'une guérison de type « spirituel ». Une personne qui travaille sur son corps peut opérer des changements dans les voies neurales de son cerveau. Comme nous le verrons plus loin, les cours d'autodéfense pour femmes peuvent être une cure de reprogrammation pour le corps. Cette reprogrammation est nécessaire parce que la socialisation privilégiant la féminité a fait croire aux femmes que non seulement elles sont incapables de se défendre physiquement, mais que c'est mal de le faire. Mieux vaut mourir que de nous défendre : des femmes sont mortes parce qu'elles l'ont cru.

De dangereuses leçons de résistance passive

Le mythe de la fragilité entretient profondément la peur qu'ont les femmes d'être violées. On apprend aux femmes à être extrêmement méfiantes lorsqu'il s'agit de déterminer contre qui elles essaieront de se défendre et comment elles s'y prendront pour le faire. Elles sont désavantagées au départ par ce dont elles estiment être capables. Les conseils qu'on donne aux femmes pour prévenir le viol illustrent bien l'ambivalence de la société au sujet de l'autodéfense. Ceux-ci changent du tout au tout — tantôt les femmes doivent se retenir, tantôt elles doivent frapper — selon les attitudes prédominantes à leur égard et plus particulièrement selon ce que la nation attend d'elles à un moment donné. Un examen des conseils prodigués dans les manuels d'autodéfense à l'intention des femmes au cours des cinquante ou soixante dernières années est très révélateur. À l'époque de la Deuxième Guerre mondiale, les partisans de l'autodéfense pour les femmes les encourageaient davantage à se montrer énergiques que les rédacteurs des années soixante et soixante-dix. Pourquoi régressaient-ils à ce moment-là vers le mythe de la fragilité ? Précisément parce que les femmes gagnaient du terrain.

Voici des exemples typiques : deux manuels d'autodéfense parus pendant la Deuxième Guerre mondiale, tous deux écrits par des militaires, encourageaient abondamment les femmes à adopter une attitude positive à l'égard de l'autodéfense. L'un disait: «Il va sans dire qu'une femme devrait savoir comment se protéger. En temps de guerre, dans l'Amérique en guerre, cela est doublement important.» La suggestion du caporal William Underwood que les femmes se sentent libres de brandir leurs poings n'était pas désintéressée. La confiance en elles-mêmes que leur procurait leur aptitude à se défendre accroîtrait incommensurablement leur contribution à l'effort de guerre. La nation avait besoin de femmes adultes énergiques et saines pour diriger le pays à un moment où tant d'hommes étaient partis se battre.

On avait élaboré tout un ensemble de conseils pour expliquer aux femmes ce qu'il était nécessaire, approprié et possible qu'elles fassent pour se défendre contre un assaillant. Sans jamais parler de viol ou d'agression sexuelle, le manuel d'autodéfense pour femmes du caporal Underwood divisait les agressions en trois catégories: «les simples désagréments» (ce qui incluait les gestes déplacés et les poignées de main trop insistantes); les «menaces graves mais non mortelles»; et, finalement les «menaces extrêmement graves». Même les simples désagréments ne devaient pas être tolérés un seul instant. Le manuel conseillait aux femmes de «saisir la main de la personne trop insistante pour lui tordre le bras et l'étendre de tout son long avant de l'achever par un coup de poing dans la pomme d'Adam ou derrière l'oreille». Dans un autre manuel intitulé *Hands Off*, l'auteur, le major William Fairbairn, indiquait à une femme qui se faisait demander du feu comment donner un coup de poing au visage de son interlocuteur, avec illustration à l'appui. Si un homme arrêtait une femme dans une rue sombre pour lui demander du feu, l'auteur de ce même manuel lui conseillait d'allumer tout le carton d'allumettes et de le lui lancer au visage. «De toute évidence, ces manuels enseignaient aux femmes à utiliser de sérieuses et violentes techniques de défense, même contre des hommes avec qui elles sortaient, a souligné Martha McCaughey, professeur d'études des femmes au Virginia Tech, qui s'intéresse à la culture de l'autodéfense et à ce qu'elle appelle le « nouveau » féminisme.

Au cours des années soixante-dix, le type de comportement qu'on suggérait aux femmes qui se faisaient harceler ou menacer était beaucoup plus passif. Il est important de noter qu'à cette époque les femmes étaient devenues beaucoup plus fortes, tant sur le plan social que politique. Il faut aussi noter que le viol avait été reconfiguré par le mouvement féministe, qui en avait fait un acte de violence criminelle. Qu'il est étrange qu'on ait soudainement dit aux femmes de reculer, d'éviter de se mettre en colère et de prendre la fuite si elles le pouvaient. Les conseils avaient changé assez radicalement. On leur disait de ne pas porter d'arme parce qu'elles pourraient ne pas réussir à la sortir à temps ou parce qu'elles pourraient s'empêtrer en essayant de l'utiliser. On insistait avant tout sur l'incompétence des femmes, même si une étude publiée dans la revue *Criminology* avait montré que les femmes qui avaient utilisé une arme étaient plus susceptibles de blesser des gens que les hommes. (Lorsque aucune arme n'était utilisée, les hommes étaient quatre fois plus aptes que les femmes à causer des blessures.)

Dans les années soixante-dix, on décourageait fortement les femmes de recourir à la violence pour se défendre. On leur disait au contraire de se servir de toutes sortes de tactiques passives ou peu édifiantes qui pourraient avoir l'heur de distraire leur assaillant. Déféquez ! Urinez ! Perdez connaissance ! Simulez une crise d'épilepsie. *Vomissez,* si vous en êtes capables ! « Oui ! Il est utile d'essayer de tromper son assaillant ! » soutenait un enthousiaste spécialiste de l'autodéfense. « Jouez la comédie s'il le faut. Dieu vous en protège, vous aurez peut-être besoin un jour de tous vos talents de comédienne ! » Surtout, n'enragez pas votre assaillant en lui laissant croire qu'il n'arrivera pas à ses fins. Bref, ne vous moquez surtout pas de la chose !

Le ton dans les manuels de cette époque était distinctement débilitant, comme si les femmes pouvaient être assez téméraires pour frapper alors que n'importe quel imbécile sait qu'elles n'ont ni la force ni la volonté de se défendre en utilisant la violence. « S'il est maigre, vous pouvez lui défoncer la poitrine », disait un auteur masculin. « Mais comment saurez-vous s'il est maigre (s'il vous attaque par-derrière) – en étirant le bras pour le toucher ? Que pensez-vous qu'il fera pendant que vous le frappez ? Il vous réduira en miettes. » Mieux vaut vomir sur ses chaussures !

L'autodéfense n'a recommencé à avoir la faveur du public qu'après la guerre du Vietnam. Les bérets verts venaient de faire leur entrée ou disons plutôt qu'une femme des bérets verts venait d'arriver. Lisa Sliwa a fait la une des journaux lorsqu'elle a épousé la cause de l'autodéfense des femmes, remettant en question la vieille règle de l'humilité. Sliwa n'était pas craintive. Elle voulait que les femmes cessent d'être passives et d'avoir peur. Elle voulait qu'elles défendent leur dignité et qu'elles le fassent avec cran. « L'audace vaut mieux que la culpabilité », a-t-elle écrit dans un guide d'autodéfense datant de 1986. « Ne vous racontez pas d'histoires ! Les violeurs sont des parasites qui ont une vision déformée de la réalité. Vous avez la responsabilité de les remettre à leur place en leur disant que leur numéro a assez duré ! »

Selon la vieille école, une femme devait prendre toute mesure *passive* pour éviter la pénétration, laquelle était équivalente à la mort. La nouvelle école enseigne aux femmes à se battre, à hurler et à faire tout en leur pouvoir. De nos jours, le but est de surprendre l'assaillant sur-le-champ en se chargeant de l'attaque. Des études montrent que cette approche est plus efficace.

Les conseils les plus audacieux que l'on donne aux femmes pour se défendre contre le harcèlement sexuel se trouvent sur Internet. Les femmes se branchent et se donnent des conseils. Pour savoir quoi faire, elles ne comptent plus sur des experts, mais seulement sur leurs amies. « Garde la tête froide pour ne pas la perdre », a déclaré l'une d'elle, qui s'appelle « Tyranny » sur Internet. Tyranny parle d'une technique efficace et appréciée, qu'elle appelle « les yeux de la mort » ; cette technique consiste à annoncer ses couleurs à tout assaillant potentiel : « Ne cherche pas d'âme ici, il n'y a que de la violence indescriptible et de la folie furieuse ! » C'est le « pouvoir féminin » en action. La femme utilise les mots les plus vulgaires qui lui viennent à l'esprit et tant pis pour le dédoublement sexuel. « Vous marchez tranquillement dans la rue en vous mêlant de vos affaires, dit Tyranny, lorsqu'une espèce de porc dans sa voiture vous demande s'il peut vous lécher la chatte. » Un tel scénario ébranlerait-il les femmes du genre de Tyranny ? Absolument pas. Dans cette situation, explique-t-elle à son auditoire sur Internet, je me tourne vers le malade et je lui fais un bras d'honneur en lui disant violemment : « Non, tu peux me sucer la queue, enculé de connard. » Le moins qu'on puisse dire est qu'elle n'a pas la langue dans sa poche. Cette femme ne se laisse pas intimider.

Bien entendu, il y a des cas où il est plus intelligent de freiner sa joyeuse violence et même Tyranny rappelle aux internautes féminines qu'elles doivent savoir à quels moments un comportement provocateur peut être malavisé. Dans la plupart des situations, cependant, il *est* efficace de jouer la dure aux propos vulgaires pour décourager un assaillant, indiquent des études récentes.

Lancer des messages ambigus quant à son sexe est une autre technique que Tyranny considère comme efficace en cas de harcèlement. Supposez que des ouvriers de la construction se tiennent sur un échafaudage et reluquent une blonde bien musclée déambulant dans la rue. Lorsqu'ils commencent à lui dire des grossièretés, la blonde rétorque (dans le langage de Tyranny) quelque chose comme : «Suce-moi la queue. » De telles paroles créent chez les hommes une incertitude humiliante quant au sexe de la grande blonde ! S'agit-il d'une femme ? Les gars de la construction finissent par « essayer désespérément de se sortir de cette situation embarrassante ».

Les images dans les médias offrent aux jeunes filles et aux femmes de nouveaux fantasmes de pouvoir qui « reposent sur les capacités des femmes d'établir des frontières, de se défendre et de prendre part au combat, plus particulièrement avec des hommes agressifs», dit Martha McCaughey. Elle cite des femmes qui trimballent des armes dans des films comme *Eve of Destruction* (non traduit), *Sans Retour* et *Nikita* et des femmes qui se mesurent aux hommes. Dans *Le jugement dernier 2*, Linda Hamilton s'amuse à se battre avec des hommes. En entendant l'un d'eux gémir, elle lui dit qu'elle vient de lui casser le bras. «Le corps humain compte 215 os. En voilà un!».

Les groupes rock féminins glorifient les représailles contre la violence faite aux femmes. Le groupe Seven Year Bitch vocifère des paroles comme «Les hommes morts ne violent pas». Au Michigan Women's Music Festival de 1994, un groupe punk féminin, Tribe 8, a mis en scène un fantasme de castration d'une bande de violeurs au cours duquel la chanteuse coupait un pénis d'un coup de couteau tout en chantant «Frat Pig» (cochon de maison d'étudiants). Certaines féministes se sont objectées à la violence du geste, mais voici l'analyse qu'en faisait Mme McCaughey: «Les femmes du groupe Tribe 8 ne préconisent pas la castration des violeurs, mais elles croient que les fantasmes de violence actualisés peuvent être des rituels cathartiques permettant aux femmes d'exprimer leur colère devant des agressions sexuelles passées ou potentielles.»

Les féministes se disent inquiètes que les femmes entrent dans un monde de «violence patriarcale» en se livrant à des formes violentes d'autodéfense. Dans un numéro de 1994 du magazine *MS* sur les femmes et les armes, Ann Jones disait que confronter des hommes violents n'était pas «une chose qui devait être faite au coup par coup par des femmes seules armées de pistolets à manche de perles pour régler un par un le cas des batteurs de femmes et des violeurs.» Qui a parlé de manche de perles? Les femmes ont besoin de plus que de délicates philosophies de non-violence lorsque les hommes entrent chez elle par effraction.

À en juger par la façon dont sont applaudies les images de femmes violentes dans les médias, les femmes ne s'intéressent guère aux interprétations féministes de ce qui est approprié ou ne l'est pas quand il s'agit d'autodéfense. Lorsque Louise apostrophe un violeur en action dans le film *Thelma et Louise*, elle lui crie : « Lâche-la, connard, ou ta sale gueule va éclabousser cette belle voiture ! » Dans la petite ville où j'ai vu ce film, tout l'auditoire a salué son geste avec approbation. C'était drôle dans un film qui remettait en question les vieilles notions au sujet de la féminité. Mais c'est l'attitude bagarreuse de Susan Sarandon qui a vraiment impressionné les femmes dans l'auditoire. De toute évidence, c'est une attitude que nous aimerions toutes avoir ; il faut cependant nous demander si nous pouvons réagir de cette façon sans nécessairement avoir à nous en remettre à un pistolet pour nous protéger.

La fantastique descente en eau vive orchestrée par Meryl Streep dans *La Rivière sauvage* était plus excitante encore. Il y avait dans son embarcation deux criminels et son fils de sept ans. On assistait à la descente en eau vive et elle seule pouvait faire en sorte qu'ils s'en tirent vivants. Debout à l'arrière de l'embarcation, elle donnait des ordres aux hommes, de toute évidence beaucoup moins terrifiée qu'eux. Elle était époustouflante dans son rôle d'athlète et de mère. À la fin, une fois qu'ils étaient tous en sécurité sur la rive, elle n'arrivait pas à descendre le méchant. Il jouait sur ses sentiments et sur son sens moral, lui rappelant qu'elle se demanderait jusqu'à la fin de ses jours si elle avait pris la « bonne » décision. (Y a-t-il moyen plus efficace d'ébranler une femme ?) Cependant, après s'être soudainement emparé de l'arme, il menaçait son fils. Reprenant l'arme, elle ne perdit pas une seconde et le tira en plein cœur. J'ai trouvé la scène tellement bouleversante que j'en ai eu du mal à dormir. La différence entre le geste de Susan Sarandon et celui de Meryl Streep, et elle est énorme, est que Streep s'était pleinement habilitée, c'est-à-dire qu'elle s'était donné le pouvoir physique pour survivre. Non seulement pouvait-elle manœuvrer dans les rapides, mais elle pouvait aussi contrôler la violence des hommes grâce à ses compétences. Elle a tiré et tué un homme pour défendre son fils. Le personnage de Louise tirait avec une espèce de joie vengeresse. Dans Le rôle du personnage de Sarandon, qui visait à faire tomber la barrière sexiste contre la violence des femmes, était intermédiaire. Celui de Streep, quelques années plus tard, était beaucoup plus puissant.

Les spécialistes de l'autodéfense parlent de la « volonté de se battre » comme d'une chose qu'il est encore difficile d'inculquer aux femmes. « *Tout* » dans notre conditionnement va à l'encontre de l'idée de nous battre. Se battre a quelque chose de tellement masculin que c'en est obscène. C'est une idée en laquelle nous ne croyons pas. Nous sommes des pacifistes, tandis que les hommes sont des bellicistes. Et, en fin de compte, si nous devions perdre ? Les femmes qui seront capables de se défendre physiquement devront avoir « la volonté de se battre ». Toutes les techniques au monde pour arracher les yeux ou frapper dans l'aine ne seront d'aucune utilité aux femmes si elles refusent de s'en servir.

Cependant, la seule volonté de se battre ne suffit pas. Une femme doit avoir acquis les compétences physiques pour se battre. Dans les cours d'autodéfense destinés aux femmes, on essaie de leur enseigner tant les techniques que la volonté de les utiliser. Des deux, les femmes peuvent trouver « la volonté de se battre » plus antithétique que les techniques elles-mêmes. Les hommes développent dès l'enfance la volonté de se battre et tout ce qu'il faut pour le faire. Cela ne veut pas dire qu'ils pourraient tous se défendre adéquatement dans une bagarre ; ils doivent avoir appris à le faire. Dans leur cas, cependant, apprendre à se battre renforce l'identité sexuelle. On ne peut pas en dire autant des femmes. Leur conditionnement sexuel en matière d'autodéfense par la violence est très puissant. Je n'ai qu'à citer un guide d'autodéfense rédigé par un expert : « Il n'est pas difficile de casser une rotule ». Cette phrase me donne envie de rentrer sous terre. *Casser* la rotule de quelqu'un ? L'idée même de délibérément faire une chose pareille me semble monstrueuse. Maintenant encore, je trouve difficile d'imaginer survivre à un genou écrasé ; je ne parle pas de la victime, mais de *moi* comme auteur de ce geste. C'est comme si me défendre violemment contre la violence qui m'est faite m'attirerait quelque malheur terrible — la colère de Dieu ou du moins la colère des amis de mon assaillant. La violence engendre un mauvais karma, du moins c'est ce que nous, les femmes, croyons.

Mais quelles sont les solutions de rechange ici ? N'y a-t-il que la violence ou le recul ? N'y a-t-il que la volonté de se tenir sur ses gardes pour faire face à un danger potentiel ou la volonté de « casser la gueule » à toute personne qui attaque ? N'y a-t-il pas d'autres possibilités entre ces deux extrêmes ? Est-ce que la *connaissance* de l'autodéfense nous mettrait plus à l'aise ? Nous rendrait-elle plus susceptibles de nous promener sur la plage à la tombée de la nuit ou même, Dieu nous protège, de nous y promener en pleine nuit ? Est-ce que le fait de *savoir* nous servir de notre corps efficacement pour nous défendre changerait notre attitude de victime ? Et est-ce que ce changement d'attitude changerait la façon dont nous nous projetons extérieurement ? Enfin, est-ce que l'assurance que nous projetterions nous protégerait davantage ?

Un corps affaibli et un langage corporel qui transpire la faiblesse rendent les femmes inutilement vulnérables aux agressions. Les assaillants ne sont pas vaillants. Ils s'attaquent aux êtres faibles et sans défense. Les chercheurs ont fait regarder à des prisonniers incarcérés pour forfaits des vidéos de femmes marchant dans la rue. Ils leur ont ensuite demandé de décrire le langage corporel de celles qui étaient le plus susceptibles d'être attaquées.

Les études montrent que les femmes qui se battent contre un violeur courent moins de risques d'être violées. Quatre tentatives de viol sur cinq échouent — et elles ont plus de chances d'échouer si la femme se défend. Et plus celle-ci se montre agressive, meilleures sont ses chances. Dans une étude menée à l'université du Nebraska sur 150 femmes qui avaient été la cible d'un viol, celles qui avaient crié ou qui s'étaient défendues en mordant leur assaillant, en lui donnant des coups de pied, en le griffant ou en s'enfuyant couraient deux fois moins de risques d'être violées que celles qui n'avaient pas réagi.

Se défendre contre une agression

Par une nuit chaude d'été à Manhattan, il était environ deux heures du matin lorsque mon partenaire, Lowell, et moi avons décidé de parcourir à pied le coin de rue entre mon appartement de l'avenue West End et l'endroit où était garée ma voiture sur Riverside Drive. Devant les numéros civiques autour de 9000, Riverside Drive se divise au pied d'une pente abrupte, entre la voie de circulation principale et une voie de service menant aux immeubles d'habitation au sommet de la pente. Au moment où nous nous approchions de la voie de service, j'ai eu un pressentiment qui m'a fait penser à quel point nous étions isolés. Il était tellement tard qu'aucun portier ne se tenait plus devant les immeubles. À ce moment-là, une voiture est passée et a ralenti en arrivant à notre hauteur. «Ces mecs vont s'arrêter, ai-je dit à Lowell». Sans que nous ayons le temps de réagir, ils étaient déjà sortis de la voiture et se dirigeaient vers nous en courant. L'un d'eux brandissait un couteau. Ils étaient quatre ou cinq. Lowell, qui avait pris des cours d'aïkido pendant quelques années, s'est mis à faire des pirouettes comme un derviche tourneur, faisant de grands gestes circulaires des bras et des jambes. Cela a pris nos assaillants par surprise. Même le mec au couteau a semblé en être dérouté. J'ai vu ma chance et je me suis mise à courir. Lowell avait quelques centimètres de moins que moi, mais il était plus fort, naturellement. Je savais que je ne pouvais pas me défendre. Ma fuite vers le pied de la pente les distrairait peut-être. Je me disais aussi que j'aurais peut-être la chance d'arrêter une voiture qui passait sur la voie principale. Je me souviens du grand sentiment de liberté que j'ai éprouvé en descendant la pente en courant de toutes mes forces, sûre de mes jambes, de ma force et de ma vitesse. Lorsque je suis arrivée en bas de la pente et que je me suis retournée pour voir ce qui se passait, les hommes remontaient déjà dans leur voiture pour s'enfuir. Lowell et moi nous sommes félicités d'avoir évité les blessures. J'étais contente d'avoir eu le réflexe de m'enfuir à toute vitesse pour éviter les problèmes. Mais j'aurais aussi voulu pouvoir faire ce qu'*il* avait fait et avoir su me défendre contre quelqu'un qui *me* menaçait avec un couteau. Toute personne s'en montrant capable était une personne plus libre que moi.

Malgré cela, savoir courir à toutes jambes ou, plus précisément, savoir que je *savais* courir comme si j'avais le diable à mes trousses, a aidé à me protéger contre des détrousseurs armés de couteaux sur Riverside Drive. Je n'avais jamais eu à me sauver auparavant, mais en cas de danger, j'étais capable de prendre mes jambes à mon cou et de courir aussi vite que lorsque j'étais jeune et rêvais de devenir joueuse de hockey. Mes quadriceps à toute épreuve faisaient sûrement partie de l'image intérieure que j'avais de moi-même. J'avais été convaincue pendant la fraction de seconde qu'il m'avait fallu pour prendre une décision que je pouvais courir plus vite que mes assaillants et, en vérité, c'était probablement le cas. En outre, la façon dont ils se tenaient tous autour de celui qui était armé d'un couteau en disait long sur la confiance qu'ils avaient en leur corps. Je crois que je l'avais senti par intuition. Ma poussée d'adrénaline à cet instant m'a permis de comprendre tout cela très rapidement. Cependant, c'était un certain niveau de compétence physique qui m'a amené à me mettre à courir à fond de train.

Dix ans plus tard, j'ai su que j'étais passée à un autre stade de conscience de mon corps le jour où je me suis retrouvée devant un chien menaçant. À ce moment-là, je m'entraînais depuis quelques années et gravissais presque tous les jours la colline abrupte qui se trouvait derrière chez moi. En arrivant en haut, je passais toujours devant une maison où deux bergers allemands étaient attachés. Ils se mettaient à aboyer avant même de me voir. Je sursautais invariablement chaque fois que je les entendais aboyer, même si je m'y attendais. Un jour, après avoir fait cet exercice pendant des mois, j'ai entendu un bruit différent en me rapprochant de la maison en question, comme le bruit d'une chaîne qu'on traîne. J'ai tourné la tête et j'ai vu un chien qui gravissait la colline à toute vitesse pour m'attaquer, tirant derrière lui sa chaîne qui s'était cassée. En une fraction de seconde, j'ai décidé de ne pas ramasser de bout de bois, de crainte de l'exciter encore plus. Mais j'étais très en colère, suffisamment en colère pour lui tenir tête. Il n'était plus qu'à quelques mètres de moi lorsque j'ai pointé le bras devant moi à hauteur d'épaule et que je lui ai crié « À la maison, tout de suite ! ». Le chien a aussitôt fait demi-tour et a redescendu la colline. J'ai poursuivi ma promenade, me sentant à la fois étonnée de mon efficacité et assez puissante.

Quelques années plus tard, c'est un ours devant lequel je me suis retrouvée sur un chemin isolé. Les ours sont très nombreux dans les montagnes qui entourent Woodstock. En général, ils demeurent bien haut dans les montagnes, mais lorsqu'il y a une sécheresse, ils descendent pour chercher de l'eau et de la nourriture. Il m'était arrivé une ou deux fois auparavant d'apercevoir à minuit des ours traversant pesamment mon entrée de garage, leurs oursons à leur suite. Non seulement avais-je vu sur mes poubelles de grands trous percés par leurs griffes, mais les boîtes de conserve vides qu'ils avaient fichées en l'air par dégoût étaient dispersées partout sur le terrain, puisqu'il n'y avait pas d'élastique de bungee pour les ramener. Au cours d'une promenade, j'avais même aperçu un ourson à quelque 15 ou 20 mètres devant moi. Le jour en question, cependant, je me trouvais sur une route isolée pendant une période de sécheresse lorsque j'ai soudainement vu un ours adulte à un peu plus de trois mètres de moi. Les ours noirs mâles peuvent peser jusqu'à 275 kg. Difficile de dire lequel de nous deux a été le plus surpris. J'ai fait demi-tour, marchant très lentement dans la direction opposée et j'ai entendu dans les bois le bruit que faisait un animal qui ne tenait pas plus que moi à rencontrer un ours. En constatant la violence avec laquelle il cassait les branches, l'extraordinaire puissance que je lui devinais m'a fait tressaillir comme un diapason. J'ai continué à marcher très lentement pendant environ une minute, puis j'ai pris mes jambes à mon cou. Le lendemain, j'ai emprunté la même route. Je me suis dit que j'avais probablement autant de chances de rencontrer un autre ours que de me faire frapper par la foudre une deuxième fois et je ne voulais surtout pas développer la phobie de me promener dans cette magnifique campagne isolée. C'était une espèce de confiance en mon corps, une sorte de lien avec ma réalité physique, qui m'a permis de le faire. Par la suite, cependant, une pensée m'a frappée : en cas de rencontre malencontreuse sur une route isolée, je me sentais davantage en sécurité devant un ours de 275 kg que devant un homme de 70 kg. J'avais été conditionnée à craindre davantage les hommes que les ours ! C'est à ce moment-là que je me suis dit qu'il y avait quelque chose qui clochait. Étais-je réellement aussi impuissante et vulnérable devant le mâle de mon espèce que j'avais été conditionnée à l'être ?

J'ai commencé à comprendre que j'étais une victime, une victime de ce que j'appelle « le mythe du viol ». En utilisant ce terme, je ne remets pas en question l'omniprésence du viol ou les souffrances qu'il cause. Ce que je veux dire est que *le viol a le pouvoir de garder les femmes captives, de les garder méfiantes et craintives, et que ce pouvoir est proportionnel à la profondeur de la conviction qu'elles sont incapables de tenir tête à un violeur.*

Selon des spécialistes féministes de l'autodéfense, les hommes n'ont pas besoin d'être particulièrement agressifs, forts ou physiquement violents pour commettre un viol. Il leur faut avant tout *croire* en leur propre puissance. C'est encore l'histoire des nouveaux habits de l'empereur. Nos croyances sont plus fortes que la réalité. Comme la culture ambiante veut que les hommes soient physiquement supérieurs, ceux-ci ont le sentiment d'avoir autant de puissance et c'est ce qui devient le « mythe qui s'avère », pour reprendre les mots de Catherine MacKinnon. Nous pourrions tout aussi bien vivre dans une culture où les femmes tripotent et pénètrent les hommes saouls dans les bars et les surprises parties, souligne Martha McCaughey, ou dans laquelle les femmes assaillent les hommes dans la rue et dans leur foyer. Mais nous ne vivons pas dans une telle culture et *cela* est une question de culture et non de nature.

Le viol est un comportement appris. On en a fait un mythe qui prend ses racines dans les différences naturelles entre les sexes. Cette notion sous-entend que si la force supérieure des hommes n'est pas la cause du viol, elle est certainement ce qui le rend possible. Cependant, le viol ne dépend pas tant de la taille ou de la force supérieure que du fantasme que les hommes sont capables d'exercer une domination physique sur les femmes. Ce fantasme permet *tant* aux hommes qu'aux femmes de considérer les femmes comme des cibles potentielles d'abus. Le mythe du viol encourage les femmes à croire que tout effort qu'elles pourraient faire pour se défendre serait futile.

Le mot même de *violeur* a une connotation monstrueuse, comme si tout homme qui commet un viol est aussi macabre ou impossible à arrêter qu'un déséquilibré tel que Hannibal Lecter. En fait, les psychopathes enragés sont l'exception à la règle. Le violeur est souvent le gars ordinaire qui veut tirer un coup, mais qui est trop arrogant, inconscient ou saoul pour se soucier de la femme. Comparativement au viol macabre, ce genre de viol est simplement le viol par une connaissance. Certains spécialistes croient que le viol par une connaissance est plus dommageable sur le plan psychologique que le viol par un étranger, en partie parce qu'il est plus difficile pour une femme de le reconnaître et d'y résister. Notre conditionnement mielleux nous laisse dans un état de confusion. Comment le beau Georges peut-il faire une chose pareille ? Et pendant que nous nous posons la question, le beau Georges fait la chose !

Supposons que Georges soit un ami de votre mari. Lors d'une surprise partie, il est ivre et passe la soirée à vous jeter des regards concupiscents. Lorsque vous entrez dans la chambre à coucher pour aller chercher votre manteau, il entre derrière vous et verrouille la porte dans l'espoir de vous convaincre de lui accorder vos faveurs. Il n'en a peut-être pas consciemment l'intention, mais, bon sang, il va quand même essayer de vous subjuguer si vous ne voulez pas vous amuser. Pouvez-vous vous défendre contre cet homme et sinon, pourquoi ne le pouvez-vous pas ? C'est le mythe du viol qui vous fait croire que vous ne pouvez pas vous défendre ou même que vous *ne devriez pas vous défendre,* s'il s'agit du voisin ou même de l'homme trop entreprenant qui vous a invitée à sortir. C'est le mythe du viol qui associe la notion « d'étranger » à celle de la violence sexuelle criminelle et fait que ces deux notions perpétuent le concept « macabre » érodant la capacité des femmes d'évaluer le danger et de composer avec celui-ci. Quatre-vingts pour cent des viols sont commis par une personne que la victime connaît. Nous devons nous préparer aux tentatives de viol par des personnes que nous connaissons.

Dans une culture de violence contre les femmes, celles-ci conservent néanmoins une peur surdéterminée du viol fondée sur des notions déformées de la force supérieure des hommes. Heureusement, les femmes sont en train de déboulonner le mythe du viol en apprenant à se défendre contre la violence physique.

La plupart des actes violents commis contre les femmes ont un but : réaffirmer que les femmes sont incapables de réagir. Fondamentalement, un batteur ou un violeur ne fait qu'exercer son autorité en causant des souffrances. Les cours d'autodéfense traitent l'attaque avec violence comme des « interactions scénarisées » que les femmes sont capables d'interrompre.

Désapprendre la passivité

La division des sexes repose sur un système d'idées sur les hommes et les femmes qui oriente notre vie. Plus nous nous conformons à ce système, plus nous l'intériorisons et plus nous le communiquons à notre corps. Le système avec lequel nous avons grandi est d'une simplicité embarrassante. L'homme est fort et la femme est faible. L'homme est violent et la femme ne l'est pas. L'homme est mauvais et la femme est bonne. Selon Martha McCaughey, tant que les femmes continueront à accepter cette perception des sexes, il leur sera impossible de comprendre qu'elles sont capables d'ébranler la culture du viol en « épousant la violence que les hommes ont utilisée pour les garder à leur merci ».

« Épouser » la violence ? À première vue, cela semble tout à fait insensé. Ne devrions-nous pas toutes militer en faveur de la non-violence ? Les femmes peuvent-elles réellement se libérer en adhérant à cette notion « patriarcale » de survie ? Ne sommes-nous que des bêtes ? Enfin, si les femmes recourent à la violence pour se défendre, qu'arrivera-t-il à l'âme, non pas seulement leur âme, mais « l'âme » de la culture elle-même ? Car c'est rien de moins que cette responsabilité qu'on a imposée aux femmes : garder la bienséance et la spiritualité bien vivantes, même au prix de leur propre vie.

Au cours des dix dernières années, les féministes spécialistes de l'autodéfense, dont le nombre augmente sans cesse, ont fait valoir aux femmes que leur passivité devant l'attaque faisait partie des effets destructeurs et presque suicidaires du mythe de la fragilité. Ces féministes enseignent aux femmes non seulement ce qu'il leur faut pour se défendre, mais aussi comment elles peuvent surmonter leur faiblesse apprise pour profiter des avantages que procure un sentiment de compétence physique dans le monde qui les entoure. Je crois qu'il s'agit là d'un mouvement révolutionnaire. Premièrement, ce mouvement en faveur de l'autodéfense amène les femmes à remettre en question leur conviction qu'elles sont impuissantes. Deuxièmement, il ébranle les idées qui sont au centre de notre conception des hommes et des femmes, c'est-à-dire que l'agressivité est naturelle chez les hommes et contre nature ou du moins interdite chez les femmes. C'est ce qu'enseignent les éducateurs et ce que disent les politiciens, les avocats et l'Église. Bref, l'agressivité est ce qui distingue les hommes des femmes. Depuis des années, les féministes luttent activement contre la croyance que les femmes sont naturellement soumises, mais elles n'ont toujours pas réussi à l'éradiquer. Elles n'y sont pas parvenues parce que cette croyance est ancrée à la fois dans notre corps et dans notre esprit, mais que ce n'est que maintenant qu'on comprend que cette croyance est également ancrée dans notre corps. « J'ai appris à donner des coups secs et des coups francs, à crier, à écraser, à plaquer, à donner des coups de pied, bref à me battre bec et ongles et même à tuer de mes mains nues », dit Mme McCaughey au sujet de l'expérience qu'elle a vécue en suivant ce qu'elle appelle un « cours d'assaillant matelassé. En y repensant, elle se demande comment elle aurait pu devenir une militante féministe sans pratiquer ou promouvoir l'autodéfense.

Comme je l'ai dit au chapitre 2, nous *apprenons* à « lancer comme une fille » — en retenant notre force, en refusant de la développer, et en abordant les tâches physiques comme si nous étions nées à l'ère victorienne, à l'époque où les femmes s'évanouissaient sur des canapés. « Les femmes sont convaincues qu'elles sont incapables de soulever et de transporter des choses lourdes ou de pousser, de tirer, d'agripper, d'écraser ou même de tordre des objets en exerçant beaucoup de force, dit Mme McCaughey. Lorsque nous tentons d'accomplir des tâches de ce genre, il nous arrive souvent d'être incapables d'exploiter au maximum toutes les possibilités de notre coordination musculaire, de nos mouvements, de nos gestes et de notre port. » Chéri, pourrais-tu ouvrir le pot de cornichons ? Lorsque Mme McCaughey a demandé aux instructeurs d'autodéfense quel était le plus gros obstacle que leurs élèves avaient à surmonter, ils lui ont répondu « leur féminité ». Elles devaient surmonter leur habitude d'être gentilles, leur crainte de faire mal aux autres et leur conviction de ne pas avoir la puissance physique voulue. Une formation en autodéfense donne aux femmes l'occasion de « répéter un nouveau texte », dit Mme McCaughey. « Elles développent une nouvelle image d'elles-mêmes et une nouvelle compréhension de ce que le corps féminin peut accomplir, ce qui leur permet de se libérer des attentes en vertu desquelles elles agissaient, c'est-à-dire des attentes qui se sont cimentées dans leur corps. »

Au début, il fallait rassurer les participantes en leur disant: « Je sais que vous vous en sentez incapables, mais, croyez-moi, ce n'est absolument pas le cas. » C'est là la première étape de la déprogrammation dans presque tous les cours d'autodéfense, que l'arme utilisée soit un pistolet ou le corps. « Dès leur naissance, la plupart des femmes subissent un lavage de cerveau qui leur fait croire que la seule réaction appropriée à une agression physique est la soumission », a expliqué une spécialiste du tir à la carabine dans *American Rifleman.* « Dans la cour de l'école, on nous dit que les filles ne doivent pas frapper, même lorsque nous frappons par légitime défense pour échapper à une petite brute plus grosse et plus forte que nous. Plus tard, on nous dit que les femmes devraient se soumettre en cas d'agressions criminelles de crainte d'être blessées — comme si le crime lui-même n'était pas une blessure. » « C'est pourquoi l'expérience d'apprendre à se défendre transforme littéralement notre vie », ajoute-t-elle.

Et, apparemment, c'est le cas. Les femmes discutent en classe des sentiments de triomphe qu'elles éprouvent lorsqu'elles commencent à changer et ces échanges eux-mêmes en viennent à faire partie du programme de transformation. Pendant son « cours d'assaillant matelassé », Mme McCaughey a raconté à ses collègues comment elle avait verbalement affronté un homme qui l'avait harcelée dans la rue. Elle s'était retournée pour lui crier après, chose qu'elle n'avait jamais faite auparavant. Une autre femme a eu droit à des applaudissements lorsqu'elle a expliqué à la classe comment ses vociférations avaient ébranlé l'homme qui avait baissé son pantalon pour se masturber dans le parking de l'immeuble où elle travaillait. Elle avait fait tellement de bruit que l'homme avait lâché son pénis avant le moment critique pour se boucher les oreilles avec les mains.

En suivant des cours d'autodéfense, les femmes apprennent tout un arsenal de techniques qui disent aux hommes : « Ne m'emmerdez surtout pas. » Elles apprennent à « foudroyer » un homme du regard, c'est-à-dire à le regarder droit dans les yeux au lieu de baisser les paupières pour qu'il comprenne bien qu'il n'a pas affaire à une victime. Les cours d'autodéfense enseignent aux femmes des choses diverses et pratiques, comme arracher les yeux de quelqu'un, lui donner des coups de pied et des coups de poing ou même tirer au pistolet même si leurs mains tremblent. « Je ne sais pas comment leur donner des coups de pied, mais je peux leur arracher les yeux », a dit une dame de soixante-dix ans qui a décidé de prendre des cours d'autodéfense pour ne pas gâcher ses projets de voyage en solitaire.

Certains cours incluent des exercices contre le harcèlement. Par exemple, les participantes apprennent à vociférer des obscénités ; on peut aussi leur apprendre à dire fermement et sans sourire : « Ôtez votre main de sur mon genou. » En exerçant ces techniques encore et encore, les femmes parviennent peu à peu à désapprendre les comportements « féminins » qui sont autodestructeurs. Les instructeurs qui donnent des cours d'assaillant matelassé ne cessent de crier à leurs élèves « Il est dans ton espace » et « Impose tes limites ».

Les ateliers offerts par Impact Personal Safety Inc. enseignent aux femmes des réactions physiques et verbales dans des situations qui mettent leur vie en danger. Le programme montre aux femmes comment rassembler la force de leurs muscles les plus puissants, c'est-à-dire les muscles des hanches et des cuisses. Il leur montre aussi comment déployer cette force. Elles pratiquent leurs mouvements les plus agressifs avec un instructeur masculin qu'elles appellent « Bif », qui porte un vêtement de protection pesant 12 kg. Elles apprennent à crier « Non » du fin fond de leurs entrailles. « Pour de nombreuses femmes qui ont appris à toujours être douces et réservées, a dit l'une des participantes à l'atelier, c'était comme leur demander de faire un discours sur le coin d'une rue. »

Les femmes doivent apprendre qu'elles peuvent recevoir des coups sans s'effondrer. Savoir qu'on en est capable est presque aussi important que savoir donner des coups. Rene Denfeld avait décidé de surmonter sa peur des hommes en apprenant la boxe. Avant son premier combat, elle s'est rendu compte que la crainte de recevoir un coup lui faisait plus peur qu'elle ne l'avait imaginé… « J'avais peur de figer sur place, a-t-elle dit. J'avais peur de me faire faire mal. J'avais des visions de femmes qui se faisaient frapper dans les films, des femmes craintives, impuissantes et suppliantes. »

Lorsque la cloche a sonné et que Mme Denfeld a commencé à échanger des coups avec son adversaire, ses longs mois d'entraînement l'ont rassurée. Elle lui a envoyé quelques directs. Il lui a envoyé un direct cuisant sur le nez, mais cela ne lui a pas fait aussi mal qu'elle l'aurait cru. « D'une certaine façon, m'en rendre compte a été plus excitant et plus satisfaisant que je n'aurais pu l'imaginer. Je me faisais frapper par un homme, mais je ne m'effondrais pas. Je savais que j'allais très bien m'en sortir ! »

En arts martiaux, il est crucial d'apprendre à « rester dans son corps ». On apprend aux participantes à trouver leur « chi », une force mentale qui accroît la force et le contrôle, de sorte qu'elles apprennent à se concentrer et à penser rapidement. Elles apprennent à « enrouler » leur énergie lorsqu'elles doivent se défaire de l'emprise de l'adversaire. C'est la mémoire de leur corps qui garde ces compétences en réserve tant qu'elles ne sont pas nécessaires. Même l'affirmation verbale seule (qu'on enseigne souvent dans les centres d'aide aux victimes d'agressions sexuelles) peut donner de l'assurance à une femme. Naturellement, plus les techniques apprises ont le potentiel de tuer, plus le sentiment de liberté est grand. « C'était super de tabasser un mec de 1,85 m », a dit une participante en parlant d'un assaillant matelassé dans un cours de Model Mugging. Une étudiante de karaté a su pour sa part que son entraînement avait vraiment porté fruit lorsqu'elle s'est mise à rêver qu'elle se défendait contre des agresseurs.

La plupart des femmes se présentent à ces cours dans un état de relative paralysie. Elles repartent conscientes de leur pouvoir, ayant appris à prendre des décisions sur la façon de bouger leur corps dans des situations particulières, par exemple lorsqu'elles sont attaquées par-derrière ou de côté, ou encore lorsqu'elles sont épinglées au sol par un homme qui veut les forcer à lui faire une fellation.

Il n'est pas étonnant que les femmes qui ont appris à se défendre physiquement n'en restent pas là. « Elles passent à une autre étape », dit un instructeur, et la transformation est intéressante. « Elles mettent un terme à des relations malsaines, quittent leur emploi et retournent aux études. Elles sautent en parachute. Elles se mettent à faire de l'escalade. Elles lancent des entreprises. En fait, elles arrivent à un point qui leur permet de faire plus qu'elles n'ont jamais fait et de se débarrasser de leurs chaînes, de l'obstacle… bref, de ce qui les retenait. »

Il arrive qu'elles ne changent pas de carrière, mais leur attitude envers celle-ci change. Une infirmière qui a suivi trois cours de Model Mugging (il y en a différents niveaux) s'est rendu compte par la suite qu'elle avait toujours eu « le sentiment de ne pas exister » lorsqu'elle se trouvait en présence de médecins. « J'avais toujours eu l'impression d'être une petite souris qui se faufilait entre tous ces grands hommes importants… que je n'avais pas le droit de m'attendre à ce qu'ils reconnaissent qui j'étais et je les considérais tous supérieurs à moi, a-t-elle avoué. »

Toute personne qui a séjourné à l'hôpital sait quels sont les soins les plus importants. Ce ne sont pas ceux des médecins et les infirmières elles-mêmes le savent. Cependant, le système leur a inculqué une attitude de soumission. Les cours de Model Mugging ont donné à cette infirmière le sentiment « d'avoir le droit d'exister, d'être reconnue, de contester et de dire aux autres ce que je veux », a-t-elle affirmé. À la fin de ses cours, elle se sentait finalement égale aux médecins.

Un tel changement transforme effectivement la vie d'une personne. La femme impuissante n'existe plus. L'homme impossible à arrêter peut être arrêté. Et la nouvelle efficacité physique de la femme n'est pas attribuable à la libération de quelque instinct dormant, pas plus que le viol ne l'est. Elle est attribuable à un modèle de comportement — tout comme l'est le viol. Si cela est nécessaire, une femme doit pouvoir puiser dans son esprit de lutte et faire ce qu'il faut pour survivre. Cependant, la philosophie de l'autodéfense va au-delà de la capacité d'un individu à se protéger contre une agression. Elle va jusqu'au cœur de la féminité inventée et de l'inégalité entre les sexes, insidieusement appuyées par la notion qu'il existe des différences entre les sexes. L'égalité physique met un terme à la domination d'un sexe sur l'autre, même lorsqu'elle doit être accomplie de manière compensatoire par l'intermédiaire de cours d'autodéfense qui nivellent le champ de bataille entre des personnes de taille et de force différentes. Il devient de plus en plus clair que c'est là la dernière étape de la libération des femmes. En *se rendant* physiquement égales aux hommes, les femmes peuvent enfin se libérer.

Épilogue

Le mythe de la fragilité nous a exclues, nous les femmes, de bien des domaines. Au début, nous nous croyions faibles. Par la suite, nous avons commencé à soupçonner que nous ne l'étions peut-être pas, mais on continuait à nous faire croire le contraire. Puis nous nous sommes mises à prouver que nous n'étions pas faibles et on nous a prises pour des hommes parce que nous étions fortes. Au cours du dernier siècle, les femmes ont surmonté obstacle après obstacle, démontrant qu'elles avaient des pouvoirs et des compétences physiques extraordinaires, mais on cherchait encore à les retenir pour la seule raison qu'elles étaient de sexe féminin. Dans les métiers non traditionnels, par exemple, il y a encore un mouvement de ressac, plus particulièrement contre les femmes qui font un travail que l'on associe à la virilité. Les métiers de service qui requièrent des muscles pour protéger d'autres personnes, comme le métier de soldat, de policier ou de pompier, revêtent une importance particulière pour l'identité mâle. Même des professions nécessitant des aptitudes mentales plus élevées, tels la médecine, le droit ou le génie, ont toujours été considérées comme des bastions masculins requérant un certain cran, une certaine stature et de la sueur mâle. Parce que les femmes n'ont jamais fait l'expérience de leur propre force physique, elles adhèrent elles aussi au mythe du « travail d'homme ». Dès qu'elles aperçoivent un pont suspendu dans les airs au-dessus d'une rivière, elles supposent naturellement que c'est un homme qui a peiné sur une table à dessin pour le concevoir. Une neurochirurgienne pourrait-elle opérer le cerveau d'un malade? Impossible, croit-on. Cela demande des compétences masculines. Il en va de même du pilotage des avions. En fait, les hommes n'ont pas toujours été les seuls à ridiculiser l'idée d'un pilote féminin. Même les femmes étaient portées à dire: «Je ne prendrais *jamais* un avion piloté par une femme.» Les exigences liées à ces emplois ne sont pas particulièrement physiques, mais elles évoquaient autrefois une combinaison de courage et d'acuité visuelle qui échappait aux femmes, croyions-nous.

Au cours des trente années qui se sont écoulées entre 1970 et l'an 2000, une bonne part de la mythologie du «travail d'homme» s'est effondrée. De nos jours, nous ne nous inquiétons plus qu'une femme pilote un énorme 737 au-dessus des nuages. Nous pouvons même nous sentir plus en confiance avec une neurochirurgienne qu'avec un neurochirurgien, parce qu'elle n'a pas peur de s'identifier à nous, tout en traitant notre matière grise. Il est maintenant prouvé que les policières manient leur arme avec autant de dextérité que les policiers et que les espionnes sont aussi efficaces que les espions. Les choses ont tellement changé qu'il est difficile d'imaginer qu'il n'en a pas toujours été ainsi.

Pourtant, toutes les injustices n'ont pas été encore éliminées. Il y a deux ans, lorsque Rachel a décidé de quitter la ville pour s'installer à Nantucket et se consacrer à l'écriture, elle a pris un emploi dans la construction pour subvenir à ses besoins. Nantucket est une île riche où il se construit de nombreuses maisons, de sorte qu'elle n'a pas eu de difficulté à trouver cet emploi. Commencer au bas de l'échelle lui convenait, car elle considérait que c'était déjà un début. Les entrepreneurs masculins lui ont dit qu'elle devait développer ses «compétences». Cependant, on lui a fait poncer des plinthes et décaper des volets bien longtemps après qu'elle ait maîtrisé cet art. Elle passait huit heures par jour à poncer et avait les paumes couvertes de callosités. «Ce n'est pas si mal, me disait-elle. Le travail me plaît. Les paysages vus d'ici sont absolument splendides lorsqu'on a la chance de travailler dehors.» Qu'elle arrive à trouver un côté agréable à un travail aussi éreintant me fascinait. Elle conduisait aussi un taxi pour se faire suffisamment d'argent afin de joindre les deux bouts. Cependant, plusieurs mois ont passé avant qu'elle ne reconnaisse qu'on la retenait délibérément au bas de l'échelle. Elle a quitté un emploi chez un entrepreneur qui ne voulait pas la laisser faire de la peinture pour en trouver tout de suite un autre chez un entrepreneur qui lui promettait de l'avancement rapide. Elle n'y est pas restée longtemps, toutefois, voyant bien qu'il coulerait beaucoup d'eau sous les ponts avant qu'on ne la laisse sortir de l'équipe de ponçage. Ces entrepreneurs ne *voulaient* pas qu'elle apprenne à manier le pistolet à calfeutrer.

Elle a donc décidé de chercher ailleurs. Elle enseigne maintenant à l'école secondaire locale et elle gagne des centaines de dollars à vendre sur Internet des meubles qu'elle peint elle-même. Et dire qu'on ne la croyait pas «prête» pour repeindre un mur de placoplâtre au latex, comme lui avait déclaré un entrepreneur! Elle en a tiré une bonne leçon de discrimination fondée sur le sexe. Sur une île à 48 kilomètres des côtes, des hommes qui se réservaient le travail intéressant pouvaient encore s'en tirer impunément.

Cela ne veut pas dire que les femmes sur le continent ne se font pas couper l'herbe sous le pied lorsqu'elles essaient d'obtenir des emplois traditionnellement réservés aux hommes. Lorsqu'une femme en Californie a demandé au service d'incendie local ce qu'elle devait faire pour obtenir un emploi, on lui a conseillé d'aller suivre des cours à l'académie de lutte contre les incendies et d'obtenir un diplôme de technique ambulancière. Elle a donc fait ce qu'on lui avait dit avant de découvrir qu'elle n'avait nullement besoin de ces compétences. «Le capitaine à qui je m'étais adressée la première fois voulait simplement se débarrasser de moi. Il n'avait pas envie de me prendre dans son équipe.»

Au début des années quatre-vingt-dix, après avoir passé quatre ans et demi à suivre des cours pratiques, une ouvrière tôlière du nom de Vidette Galvin s'est présentée à son premier emploi. Étant la seule femme sur le chantier de construction, les toilettes extérieures étaient naturellement unisexes et elles se trouvaient sur le toit. Après être entrée dans les toilettes le premier matin, elle a senti comme un mouvement de balancement. « Une fois sortie des toilettes, j'ai regardé autour et je me suis rendu compte que le câble de la grue était accroché au toit des toilettes et qu'on les avait soulevées pendant que je me trouvais à l'intérieur. »

Les attitudes envers les femmes dans les métiers non traditionnels ne sont pas toutes les mêmes, mais toutes les femmes qui occupent de tels postes doivent prouver de quoi elles sont capables. « Les hommes font ces métiers depuis tellement longtemps que certains d'entre eux croient que les femmes sont incapables de faire ce genre de travail », a souligné Nancy Kiniery, une travailleuse qui repeint des ponts. « Heureusement, il y en a quelques-unes comme moi qui prouvent que nous en sommes capables et que nous faisons du très bon travail. »

Mme Kiniery se souvient de son premier jour de travail alors qu'elle avait été engagée pour repeindre une section du pont de la baie de San Francisco. En tant qu'apprentie, on l'avait chargée de transporter le matériel ; lunettes de sécurité, respirateur, marteau de décapage et autres outils, bref tout ce qu'il fallait pour repeindre un pont. Cela se passait deux jours avant qu'un tremblement de terre ne fasse tomber une section du pont. Mme Kiniery avait gravi l'escalier jusqu'au sommet du pont, transportant les outils dans un sac à dos. « Je me souviens m'être demandé si j'allais être capable de faire cela tous les jours. Lorsque je suis arrivée en haut… on m'a placée dans une nacelle à l'extérieur du pont, de sorte que j'étais suspendue au-dessus de l'eau. » On m'a dit : « Descends et repeins l'intérieur et l'extérieur ». Je me disais : « C'est bien beau ! Mais allez-vous monter dans la nacelle et me montrer comment faire ? Je n'oublierai jamais cette journée ! »

La compétence physique fait aussi une grande différence dans la vie des femmes qui ont une profession. En effet, 80 % des femmes occupant des postes de haut niveau au sein de sociétés faisant partie de Fortune 500 ont fait du sport. Candace Carpenter, fondatrice et pdg de iVillage, un très important site Internet pour femmes, attribue son succès professionnel à ses activités d'escalade. « Lorsqu'on fait de l'escalade, toute erreur a des conséquences réelles. On n'a pas beaucoup de temps pour se remettre d'un incident. On escalade généralement un rocher qu'on ne connaît pas, de sorte qu'il faut prendre des décisions sans savoir ce qu'on trouvera plus loin. » Ce n'est pas très différent de faire des affaires sur Internet, dit-elle. « Il faut prendre beaucoup de bonnes décisions sous pression, et cela, sans disposer de beaucoup d'information. »

Les mêmes défis sont associés à la tâche d'être mère, et c'est même davantage le cas lorsqu'on est jeune, pauvre et chef d'une famille monoparentale. Cependant, il n'y a rien de plus stimulant que les défis physiques rigoureux pour rehausser l'estime de soi des personnes défavorisées, comme l'a découvert le collège Mount Holyoke, au Massachusetts, lorsque ses dirigeants ont proposé un programme d'aviron à de jeunes mères seules vivant de l'aide sociale. Ce programme visait à leur donner confiance en elles-mêmes dans l'espoir que cette nouvelle assurance déteigne sur d'autres aspects de leur vie. Le collège mettait à leur disposition non seulement les embarcations et les entraîneurs pour les former, mais aussi un service de garde pour leurs enfants. Les jeunes mères ont appris plus rapidement que d'autres novices qui avaient plus de temps pour s'entraîner, a signalé un des entraîneurs. Et il ne leur a pas fallu beaucoup de temps pour décider de participer au Mount Holyoke Invitational, les plus anciennes régates pour femmes au pays. Elles se mesuraient à d'autres collèges connus non seulement pour leurs programmes scolaires, mais aussi pour leurs prouesses en aviron.

Pour ma part, je crois que c'est grâce au déboulonnement du mythe de la fragilité que j'ai commencé à convoiter la grande liberté physique de mes filles. Pour fêter son trentième anniversaire, Rachel a fait un voyage de cinq semaines au Vietnam. Elle est partie seule, sans avoir réservé d'hôtels à l'avance, n'ayant préparé qu'un très vague itinéraire. À son retour, voyant l'exubérance avec laquelle elle me racontait son voyage en train dans les montagnes près de la frontière chinoise, ses traversées sur des passerelles de fortune dans le delta du Mékong et ses explorations à plat ventre dans les tunnels des Viêt-congs, j'ai compris que je voulais avoir une vie plus riche en aventures.

Quelques mois après le retour de Rachel, je devais me rendre à Tokyo par affaire. Comme mon billet d'avion vers l'Asie m'était remboursé, j'ai décidé de faire moi aussi un voyage au Vietnam. J'ai commencé mon périple à Saigon, sans réservations, avec peu de bagages et un guide de voyage Lonely Planet comme seul compagnon. Je savais que j'aurais à relever des défis physiques et à venir à bout de quelques épisodes de dysenterie. J'avais peur des moustiques car on m'avait prescrit avant mon départ un médicament inefficace contre la malaria. J'ai évité le soleil à son zénith et je n'ai pas eu le courage de participer à une excursion de plongée en apnée dans la mer de Chine. Je n'ai pas traversé de passerelles dans le delta du Mékong ou rampé dans les tunnels servant de cachettes aux Viêt-congs. J'avoue cependant que j'ai fait, que j'ai vu et que j'ai *senti* davantage que je n'aurais jamais cru pouvoir le faire. Je me suis promenée dans les rues de Hanoi et de Saigon le jour et la nuit. Je me suis baladée sur un scooter conduit par un jeune Vietnamien qui m'a gentiment proposé de me piloter. Nous avons visité des marchés à ciel ouvert et mangé dans de petits restaurants extérieurs. Il m'a même emmenée rencontrer sa famille. J'ai joui de la liberté de décider de mes activités, de penser par moi-même et de relever des défis en m'aventurant seule dans une culture très différente. Lorsque je suis revenue chez moi, j'ai jeté un nouveau regard sur ma vie et sur ce que j'en ferais dorénavant. En y repensant maintenant, je comprends que je n'aurais jamais pu vivre cette expérience sans avoir eu mes filles comme modèles, sans m'être réapproprié mon corps et sans avoir développé le sentiment d'habilitation que m'a donné le mouvement féministe.

Je ne pense pas en rester là, jamais de la vie. Bien d'autres risques m'attendent à l'avenir. La prochaine fois, j'espère repartir avec ma fille. Je serai prête à mieux découvrir avec mon corps l'Asie du Sud-est et à goûter les mystères particuliers de ce coin du monde. Bref, à soixante-deux ans, je ne me sens pas privée de possibilités physiques. J'ai retrouvé quelque chose que je possédais lorsque j'étais jeune, c'est-à-dire le simple bonheur de pouvoir faire confiance à mon corps. Je ne vois pas la nécessité de cesser d'en profiter parce que j'ai atteint « un certain âge ». Lorsque je traverse des périodes difficiles, je fais du kickboxing. J'ai eu la chance de me sortir du mythe de la fragilité et j'en serai à jamais reconnaissante.

Notes

INTRODUCTION

12 corps *mésomorphe*: LENART, E. B. et al., « Current and Ideal Physique Choices in Exercising and Nonexercising College Women from a Pilot Athletic Image Scale », *Perceptual Motor Skills*, vol. 81, n° 3, pt. 1, décembre 1995, p. 831-848. Note : Les femmes qui estiment leur silhouette actuelle modérément mésomorphe affichent le moins d'insatisfaction à l'égard de leur corps.

12 « Je suis très intelligente » : REECE, Gabrielle, citée dans *Glamour*, juin 1997, p. 109.

13 « Ila est » : KARLEN, Neal, « Diamonds Are A Girl's Best Friend », *The New York Times*, 6 septembre 1998, Sec. 9, p. 6.

13 « comme Jackie Robinson » : YARDLEY, Jim, propriétaire des Dukes de Duluth, cité dans *The New York Times*.

14 « Une chose est claire » : BARTKY, Sandra Lee, « Foucault, Feminity and the Modernization of Patriarchal Power », dans *Feminism and Foucault : Reflections on Resistance*, sous la dir. de I. Diamond et L. Quinby, Boston, Northeastern University Press, 1998, p. 73.

Mme Bartky décrit les femmes qui sont portées à s'asseoir les jambes, les pieds et les genoux rapprochés ou se touchant comme « faisant une déclaration codée de circonspection sexuelle dans une société où subsistent deux poids deux mesures ou comme un effort, bien qu'inconscient, de protéger la région génitale ». La posture rigide de la femme est une expression de la nécessité pour elle de se protéger d'attaques sexuelles réelles ou symboliques.

CHAPITRE PREMIER

21 « les forces qui privent les femmes » : l'importance du développement physique pour réussir sa vie n'a été comprise que très récemment par les intellectuels des universités, où un domaine appelé « études sportives » a été créé au cours de la dernière décennie. Le « sport », au singulier, est maintenant considéré dans le domaine des sciences sociales comme un objectif privilégié sur le comportement humain, par les économistes comme une industrie en croissance et par les féministes comme un véhicule permettant d'examiner et de changer les rôles sexuels.

23 «Les femmes de l'ère glaciaire » : PRINGLE, Heather, « New Women of the Ice Age », *Discovery,* avril 1998, p. 62.

23 « tendaient des pièges » : *ibid.,* p. 64

23 « elles chassaient même » : *ibid.,* p. 66

23 De nouvelles recherches laissent le débat ouvert : on pensait à l'origine que les dessins linéaires découverts dans les cavernes paléolithiques, par exemple, représentaient des armes — harpons, flèches et lances — mais des interprétations plus tardives y ont vu des représentations stylisées de végétaux. KENNARD, June et John MARSHALL CARTER, « In the Beginning : The Ancient and Medieval Worlds », dans *Women and Sport,* sous la dir. de D. Margaret Costa et Sharon R. Guthrie, Champaing, Ill. Human Kinetics Books, 1994, p. 16.

23 « Si l'un de ces hommes du Paléolithique » : Pringle, p. 66
Olga Soffer et d'autres estiment que si ces choses n'ont pas encore été découvertes, c'est en raison de présomptions sexistes mâles sur l'utilité principale des femmes, par exemple, elles ne pouvaient absolument pas avoir participé aux activités de survie parce qu'elles devaient rester dans les cavernes avec les petits. Cette supposition a modifié la façon dont les hommes ont interprété les découvertes archéologiques, ne remarquant pas les marques de filets sur les fossiles, par exemple, ou des signes de plantes comestibles. Soffer et ses collègues ont jeté sur l'ère glaciaire un tout autre éclairage.

24 « les filles comme les garçons pouvaient faire partie des équipes » : HIGGINS, Reynold, *An Archeology of Mineon Crete,* Londres, Bodley Head, 1973, p. 21, cité par Riane Eisler dans *The Chalice and the Blade,* p. 35.

24 « Le partenariat égal » : EISLER, Riane, *The Chalice and the Blade*, New York, Harper Collins, 1995 (première édition 1987), p. 35.

24 « Forcées de vivre » : Elles contrôlaient la richesse tirée des produits agricoles, de la médecine, du textile, et elles étaient propriétaires terriennes. Comme elles détenaient autant de pouvoir économique, elles ont exercé une forte influence politique dans la collectivité.

24 « meneuses de claque de la chevalerie » : Kennard et Carter, dans Costa et Guthrie, p. 24.

25 Margaret Evans : PARK, Roberta J., « From "Genteel Diversion" to "Bruising Peg" : Active Pastimes, Exercise, and Sports for Females in Late 17 th- and 18 th-Century Europe », dans Costa et Guthrie, p. 31

25 « En 1765 » : *ibid.*, p. 33.

25 *Sporting : ibid.*

25 « significativement plus fréquentes » : RADFORD, Peter F., « Women Foot-Races in the 18 th and 19 th Centuries : A Popular and Widespread Practice. », Étude présentée à l'International Congress on the History of Sport, du 30 juin au 4 juillet 1993, Berlin, Allemagne.

26 « des salles de concert » : SHAULIS, Dahn, « Women of Endurance », *Women in Sports and Physical Activity Journal*, vol. 5, n° 2, 1996, p. 5.

26 « se sont jointes » : STRUNA, Nancy L., « The Recreational Experiences of Early American Women », cité dans Costa et Guthrie, p. 35.

27 « rien de rustique » : VERBRUGGE, Martha H., *Able-Bodied Womanhood : Personal Health and Social Change in Nineteenth-Century Boston*, Oxford, Angleterre, Oxford University Press, 1988, p. 196. Cité dans Costa et Guthrie.

27 « Elles souhaitaient le combat » : ALPERN, Stanley B., *Amazons of Black Sparta*, New York, New York University Press, 1999, p. 32.

28 « force musculaire supérieure » : CHAUDOIN, Edmond, *Trois mois de captivité au Dahomey*, Paris, 1891, p. 186.

28 « mâles honoraires » : FRASER, Antonia, *The Warrior Queens*, New York, Vintage, 1990, p. 239, 331-332.

28 «Nous avons libéré»: FISHER, Ian, «Like Mother, Like Daughter, Eritrean Women Wage War», *The New York Times,* 26 août 1999, p. A1.

29 «membres mous»: WOLLSTONECRAFT, Mary, *A Vindication of the Rights of Women,* sous la dir. de Carol H. Poston, New York, W.W. Norton & Company, 1988, p. 25.

29 « mais étaient forcées»: *ibid.,* p. 280.

29 «Les garçons avaient de la chance»: DOHM, Hedwig, *Schicksale einer Seele,* Munich, Verlag Frauenoffensive, 1988 (première édition 1899), p. 24, cité dans Weedon, Chris, *Feminism, Theory ad the Politics of Difference,* Oxford, Angleterre, Blackwell Publishers, 1999, p. 24.

30 «la force physique»: Wollstonecraft, M., p. 81.

30 «jusqu'où»: *ibid.,* p. 85.

30 «Au XIXe siècle»: CASHMORE, Ellis, *Making Sense of Sport,* Londres et New York, Routledge, 1990, p. 89.

31 «les jeunes filles»: EMMET, Thomas E. Addis, M.D., *The Principles and Practice of Gynecology,* Philadelphie, 1879, p. 21, cité dans Vertinsky, Patricia A., *The Eternally Wounded Woman,* Urbana, University of Illinois Press, 1994, p. 50.

31 «nature masculine»: WESTMAN, S. K., *Sports, Physical Training and Womanhood,* Baltimore, Williams and Wilkins, 1939, p. 140.

31 «l'affaiblissement»: TAYLOR, J. Madison, *Pediatrics,* 15 juillet 1896.

32 «Il n'y avait ni»: KIDD, Bruce, «The Men's Cultural Centre: Sports and the Dynamic of Women's Oppression/Men's Repression», dans *Sport, Men and the Gender Order,* sous la dir. Michael A. Messner et Donald F. Sabo, Champaign, Ill., Human Kinetics Books, 1990, p. 35

32 «l'avenir de la race blanche», *ibid.*

33 «20 % de son énergie»: Vertinsky, p. 70.

33 «anabolique»: *ibid.,* p. 180.

33 «La plupart des femmes»: SCOVIL, Elizabeth Robinson, *Preparation for Motherhood Manual,* Philadelphie, Heny Altemus, 1889, p. 39.

34 «le bassin change de forme»: ROBERTS, C. M.D., «Bodily Deformities in Girlhood», *Popular Science Monthly,* vol. 22, janvier 1983, p. 324.

34 « jeunes filles alanguies » : c'était la phrase utilisée par Dioclétian Lewis, un réformateur qui croyait que les filles ne faisaient pas suffisamment d'exercice.
Catharine Beecher (sœur de Harriet Beecher Stowe, auteur de *La Cabine de l'oncle Tom*) a été l'une des premières réformatrices et l'une des plus influentes. Elle a inventé une forme de gymnastique, a écrit un ouvrage sur sa méthode et a ouvert en 1824 une école pour filles à Hartford, au Connecticut. Mais elle n'était pas féministe, au contraire. Elle croyait en la subordination des femmes et en l'importance de leur rôle de ménagère. Sa méthode d'exercice visait uniquement à corriger la forme féminine et à rendre les femmes plus aptes au travail domestique.

35 « soulever des poids » : Vertinsky, p. 207
Charlotte Perkins Williams a aussi pratiqué des « formes rigides d'auto-discipline », dit l'historienne Patricia Vertinsky. (*ibid.*) Elle est devenue « préoccupée » par l'exercice et les restrictions alimentaires.

36 « Gardez votre enfant » : GILMAN, Charlotte Perkins, *The Living of Charlotte Perkins Gilman : An Autobiography,* Univ. Of Wisconsin Press, 1991, p. 96.

36 « De plus en plus » : Vertinsky, p. 227, fn. 37. Mme Vertinsky note aussi que Mitchell était réputé gagner 70 000 $ dans une bonne année, une somme astronomique pour l'époque. Il tirait la plupart de ses revenus de consultations.
Mme Vertinsky fait remarquer qu'on prescrivait aussi du repos aux hommes d'affaires qui souffraient d'épuisement, mais qu'on leur permettait de continuer à travailler et qu'il n'y avait aucun sous-entendu de nature morale dans la prescription. Leur seule responsabilité consistait à prendre soin d'eux-mêmes et non de la race humaine au grand complet. De plus, la fatigue des hommes était due au travail, tandis que celle des femmes était une question de biologie. Comme toutes les femmes avaient cette biologie, elles apprenaient à se méfier de leur corps quand elles souffraient de troubles psychologiques.

37 « Comme corps professoral » : « The Obstetrical Society Meeting to Consider the Proposition of the Council for the Removal of M. I. B. Brown », *British Medical Journal,* vol. 1, 1867, p. 396.

37 *The Yellow Wallpaper :* Ces épisodes dépressifs de Charlotte Gilman ont disparu d'eux-mêmes et elle a retrouvé son énergie.

Un an après sa première consultation avec Mitchell, Mme Gilman a quitté mari et enfant et a emménagé en Californie, où elle a embrassé le socialisme et le mouvement féministe. Son mari, autrefois admiratif de ses prouesses athlétiques, s'est plaint dans les journaux que sa femme était devenue trop préoccupée par son développement musculaire.

37 « a attiré l'attention » : Vertinsky, p. 219.

37 « plus apte possible » : HALL, Stanley G., *Educational Problems,* vol. 1, New York, I. D. Appleton, 1911, p. 200, cité dans Vertinsky.

38 « à la contrainte et à la joie de l'obligation pure » ; « le conduit par lequel "l'âme humaine" pourrait un jour devenir "surhomme" dans un "super-état" », HALL, G. Stanley, « Education of the Will », *Princeton Review,* vol. 10, novembre 1882, p. 321, cité dans Vertinsky.

38 « d'abord connaître » : HALL, G. Stanley, « Child Study and Its Relation to Education », *The Forum,* vol. 29, août 1900, p. 702. Les leaders masculins voulaient contrôler aussi l'énergie que consacraient les femmes à penser. Une fois encore, ils invoquaient des raisons biologiques. Lorsque les femmes se servaient de leur cerveau, elles dépensaient toute leur énergie, ce qui les rendaient moins fertiles, pensaient les médecins. « Il n'est probablement pas exagéré de dire qu'il faut ajouter au coût de l'éducation de chaque fille un enfant qui ne naîtra pas », a écrit un protégé de Hall dans *Popular Science Monthly.*

38 « le pays » : *ibid.*

39 « une crise de la masculinité » : KIMMEL, Michael S., « Baseball and the Reconstitution of American Masculinity, 1880-1920 », cité dans Messner et Sabo, p. 57.
« Les hommes étaient secoués par des changements dans l'ordre économique et social qui leur faisaient sentir que leur position de supériorité dans la hiérarchie des sexes et leurs rôles et prérogatives masculins prétendument "naturels" n'étaient pas enracinés dans la condition humaine, mais résultaient plutôt d'un ensemble complexe de relations sujettes au changement et à la détérioration, » selon M. Hartman, « Sexual Crack-Up : The Role of Gender in Western History » (article inédit, Rutgers University), cité par Kimmel dans Messner et Sabo.

40 « renverser le déclin appréhendé » : WALSH, Mary Roth, « Men's Behavior : Is the Mythopoetic Men's Movement Creating New

Obstacles for Women? », dans *Women, Men and Gender,* sous la dir. de Mary Roth Walsh, New Haven, Yale University Press, 1997, p. 399.

Mme Walsh cite un rapport tiré des Records of the Commissioner of Education de 1905 décrivant l'état pathétique des garçons américains qui ne sont pas élevés à taper sur la tête des autres ni à supporter les coups « de manière saine et honorable ».

41 « christianisme musclé » : Michael Kimmel parle du christianisme musclé qui était prêché dans des ouvrages comme *The Manliness of Christ* (1880) et *The Masculine Religion* (1906), dans Messner et Sabo.

41 « Nous sommes des soldats » : HALL, G. Stanley, « Christianity and Physical Culture », *Pedagogical Seminary,* vol. 9, 1902, p. 337, cité dans Vertinsky.

41 « Le mythe du "vrai mâle" : les publicités de la dernière décennie du XIXe siècle montrent que le corps masculin idéal a pris environ 10 kg.

Un siècle après l'écrasement du premier mouvement de libération par la culture du vrai mâle et l'apparition simultanée du culte de l'invalidité féminine, on a de nouveau sonné l'alarme contre « la féminisation de la virilité américaine » dans les années 1990. Les hommes ont été encouragés à se frapper la poitrine et à renouer avec « l'homme primitif » en eux. Dans sa tentative d'associer la religion, la force physique et la virilité, le mouvement des hommes de la fin du XXe siècle ne différait pas beaucoup du christianisme musclé. Les « Promise Keepers » par exemple soutiennent que les hommes doivent être les chefs de famille en raison de leur plus grande force « naturelle » (comme le dit la Bible). C'est cette force qui est censée leur conférer l'obligation de protéger les membres plus faibles de la famille, incluant bien sûr leurs femmes.

41 « En 1877 » : JACOBI, Mary Putnam, *The Question of Rest for Women During Menstruation,* New York, G. Putnam's Son, 1877.

42 « se servir de son autorité professionnelle », Vertinsky p. 112.

42 « pour dissiper » : JACOBI, Mary Putnam, « Social Aspects of the Re-admission of Women into the Medical Profession ». Articles et lettres présentés au First Women's Congress of the American Association for the Advancement of Women, New York, 1874, p. 173.

43 «pourquoi exagérer»: POMEROY, Florence, Vicomtesse Harberton, «Rational Dress for Women», Macmillan, 1882, cité dans Janet H. Murray, *Strong-Minded Women,* New York, Pantheon Books, 1982, p. 70, cité dans Vertinsky, p. 76.

43 «C'est l'aube d'une nouvelle ère»: JEYE, Louise, *Lady Cyclist,* août 1895, p. 224.

43 «sauver des milliers»: FENTON, W.H., «A Medical View of Cycling for Ladies, *Nineteenth Century,* vol. 39, 1896, p. 797, cité dans Vertinsky, p. 77

44 «torts irréparables»: STABLES, Gordon, M.D., «Health», *Girls' Own Paper,* août 1901, p. 4.

44 «masturber»: TURNER, E. B., M.D. «A Report on Cycling in Health and Disease», *British Medical Journal,* vol. 1, 9 mai 1896, p. 1399.

44 « l'expression figée du visage»: VERTINSKY, Patricia, «Women, Sport and Exercise in the 19 th Century, dans Costa et Guthrie.

44 «mobilité pour pouvoir se déplacer»: «Une femme connue sous le nom de Mme A. M. C. Allen a établi le record du plus grand nombre de milles parcourus à bicyclette (21 026) en une année, en 1897. Pendant son trajet, elle avait été mordue par un chien, mais elle avait sorti son revolver et l'avait tiré», a écrit Mariah Burton dans l'introduction de *Nike is a Goddess.* «Elle avait ensuite pédalé 16 milles de plus avant de trouver des soins médicaux», sous la dir. de Lisa Smith, Boston, Atlantic Monthly Press, 1998, p. xii.

45 «les pics un à un»: descriptions des ascensions du Mont Rainier par des femmes dans KAUFMAN, P. W., «Early Women Claim Park Lands for Adventure and Aspiration», *Courier,* vol. 3, n° 10, 1986, p. 16-18.

Le Alpine Club du Canada fondé en 1906 en est un autre exemple. Un an après sa fondation, un tiers de ses 250 membres étaient des femmes et ce pourcentage avait augmenté à près de la moitié une décennie plus tard. SMITH, Cyndi, *Off the Beaten Track: Women Adventurers and Mountaineers in Western Canada,* Jasper, Alberta, Coyote Books.

45 «Même les meneuses de claque»: dans un exemple flagrant de la façon dont des comportements et activités prétendument «sexués» peuvent changer avec le temps, dans les années soixante-dix, être meneuse de claque était devenu une activité «naturelle-

ment» féminine. Ses racines masculines avaient été complètement oubliées. DAVIS, Laurel, «A Postmodern Paradox?», dans *Women, Sport, and Culture,* sous la dir. de Susan Birrell et Cheryl L. Cole, Champaign, Ill., Human Kinetics Books, 1994, p. 150.

46 «les coups de bâton aux seins»: KENEALY, Arabella, *Feminism and Sex-Extinction,* Londres, T. Fisher Unwin, 1920, p. 179, 120 et 139.

46 «a-mazos»: WALKER, Barbara G., *The Woman's Encyclopedia of Myths and Secrets,* New York, Harper & Row, 1983, p. 24-25. Les représentations grecques ne montrent pas d'amazones à un sein. Le concept du sein manquant, dit Walker, «pourrait provenir d'icônes asiatiques de l'androgyne primal dont le côté droit est mâle et le côté gauche femelle et qu'on retrouve dans l'association de la déesse amazone Artémis et de son frère-consort Apollon».

46 «championne nationale de France»: LEIGH, Mary et Theresa BONIN, «The Pioneering Role of Madam Alice Milliat and the FSFI in Establishing International Track and Field Competition for Women», *Journal of Sport History,* printemps 1977, cité dans Costa et Guthrie, p. 125.

47 «vigoureuses»: VERBRUGGE, Martha H., *Able-Bodied Womanhood,* Oxford, Angleterre, Oxford University Press, 1988, p. 196.

48 «Les jeux brutaux et vicieux»: BERENSON, Senda, «The Significance of Basketball for Women», dans *Line Basket Ball or Basket Ball for Women 1901,* sous la dir. de Senda Berenson, New York, American Sporting 1901, p. 20-27, cité dans Joan S. Hult, «The Story of Women's Athletics: Manipulating a Dream 1890-1985», dans Costa et Guthrie, p. 87.

49 «un quasi-monopole»: Hult, dans Costa et Guthrie, p. 87.

50 Cette philosophie de sports «modifiés» marginalisait les sports féminins, mais comme le souligne Messner, «elle faisait aussi en sorte que, pour le moment, l'image de l'athlète féminine ne constitue pas une menace importante pour… le sport, la virilité, la force et la puissance des hommes» et elles ont pu continuer. Plus tard, malgré ses limites, la première vague de féminisme sportif a remis en question le sport comme arène incontestée de la domination masculine.

50 LEFKOWITZ-HOROWITZ, H., «Before Title IX»». Article présenté aux réunions du Stanford Humanities Center Sport and Culture, avril 1996.

50 « Lou Henry Hoover » : Hult, p. 90.
50 « National Amateur Athletic Foundation » : *ibid.*
50 « modèle récréatif » : *ibid.*
51 « J'ai grandi au Moyen Âge » : CARLSON, Margaret, « Why It Was More Than a Game », *Time,* 19 juillet 1999, p. 64.
52 « en développant » : SCOTT, Ann Crittendon, « Closing the Muscle Gap », *Ms.,* septembre 1973, p. 89.
52 « Selon ce document » : cité dans GAUTHIER, N.N., « Guidelines for Exercise During Pregnancy : Too Little or Too Much ? », *Physician and Sportsmedicine,* vol. 14, n° 4, 1986, p. 162-169.
54 « prévenir les problèmes de santé » : WOLFE, L. A. et al., « Aerobic Exercise in Pregnancy : An Update », *Canadian Journal of Applied Physiology.* vol. 18, 1993, p. 119-147.
55 « fait sans précédent » : KISSLING, Elizabeth Arveda, « When Being Female Isn't Feminine : Uta Pippig and the Menstrual Communication Taboo in Sports Journalism », *Sociology of Sport Journal,* vol. 16, 1999, p. 79-91.
55 « évaluant soigneusement » : *ibid.,* p. 84.
56 « Uta Pippig a été malade » : HODGES, J., « Tannui, Pippig Celebrate 100 th », *Los Angeles Times,* 16 avril 1996, p. C1, cité dans Kissling, p. 85.
56 « Il n'y a pas de façon délicate » : SHAUGHNESSY, Dan, « Passing into History », *Boston Herald,* 16 avril 1996, p. 41 et 46, cité dans Kissling, p. 85.
57 « la victoire de Uta Pippig », *ibid.,* p. 88.

CHAPITRE 2

62 « C'était là un corps » : *Newsweek,* 19 juillet 1999.
65 « nous gardait sur le qui-vive » : voir DOWLING, Colette et Patricia FAHEY, « The Quest for the Quality Orgasm », *Esquire,* juin 1966.
65 « L'auteur » : les psychanalystes masculins n'étaient pas les seuls à entretenir l'insécurité sexuelle des femmes. Marie Bonaparte était une protégée de Freud qui militait en faveur de l'orgasme vaginal et elle proposait aux femmes des méthodes frustrantes et élusives pour y arriver. Il s'agissait essentiellement de se tourner à l'envers si on voulait avoir du plaisir au lit. La célèbre psycha-

nalyste Helene Deutsch, dans son ouvrage classique, *The Psychology of Women,* proposait une technique consistant à tracer à l'aide de la gomme à effacer d'un crayon les terminaisons nerveuses du clitoris au vagin pour entraîner ce dernier à réagir avec maturité, une sorte de raccourci vers l'orgasme de la vraie féminité.

67 «le clitoris doit céder»: FREUD, Sigmund, *New Introductory Lectures on Psycho-Analysis,* Londres, Hogarth Press, 1946, p. 151-152.

67 «capacité physiologique de réponse sexuelle des femmes»: MASTERS, William H. et Virginia E. JOHNSON, *Human Sexual Inadequacy,* Boston, Little, Brown, 1970, p. 214. Voir aussi l'étude précédente des mêmes auteurs, *Human Sexual Response,* Boston, Little, Brown, 1966.

68 «peu de données significatives»: BEALL, Anne E., «A Social Constructionist View of Gender», dans *The Psychology of Gender,* sous la dir. de Anne E. Beall et Robert J. Sternberg, New York, Guilford Press, 1993, p. 141.

68 «Dans l'ensemble»: JOHNSON, M.E., G. Jones et C. Brems, «Concurrent Validity of the MMPI-2 Feminine Gender Role (GF) and Masculine Gender Role (GM) Scales», *Journal of Personality Assessment,* vol. 1, février 1966, p. 153-168.

68 «40 %»: LOTT, Bernice, «Dual Natures or Learned Behavior», dans *Making a Difference: Psychology and the Construction of Gender,* sous la dir. de Rachel T. Hare-Mustin et Jeanne Marecek, New Haven, Yale University Press, 1990, p. 73.

69 «l'état de santé mentale réel des gens»: au cours de la dernière décennie, certains dissidents ont commencé à suggérer qu'on se débarrasse complètement des concepts de «masculinité» et de «féminité» et qu'on utilise «identité sexuelle» à leur place. Pourquoi ne pas s'en tenir à l'acceptation élémentaire de la masculinité et de la féminité qui survient lorsqu'un enfant prend conscience de son sexe biologique, sans embellir le concept ni y attacher des traits de personnalité, c'est-à-dire des comportements et des rôles, mais ne retenir que le fait du sexe de chacun, et laisser le reste ouvert?

70 «la force comme " un sentiment de domination"»: NIETZSCHE, Friedrich, *Will to Power,*

70 «projeter une présence physique»: WHITSON, David, «Sport in the Social Construction of Masculinity», dans *Men, Sports and the*

Gender Order, sous la dir. de Michael A. Messner et Donald F. Sabo, Champaign, Ill., Human Kinetics Books, 1990, p. 23

71 « féminité accentuée » : *How Schools Shortchange Girls,* une étude des principales découvertes sur les filles et l'éducation commandée par l'AAUW Educational Foundation et réalisée par le Wellesley Center for Research on Women, New York, Marlowe and Company, 1992, Orenstein 1994 ; Pipher, 1994.

71 « de pouvoir et de force » : TOOLE, Tonya et Judith C. KRETZCHMAR, « Gender Differences in Motor Performance in Early Childhood and Later Adulthood », *Women in Sport and Physical Activity Journal,* vol. 2, n° 1, printemps 1993, p. 43.

71 « Les parents ne sont pas » : LOTT, Bernice et Diane MALUSO ont cité l'étude dans leur chapitre « The Social Learning of Gender » dans un texte influent publié sous la direction de Beall et Sternberg, *The Psychology of Gender,* p. 109, bien que l'étude elle-même ait été publiée en 1978. (« The Influence of Sex of Child on Parental Reactions to Toddlers and Children », *Child Development,* vol. 49, p. 459.

72 « Le sens de soi » : Young, p. 140-142.

72 *« Je, je peux et je ne peux pas » : ibid.* p. 146-148.

72 « Les enfants commencent » : HORT, B. E., M.D. LEINBACH et B. I. FAGOT, « Is There Coherence Among the Cognitive Components of Gender Acquisition ? », *Sex Roles,* vol. 24, 1991, p. 195-207.

73 « activités propres au sexe opposé » : *ibid.*

73 « À quatre ans » : BAILEY, K. R., *The Girls Are the Ones with the Pointy Nails,* London, Ont., Althouse Press, 1993.

73 « fait fondre leurs attentes » : DUNCAN, Margaret Carlisle, *President's Council on Physical Fitness and Sports Report,* section III : Sociological Dimensions, p. 2.

73 « Soixante-dix pour cent » : ZIMMERMANN, Jean et Gil REAVIL, *Raising Our Athlete Daughters,* New York, Doubleday, 1999, p. 46.

73 « menace du stéréotype » : STEELE, C. M., « A Threat in the Air : How Stereotypes Shape Intellectual Identity and Performance », *American Phychologist,* vol. 52, 1997, p. 613-629. Le travail de Steele a été cité par Judith Rich Harris dans *The Nurture Assumption,* New York, Free Press, 1998, p. 251.

73 « espèce de répertoire » : BARTKY, Sandra Lee, « Foucault, Feminity and the Modernization of Patriarchal Power », dans *Feminism*

and Foucault: Reflections on Resistance, sous la dir. de I. Diamond et L. Quinby, Boston, Northeastern University Press, 1988, p. 64.

74 « Les garçons d'âge préscolaire » : KAHLE, J. « Why Girls Don't Know », dans *What Research Says to the Science Teacher – The Process of Knowing,* sous la dir. de Rower, Washington D.C., National Science Teachers Association, 1990, p. 655-657.

74 « Une étude sur les activités » : L'Institut Melponème, une association de recherche et d'éducation de St. Paul a réalisé une étude dont Mary Duffy fait état dans « Making Workouts for the Strengths of Girls », *The New York Times,* 13 juin 1999, p. A21.

74 « Dans le cadre d'une étude » : études sur les jeunes enfants dans Zimmermann et Reavil, p. 42.

75 « Même à l'âge préscolaire » : FAGOT, B. I., « Teacher and Peer Reactions to Boys' and Girls' Play Styles », *Sex Roles,* vol. 11, p. 691-702.

75 « les filles d'âge préscolaire » : *ibid.*

75 « Il faut les encourager » : *How Schools Shortchange Girls,* AAUW Educational Foundation et réalisée par le Wellesley College Center for Research on Women, p. 32.

75 « Les perceptions des enseignants » : HAY, J. et P. Donnelly, « Sorting Out the Boys from the Girls : Teacher and Student Perceptions of Student Physical Ability, *Avante,* vol. 2, 1996, p. 36 et 52.

76 «Les enseignants qu'elle a interrogés » : SCRATON, Sheila, *Shaping Up to Womanhood : Gender and Girls' Physical Education, Buckingham/Philadelphie,* Open University Press, 1992. Les idées centrales de Mme Scraton ont fait l'objet de discussions dans une critique de son ouvrage parue dans *Women in Sport and Physical Activity Journal,* vol. 3, no 2, automne 1994, p. 86.

76 « Les parents comme les enseignants » : LYTTON, H. et D. M. Romney, « Parents' Differential Socialization of Boys and Girls : A Meta-Analysis », *Psychological Bulletin,* vol. 109, 1991, p. 267-296.

76 « le sentiment de pouvoir dominer » : MEYER, S. L., C. M. MURPHY, M. CASCARDI et B. BIRNS, « Gender and Relationships : Beyond the Peer Group », *American Psychologist,* vol. 46, 1991, p. 537.

77 « volonté inhibée » : YOUNG, Iris, *Throwing Like a Girl,* p. 355.

77 « Des vêtements près du corps » : HUDSON, Jackie, « It's Mostly a Matter of Metric », dans *Women and Sport,* sous la dir. de

D. Margaret Costa et Sharon R. Guthrie, Champaign, Ill., Human Kinetics Books, 1994, p. 154.

77 « seulement la moitié » : PHILLIPS, Lyn, *The Girls Report : What We Know and Need to Know About Growing Up Female,* New York, National Council for Research on Women, 1998, p. 18.
Par comparaison, 74 % des garçons font des activités physiques vigoureuses.

78 « pratiques disciplinaires » : cité dans Bartky.

78 « Ces femmes avaient les bras croisés » : WEX, Marianne, *Let's Take Back Our Space : « Female » and « Male » Body Language as a Result of Patriarchal Structures,* Berlin, Frauenliteraturverlag Hermine Fees, 1979. Le travail de Mme Wex a fait l'objet de discussions dans l'article de Sandra Lee Bartky, « Foucault, Feminity and the Modernization of Patriarchal Power », dans *Revealing French Feminism : Critical Essays on Difference, Agency and Culture,* sous la dir. de Nancy Fraser et Sandra Lee Bartky, Indiana University Press, 1992, p. 67.

78 « Si elle s'est infligé » : *ibid.* Dans une note en bas de page, Mme Bartky cite Susan Brownmiller dans *Feminity,* qui dit que « les pas plus courts et la démarche hésitante et apeurée des femmes » sont considérés de nature sexuelle, « mais l'effet clopinant » évoque « les fers et les chaînes que portent aux pattes les animaux en captivité et aux jambes les prisonniers et les esclaves ». New York, Simon & Schuster, 1984, p. 184.

79 « filles à l'époque victorienne » : WHITSON, David, « The Embodiment of Gender : Discipline, Domination and Empowerment », dans *Women, Sport and Culture,* sous la dir. de Susan Birrell et Cheryl L. Cole, Champaign, Ill., Human Kinetics Books, 1994, p. 356.

79 « Les activités physiques et sportives » : « Physical Activity and Sport in the Lives of Girls », President's Council on Physical Fitness and Sports Report, Overview of the Report, p. 13. Il est possible de consulter le résumé et le rapport sur Internet ou de les télécharger de http://www. coled. umn. edu/KLS/crgws/.

80 « Au lieu d'une seule dimension » : GARDNER, Howard, *Multiple Intelligences,* New York, Basic Books, 1993, p. 169.
Gardner émet la théorie qu'il existe sept intelligences et convient qu'un plus grand nombre pourrait être découvertes dans l'avenir. En plus de ce qu'il appelle l'intelligence kinestésique

corporelle, il nomme l'intelligence musicale, l'intelligence logico-mathématique, l'intelligence linguistique, l'intelligence spatiale, l'intelligence interpersonnelle et l'intelligence intrapersonnelle. Gardner a élaboré sa théorie des intelligences multiples à la Harvard Graduate School of Education, alors qu'il faisait des recherches sur les façons d'évaluer les connaissances scientifiques relatives au potentiel humain et à sa réalisation.

81 « En outre, comme le brillant » : GLADWELL, Malcolm, « The Physical Genius », *The New Yorker,* 2 août 1999, p. 57.

81 « On ne naît pas » : FINN, Robin, « Hingis and Venus Williams Do Not Bend to Wind », *The New York Times,* 8 septembre 1999, p. D1.

85 « C'est ce qui est arrivé à Hillary » : Hillary a lancé de cette façon avec son bras *dominant,* révélant un sérieux manque de pratique.

85 « degrés de liberté » : Nikolai A. Bernstein a été parmi les premiers à comprendre que l'activité physique comme l'activité neuronale jouent un rôle dans le mouvement moteur. Il a publié avec le chercheur allemand Erich von Holst un certain nombre d'articles qui ont fait école dans les années trente et quarante et qui ont eu un impact significatif sur les théories actuelles du contrôle moteur. Mais un grand nombre de scientifiques n'étaient pas au courant des contributions de Bernstein et von Holst jusqu'à ce que leurs travaux soient traduits en anglais à la fin des années soixante et dans les années soixante-dix.

86 « Ils ont fait des vidéo » : WILLIAMS, Kathleen et al., « Environment Versus Biological Influence on Gender Differences in the Overarm Throw for Force », *Women in Sport and Physical Activity Journal,* vol. 5, n° 2, automne 1996, p. 42.

Dans le domaine des études sportives qui est apparu dans les collèges partout aux États-Unis au cours de la dernière décennie, le sport est maintenant considéré en sciences sociales comme un objectif privilégié sur le comportement humain. C'est devenu un domaine riche et multidisciplinaire que les professeurs de marketing étudient comme une industrie de croissance, que les psychologues et les spécialistes de la condition féminine voient comme un microcosme du traitement fait aux hommes et aux femmes dans la société en général et que les féministes considèrent comme un agent potentiel de changement social. « Le sport est un merveilleux site empirique qui peut absorber toutes sortes d'idées, dit Michael Messner, ancien président de l'American Society for the Sociology of Sport. « C'est un domaine où on peut exercer une grande partie de notre pensée la plus complexe. »

88 « Deux spécialistes des sciences sociales » : les enfants venaient d'une école du sud-est du Maine et étaient âgés de 10 à 14 ans.

89 « Tout d'abord, les chercheurs » : LOOVIS, E. M. et S. A. Butterfield, « Influence of Age, Sex, Balance, and Sport Participation on Development of Throwing by Children in Grades K-8 », *Perceptual Motor Skills,* vol. 76, n° 2, avril 1993, p. 459-464.
L'étude a été réalisée par le Department of Health, Physical Education, Recreation and Dance du College of Education of Cleveland State University.

89 « compétences matures » : LOOVIS, E. M. et S. A. BUTTERFIELD, « Influence of Age, Sex, Balance, and Sport Participation on Development of Catching by Children in Grades K-8 », *Perceptual Motor Skills,* vol. 77, n° 3, 2e partie, décembre 1993, p. 1267-1273.

90 « En troisième lieu » : LOOVIS, E. M. et S. A. BUTTERFIELD, « Influence of Age, Sex, Balance, and Sport Participation on Development of Kicking by Children in Grades K-8 », *Perceptual Motor Skills,* vol. 79, n° 1, août 1994, p. 691-697.
Cette étude a été subventionnée par la Division of Health, Physical Education and Recreation, University of Maine, Orono.

90 « Dernier point mais non le moindre » : LOOVIS, E. M. et S. A. Butterfield, « Influence of Age, Sex, Balance, and Sport Participation on Development of Sidearm Stricking by Children in Grades K-8 », *Perceptual Motor Skills,* vol. 81, n° 2, octobre 1995, p. 595-600.

91 « La maturation musculaire » : LIN, J.-P., J. K. BROWN et E. G. WALSH, « Physiological Maturation of Muscles in Childhood », *Lancet,* 4 juin 1994, p. 1386-1389.

92 Une comparaison centimètre pour centimètre : HUDSON, Jackie, « It's Mostly a Matter of Metric », dans Costa et Guthrie, p. 149.

92 « Les filles connaissent-elles » : des recherches qui conduiront à une meilleure compréhension des effets des muscles sur le développement moteur sont en cours. Une étude réalisée en 1996, qui confirme les observations de *Lancet,* a découvert que la rapidité des mouvements alternés de l'articulation de la cheville et du poignet double entre trois ans et onze ans. Une étude précédente avait montré une augmentation parallèle de la rapidité

des mouvements des mollets au cours des dix premières années de la vie.

93 «On considère que la somme»: Gladwell, p. 57.

95 «Les filles reçoivent généralement»: TOOLE, Tonya et Judith C. KRETZCHMAR, «Gender Differences in Motor Performance in Early Childhood and Later Adulthood», *Women in Sport and Physical Activity Journal,* vol. 2, n° 1, printemps 1993, p. 5.

96 ROBINSON, Latia: «Mini Driver», *People,* 8 juin 1998, p. 96.

96 Le cerveau doit calculer: GALLWEY, Tim, *Inner Tennis,* New York, Random House, 1976, cité dans *Multiple Intelligences.*

97 «un important avertissement»: Toole et Kretzschmar, p. 51.

98 77 %: *ibid.* p. 67.

100 «Dans un sondage»: Eccles et Harold, 1991. Le sondage a été mené auprès de 875 élèves de l'élémentaire.

100 «pratiquement identiques»: CHIA, Michael, Neil ARMSTRONG et David CHILDS, «The Assessment of Childern's Anaerobic Performance Using Modifications of the Wingate Anaerobic Test», *Pediatric Exercise Science,* vol. 9, n° 1, février 1997, p. 80.

L'étude a été réalisée avec la bicyclette ergonomique Monark. Les révolutions du pédalier ont été mesurées au moyen d'un générateur de voltage attaché au volant d'inertie. La principale contribution de cette étude réalisée au Children's Health and Exercise Research Centre, School of Education, University of Exeter en Angleterre, a été d'établir qu'on peut obtenir des données plus précises sur les enfants en tenant compte de l'inertie du volant d'inertie et de la résistance interne de l'ergomètre.

100 «meilleure estime de soi»: WEBER, Constance Marie, «It's Not Enough to Be Smart: Distinctions among Female High School Peer Groups As They Narrate Their Gender Identity in the Context of Extracurricular Activities», dissertation, State University of New York, Buffalo, 1997. *Dissertation Abstract Index,* vol. 07A, p. 288.

101 «J'ai découvert»: JOULWAN, Melissa, «The River Wild», *Go Girl !,* mai 1998, http://www.gogirlmag.com/profile.htm.

101 «Une étude sur les filles réalisée en 1994»: FEJGIN, N. «Participation in High School Competitive Sports: A Subversion of School Mission or Contribution to Academic Goals?», *Sociology of Sport Journal,* vol. 11, 1994, p. 211-230.

101 « Les filles qui font du sport » : *Gender Gaps,* Washington, D.C., American Association of University Women Educational Foundation, 1999, p. 76.

101 « Des taux moins élevés d'activité sexuelle et de grossesse » : Sabo, Farrell, Melnick et Barnes, 1996.
« système immunitaire en danger » : KRAMER, M. M. et C. L. WELLS, « Does Physical Activity Reduce Risk of Estrogen-Dependent Cancers in Women ? », *Medicine and Science in Sports and Exercise,* vol. 28, 1996, p. 322-334.

102 « maladies chroniques » : DESPRES, J. P., C. Bouchard et R. M. Malina, « Physical Activity and Coronary Disease Risk Factors During Childhood and Adolescence », *Exercise and Sports Sciences Reviews,* vol. 18, 1990, p. 243-261.

102 « Les enfants qui » : WILLIAMS, D. P. et al., « Body Fatness and Risk for Elevated Blood Pressure, Total Cholesterol and Serum Lipoprotein Ratios in Children and Adolescents », *American Journal of Public Health,* vol. 82, 1992, p. 358-363.

103 « requiert la présence d'œstrogène » : SHERWIN, Barbara B., « The Impact of Different Doses of Estrogen and Progestin on Mood and Sexual Behavior in Postmenopausal Women », *Journal of Clinical Endocrinology and Metabolism,* vol. 72, n° 2, 1991, p. 336.
L'énoncé sur l'interaction de l'œstrogène et de composés chimiques du cerveau est aussi basé sur une entrevue que j'ai réalisée avec Barbara Sherwin.

103 « *diminuera régulièrement* » : Message de Donna E. Shalala, « Physical Activity and Sport in the Lives of Girls », President's Council on Physical Fitness and Sports Report, printemps 1977.
C'était la première fois qu'une approche interdisciplinaire était utilisée dans un document du gouvernement pour étudier l'impact du sport et de l'activité physique dans la vie des filles.
Le déclin de la force et de l'endurance est plus frappant lorsque les filles arrivent à la puberté. Cependant, le déclin de l'endurance s'estompe grâce à un entraînement aérobique. La puissance anaérobique, soit la capacité de s'adonner à des activités exigeantes sur de courtes périodes (par exemple, la capacité d'exécuter un saut vertical), augmente aussi pendant la petite enfance des filles, mais elle *décroît* à l'adolescence et au début de l'âge adulte. Or, l'exercice peut accroître la puissance anaérobique. En effet, des études portant sur des enfants âgés de dix à treize ans ont

montré que l'exercice régulier pouvait accroître leur puissance anaérobique dans une proportion pouvant aller jusqu'à 20 %. Fait intéressant à noter, l'endurance, mesurée par une course chronométrée d'un mille, s'améliore d'environ 15 % malgré un déclin de 20 % de la puissance aérobique, probablement en raison de l'amélioration de l'économie de mouvement.

104 « Pour que les os se développent bien : Kimm et Kwiterovich, 1995, cité dans Bunker et Freedman.

104 « l'effet de l'exercice » : DE SOUZA, Mary Jane, Joan Arles ARCE, John C. NULZEN et Jacqueline L. PUHL, « Exercise and Bone Health Across the Life Span », dans *Women and Health,* p. 217.

105 « Les personnes qui développent » : *ibid.,* p. 215. Les auteurs citent C. H. Chestnut. « Is Osteoporosis a Pediatric Disease ? Peak Bone Mass Attainment in the Adolescent Female », *Public Health Reports,* vol. 104, suppl., p. 50-54.

105 « Ces conclusions » : DE SOUZA et al., « Exercise and Bone Health Across the Life Span », Costa et Guthrie, p. 215.

105 « période idéale » : KRUCOFF, Carol, « You're Never Too Young for Strength Training », *The Washington Post,* 22 juin 1999, p. 19.

106 « plus de risques » : Selon The American Orthopedic Society for Sports Medicine de Rosemont, Illinois, chaque année, 10 000 athlètes féminines universitaires subissent des blessures graves aux genoux, tout comme 20 000 athlètes féminines du secondaire.

106 « changements importants » : VAN PRAGG, H. et al., « Running Enhances Neurogenesis, Learning and Long-Term Potentiation in Mice », *Proceedings of the National Academy of Sciences USA,* vol. 96, n° 23, 9 novembre 1999.
Van Pragg, H. et al., « Running Enhances Cell Proliferation and Neurogenesis in the Adult Mouse Dentate Gyrus », *Natural Neuroscience,* vol. 2, n° 3, mars 1999, p. 266-270.

106 « Une "métaanalyse" » : ETNIER, Jennifer L. et al., « The Influence of Physical Fitness and Exercise upon Cognitive Functioning : A Meta-Analysis », *Journal of Sport and Exercise Psychology,* vol. 19, 1997, p. 249-277.

106 « Jean Piaget » : PIAGET, J., *The Origins of Intelligence in Children,* New York, New York University Press, 1936.

107 « réussissent mieux » : Rapport de recherche, section III, « Physical Activity and Sport in the Lives of Girls », President's Council on Physical Fitness and Sports Report, printemps 1977.

108 « Ils veulent être *bien bâtis* » : HALL, Stephen S., « The Bully in the Mirror », *The New York Times Magazine,* 22 août 1999, p. 31.
108 « 50 % » : The Melpomene Institute, *The Bodywise Woman.*
108 « Les parents ont du mal à concevoir » : Lott, dans Hare-Mustin et Marecek.

CHAPITRE 3

111 « Des études récentes » : L'étude sur les filles a été réalisée par Jaffee et Manzer en 1992. Les études sur les adolescents par Jaffee et Ricker en 1993 et Jaffee et Wu en 1996.
111 « Il semble s'agir » : WIESE-BJORNSTAL, Diane, Rapport de recherche, « Physical Activity and Sport in the Lives of Girls », section II, *President's Council on Physical Fitness and Sports Report.*
111 « Une meilleure perception » : ces découvertes diffèrent d'une culture à l'autre. Le Women's Sports Foundation Report : Minorities in Sport a découvert que les filles du secondaire d'origine hispanique, caucasique et afro-américaine qui font du sport se considèrent plus populaires que leurs homologues qui n'en font pas.
111 « *attentes* » : Contrairement à l'accent mis dans les années soixante-dix et quatre-vingt sur « le besoin d'accomplir quelque chose ».
111 « Ce qu'une personne » : GILL, Diane L., « Psychological Perspectives on Women in Sport and Exercise », dans *Women and Sport,* sous la dir. de D. Margaret Costa et Sharon R. Guthrie, Champaing, Ill., Human Kinetics Books, 1994, p. 264.
111 « Dès l'âge de quatre ans » : REES, C. et F. ANDRES, « Strength Differences in Young Children Real or Imagined ? Implications for the Physical Education Teacher », *Motor Skills : Theory into Practice,* vol. 5, 1981, p. 117-121.
111 « les garçons avaient un plus grand » : ULRICH, B., « Perceptions of Physical Competence, Motor Competence, and Participation in Organized Sport : Their Interrelationships in Young Children », *Research Quarterly for Exercise and Sport,* vol. 58, 1987, p. 57-67.
111 « les filles s'attendaient à » : LEE, A. et al., « Success Estimations and Performance in Children as Influenced by Age, Gender and Task », *Sex Roles,* vol. 18, 1988, p. 719-726.

112 « En effet, l'influence du sexe » : GILL, Diane L., « Psychological Perspectives on Women in Sport and Exercise », dans Costa et Guthrie, p. 265.

112 « les taux de testostérone » : ANKARBERG, C. et E. Norjavaara, « Diurnal Rhythm of Testosterone Secretion Before and Throughout Puberty in Healthy Girls », Journal of Clinical Endocrinology and Metabolism, vol. 84, n° 3, mars 1999, p. 975-984.

114 « Si des fillettes prépubères » : WILKINSON, Susan et al., « Gender and Fitness Standards », *Women in Sport and Physical Activity Journal*, vol. 5, n° 1, printemps 1996, p. 17.

114 « De nombreux parents » : THOMS, J.-R. et K. T. Thomas, « Development of Gender Differences in Physical Activity », *Quest*, vol. 40, n° 3, 1988, p. 219-229.

115 « se perçoivent comme » : ECCLES, J. S. et R. D Harrold, « Gender Differences in Sport Involvement : Applying the Eccles's Expectancy-Value Model », *Journal of Applied Sport Psychology*, vol. 3, 1991, p. 7-35.

115 « manque de talent » : *ibid.* Les femmes blanches et les athlètes hispaniques et navajos attribuent l'échec au manque de talent. Les hommes blancs l'attribuent au manque d'effort ; ils n'ont tout simplement pas suffisamment essayé.

116 « Des études montrent que » : études de fillettes de 9 à 12 ans et de 12 à 17 ans subventionnées par le Melpomene Institute et citées dans Wiese-Bjornstal.

116 « Les filles qui n'ont pas peur » : HASBROOK, p. 19.

117 « Au départ », LANDERS, Melissa A. et Gary Alan FINE, « Learning Life's Lessons in Tee-Ball : The Reinforcement of Gender and Status in Kindergarten Sport », *Sociology of Sport Journal*, vol. 13, 1996, p. 87-93.

117 « Les attitudes des entraîneurs » : *ibid.*, p. 90.

118 « J'ai commencé dès » : ORIARD, Michael, *The End of Autumn*, Garden City, N.Y., Doubleday, 1982, p. 18-19.

119 « Tonya, tu » : « Georgia Schoolgirl Makes the Points », *The New York Times*, 1er novembre 1998, sec. 8, p. 6.

119 HAMMOND, Tawana : *National Federation of State High School Association 1989-1990 Handbook*, Kansas City, Mo., 1989, p. 71.

120 « Une jeune fille qui joue » : HUGES, Frank, « Female Football Player Files Suit on Injury », *The Washington Post*, 29 octobre

1992, p. D3. Nelson en fait état dans *The Stronger Women Get*, p. 71.

120 21 % : NELSON, Mariah Burton, *The Stronger Women Get, the More Men Love Football*, New York, Avon Books, 1994, p. 78.

120 « L'espérance de vie moyenne » : selon la National Athletic Trainers Association, 37 % des joueurs de football du secondaire avaient été blessés assez gravement pour être retirés du jeu pour le reste de la journée. Chaque année, environ huit joueurs de football au secondaire meurent de blessures liées au football. Ces données sont citées par Judy Oppenheimer dans *Dreams of Glory : A Mother's Season with Her Son's Highschool Football Team*, New York, Summit Books, 1991, p. 67.

120 « pour leur apprendre » : ARATON, Harvey, « Soccer Moms Who Play Set Example for Children », *The New York Times*, 23 mai 1999, sec. 8, p. 13.

122 « Il serait inconvenant » : « Ces arguments sont plus révélateurs de l'imagination fertile de ceux qui les invoquent que de la réalité objective », commentent Zimmermann et Reavil, qui citent Dr Hale dans *Raising Our Athletic Daughters*, New York, Doubleday, 1999, p. 82.

122 « Cette question » : *ibid.*, p. 82.
L'avocate qui a défendu les filles s'appelait Jean Weis. Elle a gagné sa cause et, le 12 juillet 1974, l'organisation nationale de la Little League Baseball a officiellement abandonné sa politique d'interdiction des filles. Elle a toutefois immédiatement eu recours à une tactique de diversion en organisant la Little League Softball « pour offrir aux jeunes filles la même chance de participer à un sport de balle organisé que leurs homologues masculins dans la Little League Baseball ».

122 « plus les garçons apprendront tôt » : NELSON, Mariah Burton, « Introduction », dans *Nike Is a Goddess*, sous la dir. de Lissa Smith, Boston, Atlantic Monthly Press, 1998, p. xv.

123 « Les garçons résistaient » : KIRSHENBAUM, Jerry, « Scorecard », *Sports Illustrated*, juillet 1993, p. 10. L'équipe de filles venait du Middleburg Diamond Football Club.

123 « n'étaient pas sérieuses » : BEAL, Becky, « Skateboarding : Alternative Masculinity and Its Effects on Gender Relationships ».

Article présenté à la North American Society for the Sociology of Sport Conference, Toledo, Ohio, du 4 au 7 novembre 1992.

124 « Nous devions grimper » : McMURRAY, Kevin, « Climbing a Mountain Can Prove Family Fun », *The New York Times*, 5 juillet 1998, sec. 8, p. 8.

127 « Êtes-vous certaine » : HALBERSTAM, David, « Ice Breakers », *Condé Nast Sports for Women*, février 1998, p. 91.

129 « Les entraîneurs qui n'ont » : *ibid.*

130 « Ne fixez pas » : ARATON.

130 «il est tout fait extraordinaire », *ibid.* Plus impressionnante encore que le nombre de fillettes américaines qui jouent au soccer est la conclusion encourageante de ce commentateur sportif : « En fin de compte, un trophée plus précieux encore est un fils qui ne se prend pas pour le soleil et ne considère pas les femmes comme des planètes dans son orbite. »

130 « Fiston sera moins porté » : *ibid.*

130 « Il y a encore » : HUNTINGTON, Anna Seaton, « All Sugar and Competitive Spice », *The New York Times*, 17 mai 1998, sec. 8, p. 11.

134 « Nous voulons qu'elles » : FRANKLIN, Marie C., « Girls Say Outward Bound Helps Them Feel Strong and Able », *The Boston Sunday Globe*, 31 juillet 1994.

134 « m'a dit Elizabeth McLeod » : entrevue personnelle.

135 « Dans mon groupe » : McLEOD, Elizabeth, « Connecting with Courage : Learning About Self Through Relationships with Others », présenté dans le cadre d'un cours intitulé Rethinking Adolescence, décembre 1995, à l'université Harvard.

135 « En forêt » : LAM, Hang, « Project Courage Pioneers Speak Their Minds by Telling All Their Hearts », *At the Center*, bulletin d'information d'un centre pour filles de la région de la baie de San Francisco, avril 1998.

136 « Nous savons » : Zimmermann et Reavil, p. 69.

137 « tout le monde » : *ibid.*, p. 121.

137 « De nos jours » : *ibid.* p. 52.

138 « environ 20 garçons et filles » : DRISCOLL, Anne, « Giving Girls a Sporting Chance », *The Boston Globe*, 24 octobre 1999, p. 18.

138 « Un sondage » : *Miller Lite Report*, 1985.

139 « Elles sont plus sûres d'elles » : *ibid.*

CHAPITRE 4

141 «qu'on ne savait pas exactement ce qu'étaient les menstruations»: Discussion sur la médecine victorienne tirée de *The Body Project*, New York, Random House, 1997, p. 7-11. Brumberg cite Edward Clark dans *Sex and Education; Or, A Fair Chance for Girls*, New York, 1873, et Carol Smith Rosenberg et Charles Rosenberg dans «The Female Animal: Medical and Biological Views of Woman and Her Role in Nineteenth-Century America», *Journal of American History*, vol. 60, septembre 1973, p. 332-356.

142 «Le clou de girofle, les cornichons»: JACOBS BRUMBERG, Joan, «Chlorotic Girls, 1870-1920: A Historical Perspective on Female Adolescence», *Child Development*, vol. 53, 1982, p. 1468-1477.

142 «On donnait peu d'information aux filles»: Une étude sur les jeunes filles du secondaire à Boston en 1895 a révélé que 60 % d'entre elles ignoraient tout des menstruations lorsqu'elles avaient leurs premières règles, cité par Brumberg dans *The Body Project*, p. 15.

143 «les fillettes s'habillent de façon provocante»: YAZIGI, Monique P., «A Sweet-16-Going-on-25 Party», *The New York Times*, 7 février 1999, sec. 9, p. 1.

145 «L'ego est»: FREUD, Sigmund, «The Ego and the Id», *Standard Edition of the Complete Psychological Works of Sigmund Freud*, vol. 19, Oxford, Hogarth Press, p. 13-66.

145 «Intérieurement, elles craignent»: DEBOLD, Elizabeth et al., *The Mother Daughter Revolution*, Reading, Mass., Addison-Wesley, 1993, p. 241.

145 «varie avec les idées»: LACAN, Jacques, «Some reflections on the Ego», *International Journal of Psychoanalysis*, vol. 34, cité par Elizabeth Grosz dans *Space, Time and Perversion*, London, Routledge, 1995, p. 86.

146 «Une relationniste m'a confié»: entrevue personnelle.

148 «cela dénote toujours»: LOWEN, Dr Alexander, *The Betrayal of the Body*, London, Collier Books, 1967, p. 72.

151 «jusqu'à 25 %: BRODY, Jane E., «Girls and Puberty: The Crisis Years», *The New York Times*, 4 novembre 1997, p. F9.

151 «À Seattle»: *ibid.*

152 « avant l'adolescence » : Dans l'étude publiée par le Commonwealth, les cas d'abus physiques visant des garçons étaient beaucoup moins répandus que ceux visant des filles, mais ils n'étaient pas infréquents : 12 % des adolescents au secondaire et 8 % des garçons des dernières années du primaire avaient été victimes d'abus.

152 « Bien que ces taux » : LEWIN, Tamar, « Sexual Abuse Tied to 1 in 4 Girls in Teens », *The New York Times*, 1er octobre 1997, p. A24.

153 « Il y a ce genou » : DE BEAUVOIR, Simone, *The Second Sex*, New York, Vintage, 1989, p. 319.

155 « perdent leur vitalité » : GILLIGAN, Carol, et, Lyn Mikel BROWN, *Meeting at the Crossroads*, New York, Ballantine, 1992, p. 2.

155 « plus de filles que de garçons sont victimes d'abus sexuel » : *How Schools Shortchange Girls*, New York, Marlowe and Company, 1992, p. 136, d'après une étude signalée par J. Gans et D. Blyth dans « America's Adolescents : How Healthy Are They ? », Chicago, *American Medical Association*, 1990, p. 20.

155 « Le harcèlement sexuel fait partie de la vie » : *How Schools Shortchange Girls*, p. 129. Menant une étude sur des adolescentes de quatorze à dix-neuf ans de divers milieux (y compris des jeunes filles sans abri et des universitaires), le Oregon Research Institute a découvert que dans tous les échantillons 44,4 % des jeunes filles avaient été forcées de s'adonner à des activités sexuelles quelconques contre leur gré et que ces expériences étaient régulièrement associées a un comportement sexuel risqué.

156 « 70 % des filles » : « Hostile Hallways », rapport de la AAUW sur le harcèlement sexuel dans les écoles américaines, 1993, p. 9-11.

156 « Je ne savais pas si je devais ou non le dire » : *ibid.*, p. 10. Une fille sur quatre, victime de harcèlement, dit qu'un employé de l'école était le coupable.

156 « Cinq fois » : Communiqué de presse de l'AAUW, « National Scientific Survey Reveals Sexual Harassment Rampant in Schools », *AAUW Educational Foundation*, 2 juin, 1993.

157 « Ces cas sont épouvantables » : ALVAREZ, Maria, « Victims in Quiet Agony », *New York Post*, 7 novembre 1999, sec. RR, p. 5

157 « Ces cas » : *ibid.*

158 «avait tenté à répétition»: GREENHOUSE, Linda, «Sex Harassment in Class is Ruled Schools'Liability», *The New York Times,* 25 mai 1999, p. A1.

158 «donnerait au petit Johnny»: *ibid.*

159 «J'en ai eu le souffle coupé»: GORNEY, Cynthia, «Teaching Johnny the Appropriate Way to Flirt», *The New York Times Magazine,* 13 juin, 1999, p. 47.

160 «Ce qui enrageait le plus»: *ibid.* En 1991, Katy Lyle (la victime des graffiti de Duluth, au Minnesota, a reçu une compensation de 15000 $ de son école secondaire. L'année suivante, Tawnya Brawdy a eu droit à 20000 $ à la suite d'un règlement hors cour parce que l'école secondaire Kenilworth, à Petaluma, en Californie, n'était pas intervenue pour arrêter les garçons qui se moquaient d'elle et de la grosseur de ses seins.

160 « En apprenant aux enfants à reconnaître»: ROIPHE, Kathie, *The Morning After,* New York, Little, Brown, 1993, p. 163.

161 «L'AAUW persiste et signe»: LEO, John, «Gender Wars Redux», *U.S. News & World Report,* 22 février, 1999.

162 «l'intimidation n'est pas de nature sexuelle»: HOFF SOMMERS, Christina, «The Preeteen Sexual Harasser», *The New York Times,* 9 janvier 1999, p. A15.

162 «garçons insultaient les filles»: ORENSTEIN, Peggy, *School Girls,* New York, Anchor Books, Doubleday, 1994, p. 112.

162 «Elles ne voient pas»: *ibid.,* p. 113.

163 «Nous voulons que l'école soit»: *ibid.* p. 119.

163 «C'est arrivé aujourd'hui»: *ibid.*

163 « Aujourd'hui, quand nous jouions au hockey»: *ibid.,* p. 120.

164 «Les filles pensent que»: *ibid.,* p. 121.

164 «Elles le prennent maintenant»: *ibid.,* p. 122.

164 «Ça ne dérange pas les filles»: *ibid.,* p. 129.

165 «se masturber»: LAURINO, Maria, «A Word the Town Did Not Want to Hear: Rape», *The New York Times,* 9 mai 1999, section arts et loisirs, p. 33. Le livre de M. Lefkowitz est intitulé *Our Guys: The Glen Ridge Rape and the Secret Life of the Perfect Suburb.* Mme Laurino, auteur de l'article dans le *Times* portant sur un film sur le sujet, est la sœur de Bob Laurino, un procureur adjoint qui a passé quatre ans sur ce cas.

166 «Cela aurait pu être moi»: Laurino, *ibid.*

166 « On ne peut que leur donner raison » : certaines études ont permis d'établir que plus de la moitié des adolescentes du secondaire ont eu au moins une relation sexuelle. ORR, Daniel P., Mary L., WILBRANDT, Catherine J., BRACK, Steven P. RAUCH, et Gary M., INGERSOLL, « Reported Sexual Behaviors and Self-Esteem Among Young Adolescents », American Journal of Diseases of Children, vol. 143, 1989, p. 86.

166 « Mon fils n'a fait » : SMOLOWE, Jill, « Sex with a Scorecard », *Time*, 5 avril 1993, p. 41.

166 « identité sous-développée » : MANNERS, Pamela et David SMART, « Moral Development and Identity Formation in High School Juniors : The Effects of Participation in Extracurricular Activities ». Article présenté en avril 1995 lors de la réunion de la American Educational Research Association, San Francisco. Californie, ERIC Document ED385496.

167 « Becca » : Orenstein, p. 78.

167 « Bien que les féministes » : POMEROY, Wardell, *Girls and Sex*, 3e édition, New York, Laurel Leaf Books, 1991.

168 « Je suis hideuse » : PIPHER, Mary, *Reviving Ophelia*, New York, Ballantine, 1994, p. 55.

169 « les filles se font harceler » : *ibid.*, p. 69.

169 « l'attaque » : *ibid.*, p. 38

170 « ce n'est rien en comparaison » : entrevue personnelle. « Theresa » ne voulait pas que son vrai nom soit utilisé.

170 « Au cours des années quatre-vingt-dix » : LAWTON, Millicent, « Sexual Harassment of Students Target of District Policies », *Education Week*, 10 février 1993, p. 1., cité par Mme Orenstein, p. 116.

170 « les moyens d'ignorer » : Une jeune fille sur trois a un rapport sexuel non sollicité avec un adulte avant l'âge de dix-huit ans et environ le quart des abus dont elles sont victimes surviennent avant la puberté, selon Judith Herman dans « Father-Daughter Incest », Cambridge, Mass., *Harvard University Press*, 1981, p. 12.

171 « une poursuite de 762 millions » : « Tennis Players Settle Lawsuit », *The New York Times*, 27 mars 1999, p. D4.
Le montant versé aux anciennes joueuses Dacia Kornechuk et Kirsten Ericson et à leur famille a été gardé confidentiel.

172 « participé » : PRICE, S. L., « Anson Dorrance », *Sports Illustrated*, 7 décembre 1998.

173 « Anson Dorrance cultive » : *ibid.*
173 «une audience d'arbitrage» : GOIFF, Steven, « Women's World Cup Roster Set », *The Washington Post*, 18 mai 1999, p. D3.
174 « Elle tremblait » : FINN, Robin, « Growth in Women's Sports Stirs Harassment Issue », *The New York Times*, 7 mars 1999, p. 24.
174 « Il ne voulait pas » : *ibid.*
174 « Je commençais à avoir peur de lui » : *ibid.*
176 « marche de la honte » : BOHN GMELCH, Sharon, « Gender on Campus », New Brunswick, N. J., *Rutgers University Press*, 1998, p. 202.
176 « des plaisanteries » : JOHNSON, Deborah, « Women Who Trust Too Much : What AIDS Commercials Don't Tell You », *On the Issues*, vol. 5, été 1996, p. 26.
176 « À l'université Cornell » : « Sexist E-Mail Circulates at Cornell », *Monthly Forum on Women in Higher Education*, vol. 3, décembre 1995, p. 8.
177 « Si elle me suce » : AYRES BOSWELL, A., et SPADE, Jean, « Fraternities and Rape on Campus », *Gender and Society*, vol. 3, décembre 1989, p. 457- 473.
177 « Dans trois universités du Midwest » : Gmelch, p. 207.
178 « D'une certaine façon » : HUBBARD, Kim, Anne-Marie O'NEIL et Christina CHEAKALOS, « Out of Control », *People*, 12 avril 1999, p. 52.
178 « un plus grand nombre "d'infractions sexuelles par la force" » : « Massachusetts Campus Tense After Attacks on Women », *The New York Times*, 21 novembre 1999, p. 32.
180 « elles ont toutes l'air de déséquilibrées » : Pipher, p. 59.
180 « menace non seulement leur stabilité mentale » : ROTHENBERGER, A. et G. HUNTHER, « The Role of Psychosocial Stress in Childhood for Structural and Functional Brain Development : Neurobiological Basis of Developmental Psychopathology », *Prax Kinderpsychol Kinderpsychiatr*, vol. 46, n° 9, novembre 1997, p. 623-644.

CHAPITRE 5

183 « L'un des grands échecs » : Sénateur Birch Bayh.

183 « qu'aucune personne aux États-Unis ne pourra » : 20 U. S. C., Section 1681 du titre IX de la Education Amendment Act de 1972.

184 « filles au secondaire étaient renvoyées » : De nombreuses écoles secondaires interdisaient aux garçons de suivre des cours d'économie domestique. Les filles ne devaient pas prendre de cours de mécanique. Certaines écoles interdisaient même aux filles de faire partie des patrouilles de sécurité, selon le Gender Equity « Report Card ».

184 « les filles accusaient un retard considérable » : En 1971, l'année avant l'adoption du titre IX, seulement 18 % des femmes terminèrent un cours de quatre ans à l'université, comparativement à 26 % chez les hommes. En 1994, cet écart se referma et 27 % des hommes et des femmes terminèrent leurs études universitaires. De même, en 1972, seulement 9 % des diplômes de médecine allèrent à des femmes. En 1994, ce pourcentage était passé à 38 %.

186 En 1971 : MACPHERSON, Barry D., et al., *The Social Significance of Sport*, Champaign, Ill., Human Kinetics Books, 1989, p. 229.

187 En 1982 : DURRANT, Susan, « Title IX – Its Power and Its Limitations », *Journal of Physical Education, Recreation and Dance*, Mars 1992, p. 102.

188 En 1992 : *Empowering Women in Sports*, The Empowering Women Series, n° 4. Une publication de la Feminist Majority Foundation, 1995.

188 « la Cour suprême des États-Unis a décrété » : *ibid.*

189 « des centaines de jeunes filles » : *ibid.*

190 « un groupe de femmes » : STAUROWSKY, Ellen J., « Critiquing the Language of the Gender Equity Debate », *Journal of Sport and Social Issues*, vol. 22, n° 1, février 1998, p. 7-26.

191 « Les tribunaux ayant jugé » : *Brown Daily Herald*, Title IX Library, www.netspace.org/herald/library/titleix/homepage.html.

191 « des répercussions » : *ibid.*

191 «Le 23 juin» : ASHER, Mark, « Brown Resolves Final Issues ; University's Preliminary Plan Approved in Title IX », *The Washington Post*, 24 juin 1998, p. C2.

191 « programmes d'amélioration des sports féminins » : *Brown Daily Herald*, Title IX Library, www.netspace.org/herald/library/titleix/homepage.html. Les représentants des institutions

d'éducation ont ajouté une touche personnelle à leurs mesures de rattrapage. Les éditeurs du *Brown Daily Herald* ont conseillé à leurs lecteurs qui désiraient connaître la position officielle de l'institution sur la cas Cohen de l'obtenir du bureau des nouvelles de l'université Brown.

191 Athlètes universitaires féminines : *Brown Daily Herald* : *ibid.* En 1997, les athlètes féminines ont reçu chacune respectivement 4100 $, 2000 $ et 1900 $, dans les divisions I-A, I-AA et I-AAA, comparativement à 8000 $, 2400 $ et 2500 $ respectivement pour les athlètes universitaires masculins.

192 NCCA GENDER EQUITY : DEMPSEY, Cedric W., « NCCA Gender Equity Figures Improving », *The Washington Post*, 26 octobre 1999, p. D5.

192 « critères rigoureux » : NAUGHTON, Jim, « Clarification of Title IX May Leave Many Colleges in Violation over Athletes », *Chronicle of Higher Education*, 31 juillet 1998, p. A34.

193 « Pendant des années » : Durrant, p. 60.

194 « La possibilité de bouger » : *ibid.*, p. 61.

195 « Peu importe combien » : Coubertin, cité par Cashmore, qui citait Snyder et Spreitzer, 1983, p. 155-156.

196 « Les épreuves sportives féminines devant public » : GERBER, E.W. et al., *The American Woman in Sport*, Reading, Mass., Addison-Wesley, 1974, p. 137.

196 « À Paris » : DUNN, Robert : « The Country Club : A National Expression, Where Woman Is Really Free », *The Outing Magazine*, vol. 42, novembre 1905, p. 69. Les country clubs étaient en fait le principal lieu qui permettait aux femmes d'accéder aux sports.

196 « En 1904 » : *ibid.*

196 « L'AOC était aussi contre », *The New York Times*, 13 juillet 1913, partie IV, p. 2.

196 « plus influents opposants à la présence des femmes » : Certains, au moins, commençaient à changer leurs propos au sujet des femmes athlètes. « Ses démarches en politique ont été infantiles, en affaires plutôt subordonnées... mais sur un court de tennis ou un terrain de golf et comme chasseresse, elle a bondi pour atteindre une place égale à celle de l'homme », a écrit un chroniqueur dans *The Outing Magazine*.

196 « Lorsque la Suède » : *The New York Times*, 19 juillet 1913, p. 5. Cité par Paula Welch et D. Margaret Costa dans « A Century of

Olympic Competition », paru dans *Women and Sport*, sous la direction de D. Margaret Costa et Sharon R. Guthrie, Champaign, Ill., Human Kinetics Books, 1994, p. 125.

197 « Le 25 août » : « Swimming (Women) », Rapport sur les 7e Jeux olympiques du Comité olympique américain, Antwerp, Belgique, Greenwich, Conn., Condé Nast Press, 1920, p. 320. Cité dans Welch et Costa, dans Costa et Guthrie, p. 126.

197 « a remporté pour sa part » : « 1896-1919 : Emergence », www.usatoday.com/olympics/atlanta/olya020.

198 « Si les sports » : CAHN, Susan K., *Coming On Strong*, Cambridge, Mass., Harvard University Press, 1994, p. 114.

198 « sont d'une nature essentiellement masculine » : RAND ROGERS, Frederick, « Physical Education Programs for Girls », mai 1928, p. 354, cité dans Cahn, p. 114.

199 « Cette rencontre sportive à Paris » : HENSON LEIGH, Mary, « The Evolution of Women's Participation in the Summer Olympic Games, 1900-1948 », thèse de doctorat, université d'État de l'Ohio, 1974, p. 249, cité dans Cahn, p. 58.

199 « Je trouve plus étonnant encore » : Les dossiers de presse des années vingt comparaient les athlètes féminines à des choristes, des vedettes de cinéma et des reines de beauté. Le *Baltimore Sun* a décrit une rencontre d'athlétisme à laquelle participaient 5000 femmes comme « un spectacle de filles déshabillées, si on peut donc dire ». Les joueuses de basket-ball ont été décrites de manière semblable dans le *Pittsburgh Courrier*, dans un grand titre : WASHINGTON, PA, DES GAMINES, RÉPUTÉES POUR LEUR BEAUTÉ ET LEURS TALENTS, ONT ÉTÉ APPELÉES LES « ZIEGFELD FOLLIES » DU MONDE DU BASKETBALL PAR LEURS ADMIRATEURS (traduction libre).

200 « La piste cendrée » : cité dans « 1920-1947 : New Beginnings », www.usatoday.com/olympics/atlanta/olya021.htm.

200 « les femmes qui » : *ibid.*

200 « les dommages » : La grande controverse sur l'endurance s'est poursuivie jusqu'en 1964 ; lors des débats des officiels sur la question de savoir si le ski de fond était trop difficile pour les femmes. Cette année-là, 35 femmes de 12 pays ont participé à l'épreuve de ski de fond de 10 km. La luge pour femmes avait aussi été ajoutée au programme olympique.

201 « Betty Robinson » : WELCH, Paula, et, D. Margaret COSTA, « A Century of Olympic Competition », dans Costa et Guthrie, p. 17. Robinson venait de Riverdale, en Illinois.

201 « bestial » : TUNIS, John R., « Women and the Sport Business », *Harper's Monthly Magazine*, juillet 1929, p. 213.

201 « Les femmes masculines » : Rogers, p. 194, cité dans Cahn, p. 114.

201 « Si jamais » : *ibid.* Cahn, p. 63.

202 « privées des conseils » : *ibid.*, p. 56.

202 « Jounées sportives » : *ibid.*, p. 66.

202 « trois femmes » : « Women's Track and Field Team », Rapport sur les XIVe olympiades de 1948 du comité olympique américain, Londres, Angleterre, Greenwich, Conn., Walker-Rackliff, 1948.

202 « MERVEILLEUSE MAMA » : « 1948-1971 : Conflicting Images », www.usatoday.com/ olympics/ atlanta/ olya022.htm.

202 En 1952: Welch et Costa, dans Costa et Guthrie, signalent (p. 130) qu'après que l'université Tuskegee eut établi la norme des programmes d'athlétisme qui ont raffiné les talents des femmes dans cette discipline, Ed Temple, de l'université d'État du Tennessee, a commencé à attirer les athlètes noires les plus douées. Cette université a finalement supplanté Tuskegee comme principal entraîneur des athlètes olympiques d'athlétisme. Parmi les athlètes de Temple, il y a eu des femmes talentueuses comme Wilma Rudolph et Wyomia Tyus.

203 « En 1964 » : *ibid.*, p. 129.

204 « Je savais que ce match » : « The Battle of the Sexes », *Newsweek*, 21 septembre 1998.

205 « jusqu'à quel point » : WOOD, R. S., « Sex Differences in Sports », *The New York Times Magazine*, 18 mai 1980, p. 33.

205 « toujours chauvin » : « Come the Revolution : Joining the Game at Last, Women Are Transforming American Athletics », *Time*, 26 juin, 1978, cité aux p. 54 et 59.

206 « Même en me rendant » : Running Tide, dont Sally Baker est coauteur, publié en 1987.

206 Pour les athlètes américaines : Discussion des épreuves olympiques pour femmes dans Welch et Costa, dans Costa et Guthrie, p. 132.

208 « Même après » : « Walk, Ladies, Don't Run », *St. Louis Post-Dispatch*, 15 janvier 2000, p. 30.

208 En février 2000: MICHAELIS, Vicki, « U.S. Women's Boycott Nets Respect for Team », *The Denver Post*, 6 février 2000, p. C3.

209 « tests de vérification du sexe » : LARNED, Deborah, « The Feminity Test », *WomenSports*, juillet 1976, p. 10.

209 « orifice vaginal » : LJUNGQVIST, A., et, J. L. SIMPSON, « Medical Examination for Health of All Athletes Replacing the Need for Gender Verification in Sports ; The International Amateur Athletic Federation Plan ; Commentary », *Journal of the American Medical Association*, 12 février 1992, p. 267, 850 + (transcription Lexis/Nexis).

209 « test scientifique avancé » : SERRAT, A. et al., « Gender Verification in Sports by PCR Amplification of SRY and DYZ1 Y Chromosome Specific Sequences : Presence of DYZ1 Repeat in Female Athletes », *British Journal of Sports Medicine*, vol. 30, n° 4, décembre 1996, p. 310-312.

210 « un chromosome de trop » : Larned, p. 11. L'anomalie chromosomique particulière de Mme Klobukowska survient chez 6 femmes sur 1 000.

210 « C'est une chose qu'il est malhonnête et stupide » : « Records of Polish Girl Sprinter Who Flunked Sex Test Barred », *The New York Times*, 26 février 1968, p. 50.

210 « erreurs d'interprétation », SIMPSON, J.-L., et al. « Gender Verification in Competitive Sports », *Sports Medicine*, vol. 16, n° 5, 16 novembre 1993, p. 305-315.

211 « L'anomalie congénitale » : RODDA, J., « Sex-Test Row Hits Olympics », *The Guardian*, 29 janvier 1992, p. 13. (Transcription Lexis/Nexis)

211 « de ces femmes » : *ibid.*

211 « Nous avons atteint » : « IOC Will Not Give In to Sex Test Protests », *Agence France Presse*, 28 janvier, 1992. (Transcription Lexis/Nexis)

212 « Après le test » : KOLATA, G., « Ideas and Trends : Who's Female ? Science Can't Say », *The New York Times*, 16 février 1992, sec. 4, p. 6.

212 « Je pleurais » : CARLSON, Alison, « Chromosome Count », *Ms*, octobre 1988, p. 43.

212 « J'arrivais à peine » : *ibid.*, p. 24-29.

212 « J'avais peur » : VIGNETTI, P. et al., « Sex Passport Obligation for Female Athletes, Consideration and Criticism on 364 Subjects »,

International Journal of Sports Medicine, vol. 3, 17 avril 1996, p. 239-240.

213 «En fait, elles n'en retirent aucun avantage»: «Gender Testing at Olympics is Faulty», *All things considered*, National Public Radio, 7 février 1992.

213 «Je savais»: Carlson, p. 27.

213 «la première femme»: EWING, L., *Calgary Herald*, 12 janvier 1992, p. F6.

213 «Les femmes doivent»: Carlson, p. 29.

215 «L'ancien test»: HOLMES, P., «Olympics Chiefs Brush Off Sex Test Storm», *The Reuters Library Report*, 29 janvier 1992.

215 «On ne nous fera»: *ibid.*

215 «La controverse a éclaté»: ZIPAY, S., «Women Boxers Take Unfair Hit», *Newsday*, 18 avril 1995, p. A54.

217 «Entre les sports aux heures de grande écoute», ROSENBERG, Leland J., D. VAN BOVEN, et T. T. GEGAX, «Up in the Air», *Newsweek*, 1er septembre 1997, p. 57. Cité dans l'article de Sarah Banet-Weiser «Hoop Dreams: Professional Basketball and the Politics of Race and Gender», *Journal of Sport and Social Issues*, vol. 23, n° 4, p. 413-420.

218 «Bravo Sheryl!»: WHITESIDE, K., *WNBA: Commemorating the Birth of a League*, New York, Harper Collins, 1998, p. 3.

219 «Lorsque je joue»: HUNTINGTON, A. S., «So I Wanna Be a Superstar. You Got a Problem With That?», *Women's Sport and Fitness*, 21 novembre 1996, p. 50

219 «The Champ», *GQ*, juin 1998.

219 «en exagérant»: THEBERGE, Nancy, et Susan BIRRELL, «The Sociological Study of Women in Sport», dans Costa et Guthrie, p. 323.

220 «La WNBA est»: chroniqueur cité par B. Wilson dans le Ethical Spectacle Web Site, décembre 1997.

221 «la pomme saine»: ROSENBERG et al., «Up in the Air».

222 «fille prodige»: *ibid.*

222 «Ils étaient tous les deux»: *ibid.*

226 «Plus d'un quart»: GREENDORFER, Susan L., «Title IX Gender Equity, Backlash and Ideology», *Women in Sport and Physical Activity Journal*, vol. 7, n° 1, printemps 1998, p. 87.

CHAPITRE 6

229 « Le sport ne se limite pas » : GREENDORFER, Susan L., « Title IX Gender Equity, Backlash and Ideology », *Women in Sport and Physical Activity Journal*, vol. 7, n° 1, printemps 1998, p. 79.

230 « Aujourd'hui, elles consistent » : le ressac contre les athlètes féminines est plus brutal dans les pays où l'oppression des femmes est la plus visible en général. En Algérie, les fondamentalistes musulmans ont craché sur la médaillée d'or olympique Hassiba Boulmerka, et ils lui ont lancé des cailloux et l'ont menacée de mort. Ils l'ont officiellement dénoncée parce « qu'elle courait les jambes nues devant des milliers d'hommes ». Cela, malgré le fait, (ou à cause du fait) que Mme Boulmerka, qui fait la course de 1 500 m, est la première championne mondiale algérienne. Mary A. Boutilier et Lucinda San Giovanni, *The Sporting Woman*, Champaign, Ill., Human Kinetics Books, 1983, p. 102.

230 « Army Corps of Engineers » : VADER, J. E., « Sex Play », *M*, février 1992, p. 41-47.

230 « En tir à l'arc » : dans les tournois de quilles, on sépare aussi les femmes des hommes sous prétexte que les hommes ont besoin d'allées différentes. Tous les joueurs de quilles professionnels utilisent des boules de la même taille et du même poids, mais les allées réservées aux hommes sont traitées avec ce qu'on appelle de l'huile « plus longue ».

230 « les règles ont changé » : toute la notion de règles pour les femmes confine celles-ci dans un « ghetto d'inégalité, ce qui ne remet pas en question les stéréotypes au sujet de la présumée fragilité des femmes », ont observé Michael A. Messner et Donald Sabo, éditeurs de *Sport, Men and Gender Order*, Champaign, Ill., Human Kinetics Books, 1990.

230 «Zhang Shan » : « Quick Facts : Looking Through the Female Olympic Lens », www.feminist. org/other/olympic/fact.

231 « L'International Shooting Federation » : Margaret Murdoch est arrivée à égalité avec son coéquipier Lanny Bassham pour la première place en 1976. La médaille d'or a été donnée à Bassham selon une règle de bris d'égalité. Lors de la cérémonie de remise des médailles, il a invité Mme Murdoch à monter sur le podium avec lui. Mariah Burton Nelson, *The Stronger Women*

Get, the More Men Love Football, New York, Avon Books, 1994, p. 65.

231 « Les jeunes garçons » : MULLER, Kal, *National Geographic*, décembre 1970, p. 786-811.

232 « saut à l'élastique » : McDOWELL, Edwin, « Travel Industry Finds Adventure Is Now Ageless », *The New York Times*, 20 février 1999, p. C1.

232 « Elles imitent des poses » : MacNEIL, Margaret, « Active Women, Media Representations and Ideology », dans *Women, Sport and Culture*, sous la direction de Susan Birrel et Cheryl L. Cole, Champaign, Ill., Human Kinetics Books, 1994, p. 282.

235 « ce qui constitue peut-être l'injure suprême » : CASHMORE, Ellis, *Making Sense of Sport*, London et New York, Routledge, 1990, p. 140.

236 « l'intérêt le plus masculin » : POLLACK, John, « How Masculine Are You ? », *Nation's Business*, vol. 38, juin 1950, p. 49-55.

236 « d'homosexualité potentielle » : CAHN, Susan K., « Coming On Strong », Cambridge, Mass., *Harvard University Press*, 1994, p. 226.

236 « légèrement moins » : *ibid.*

236 « validité scientifique » : LEWIN, Miriam, « Rather Worse Than Folly ? : Psychology Measures Feminity and Masculinity », partie 1, *In The Shadow of the Past*, sous la direction de Lewin, New York, *Columbia University Press*, 1984, p. 155-178, cité dans Cahn, p. 339.

237 « 18 titres du Grand Schlem » : « Martina and Chrissie : At the Top for a Decade », *Ms*, 13 mai, 1985, p. 72.

237 « prédatrice géante », DEFORD, Frank, « The Smartina Show, or Tennis in a Lethat Vein », *Sports Illustrated*, 4 avril 1983, p. 34.

237 « chromosome fou » : « The Best of All Times », *Time*, 16 juillet 1984, p. 61.

238 « puissance masculine » : « Our Lady Golfers Take the Cup, but Let the British Title Go », *Literary Digest*, 18 juin 1932, p. 34-35.

238 « la froideur et l'intensité » : « Little Mo Grows Up », *Time*, 14 juillet 1952, p. 44.

238 « presque comme si » : *Literary Digest*, 18 juin 1932, p. 34-35. En outre, les perdantes étaient souvent décrites en termes féminins — à l'impuissance amorphe, disait-on d'une perdante ; mince petite matrone de Los Angeles, disait-on d'une autre. Carolyn Babcock a perdu par une seconde au U.S. Open de

1932, affichant « le sourire de la petite fille battue et en quelque sorte déroutée. » Cahn, p. 212.

238 « J'en ai assez » : DIDRIKSON, Babe, « I Blow My Own Horn », p. 103.

239 «la presse a moins insisté » : Cahn, p. 216. Les athlètes féminines sont encore étiquetées comme des non femmes, même par d'autres athlètes féminines. Une grande vague de protestation a frappé en 1998 lorsque Martina Hingis a décrit une compétitrice comme étant « la moitié d'un homme ». L'homophobie dans le sport féminin est comme le McCarthyisme dans les années cinquante, dit Christine Grant, directrice du sport à l'université de l'Iowa. « La peur est paralysante ».

239 « Natasha Dennis » : Mariah Burton Neslon, p. 77.

240 « Je pouvais attraper » : NOAH, Laura L., « A Former Coach's Primal Scream over a Stubborn Stereotype », *The New York Times*, 24 octobre 1999, p. D15.

241 « Grossièrement injuste » : BIRRELL, S. et C. COLE, « Double Fault : Renee Richards and the Construction and Naturalization of Difference », *Sociology of Sport Journal*, vol. 7, 1990, p. 1-21.

241 « Que cela crée un précédent » : RICHARDS, R. et J. AMES, *The Second Serve*, New York, Stein and Day, 1983, p. 345.

242 « la nouvelle édition » : cité par Peter J. Dorsen dans une critique du *Oxford Textbook of Sports Medicine* dans *Journal of the American Medical Association*, vol. 282, n° 23, 15 décembre 1999, p. 2264-2266. *Oxford Textbook of Sports Medicine*, sous la direction de Mark Harries et al., New York, Oxford University Press, 1998.

242 « entre 1964 et 1995 » : Cashmore, p. 129.

243 « record de 9,92 secondes » : Jeux olympiques de Séoul, 1988.

243 « Autrement dit » : HUDSON, J. L., « Prediction of Basketball Skill Using Biomechanical Variables », *Research Quarterly for Exercise and sport*, vol. 56, 1985, p. 147.

244 « 57 femmes » : Jeux olympiques de Séoul, 1988. KENNEDY, P., P. BROWN, S. N. CHENGALUR et R. D. NELSON, « Analysis of Male and Female Olympic Swimmers in the 100-Meter Events », *International Journal of Sport Biomechanics*, vol. 6, 1990, p. 187-197. Cité par Hudson, ibid.

245 « Dans tous les cas » : Kennedy et al, *ibid.* p. 56.

245 « La recherche de Jackie Hudson » : Hudson, p. 115-121.
245 « Hudson à conclure » : NELSON, R. C., et P. E. MARTIN, « Effects of Gender and Load on Vertical Jump Performance », dans *Biomechanics IX-B*, sous la direction de D. A. Winter et al., Champaign, Ill., Human Kinetics Books, 1985, p. 429-433.
247 « C'est un coup préventif » : FALUDI, S., *Backlash*, New York, Doubleday, 1991, p. xx.
248 « On me lançait "accidentellement" » : communication personnelle à Lisa Rubarth, cité dans « Twenty Years After Title IX : Women in Sports Media », mars 1992, p. 53.
248 « un signe de faiblesse » : *ibid.*
248 « Quatre mois plus tard » : THEBERGE, Nancy, et Susan BIRRELL, « The Sociological Study of Women in Sport », dans *Women and Sport*, sous la direction de D. Margaret Costa et Sharon R. Guthrie, Champaign, Ill., Human Kinetics Books, 1994, p. 343.
249 « les partisans mâles s'amusaient » : ENGLISH, Bella, « Fenway Bound ? Take a Hatpin », *The Boston Globe*, 19 juin 1991. Les moqueries symboliques à propos du corps féminin devaient être à la mode cette année-là. J'ai assisté à une surprise partie du Nouvel An organisée par des hommes de New York dans leur maison de campagne dans la vallée de l'Hudson. À minuit, ils ont accroché l'effigie d'une femme sur un gros chêne devant la maison pendant que les hommes et les femmes en tenue de soirée se tenaient autour, dans le froid, et applaudissaient.
249 « Il ne s'agit pas » : *Ibid.* C'était l'année où la première femme a accédé à l'équipe de diffusion du Monday Night Football. Apparemment, Frank devenait nerveux.
249 « créatures méprisables » : Nelson, p. 88.
250 « Va te faire foutre » : SCHACHT, Steven P., « The Sadomasochistic Ritual of Male Rugby Players and the Social Construction of Gender Hierarchies ». Document présenté à la réunion annuelle de la North Amercian Society for the Sociology of Sport, Toledo, Ohio, 5 novembre 1992, p. 20.
Les observations ont été faites dans deux clubs de rugby universitaires, a dit Schacht.
250 « Nous toutes, collectivement » : Nelson, p. 30.
252 « sexe faible » : VERTINSKY, Patricia A., *The Externally Wounded Woman*, Urbana, University of Illinois Press, 1994, p. 2.

En effet, dit-elle, la perception du « sexe faible » continue à influencer les réponses aux demandes d'équité en ce qui concerne les possibilités de compétitions sportives, les pratiques en matière d'emplois faisant appel à de la force et des activités physiques, les approches commerciales à l'égard du sport, de la forme physique et des loisirs et le portrait dans les médias de femmes qui font de l'exercice et du sport de même que les perceptions sur la santé des femmes et sur l'évolution des pratiques et politiques publiques, éducatives et médicales.

252 «Dr Arne Ljungqvist» : CLAREY, Christopher, « A Winner Before the Race Is Won », *The New York Times*, 16 août 1999, p. D4.

253 « Les données animales » : STEDMAN, Nancy, « Estrogen May Curb Women's Muscle Pain », *The New York Times*, 24 août 1999, p. F8.

253 « L'œstrogène semble » : *ibid.*

253 « l'hormone pourrait » : *ibid.*

253 « les femmes peuvent » : *ibid.*

254 « Ces résultats sont très étonnants » : GILBERT, Susan, « Weak Bones Among Men Are Linked to Estrogen », *The New York Times*, 8 décembre 1998, p. F6.

254 « une étude fascinante » : LORD, T.R., et J. GARRISON, « Comparing Spatial Abilities of Collegiate Athletes in Different Sports », *Perceptual Motor Skills*, vol. 86, n° 3, partie 1, juin 1998, p. 1016-1018.

256 « Elle est restée collée » : BALLARD, Chris, « On The Blacktop, a Kid of Sweat Equity », *The New York Times*, 16 juillet 1999, p. E40.

257 « C'est un réel plaisir » : www.freshandtasty. com/nicola, 24 mai 1998.

258 « Dans les marathon » : Selon Bob Duenkel ; créateur du International Swimming Hall of Fame.

258 « Shelley Taylor-Smith » : KENNEDY, Randy, « Ordinary Girl Until She Enters the Water », *The New York Times*, 16 juillet 1998, p. B2. Diana Nyad est la seule athlète qui a terminé l'épreuve de natation de Bimini à la Floride. Lynne Cox détient le record de natation du détroit de Bering au détroit de Magellan. La première personne à traverser les cinq Grands Lacs à la nage et la seule qui ait traversé le lac Supérieur (en 1988) est Vicki Keith. (Nelson, p. 57.)

259 « Une fois qu'on a commencé » : VANN, Korky, *The Hartford Courant*, 30 juin 1998, p. F7.

259 « études médicales » : *The New England Journal of Medicine.*

260 « Au tournant du siècle » : HODGES, Earl, « Girl Breaks Line, Takes Spot on Football All-Stars », *The Times-Picayune*, New Orleans, 9 décembre 1999, p. ID2.

260 « Le monde tel que nous le connaissions » : LOPEZ, Steve, « A Fullback Picks Her Gown », *Time*, 5 novembre 1999.

260 « C'est la réalisation d'un rêve » : Associated Press, « Football May Be Next Frontier for Women », *St. Louis Post-Dispatch*, 14 décembre 1999.

260 « C'était de vraies guerrières » : LIPSYTE, Robert, *The New York Times*, 22 février 1998, sec. 8, p. 1.

262 « Être une professionnelle » : WILLIAMS, Lena, « Teamwork off the Court », *The New York Times*, 21 août 1999, p. D6.

263 « Allaiter pendant la pause » : LONGMAN, Jere, « U.S. Team Redefines "Soccer Mom" », *The New York Times*, 9 mai 1999, sec. 8 p. 1.

264 « Voir nos joueuses » : *ibid.*

264 « C'est dur » : *ibid.*

264 « Elles ont sacrifié » : *ibid.*

CHAPITRE 7

267 « Si 25 % » : ROIPHE, Katie, *The Morning After*, New York, Little, Brown, 1994, p. 52.

268 « Être obsédée » : FRIEDAN, Betty, *The Second Stage*, New York, Summit Books, 1981, p. 362.

268 « Quand on pense » : Roiphe, p. 45.

269 « On peut obtenir un certain pouvoir » : *ibid.*

270 « Un tiers » : RIGER, S. et GORDON, M. T., *The Female Fear*, New York, Free Press, 1989.

271 « Les femmes de moins de 35 ans » : WARR, M., « Fear of Rape Among Urban Women », *Social Problems*, vol. 32, 1985, p. 239-250.

271 « Plus de la moitié » : RIGER, S. et M. T. GORDON, *The Female Fear*, New York, Free Press, 1989.

271 « fardeau particulier » : *ibid.*

271 « une femme sur quatre » : KOSS, Mary P. et al., « No Safe Haven », Washington, D.C., American Psychological Association, 1994, p. 119. Les statistiques ont été signalées plus tôt par Mme Koss dans « The Underdetection of Rape », *Journal of Social Issues* 48, 1992, p. 63-75.

272 « Elle était journaliste » : Entrevue personnelle.

273 « une récente étude nationale » : Statistiques sur le viol tirées d'une étude menée par les Centers for Disease Control and Prevention and the National Institute of Justice.

273 « 930 femmes » : Rapport au President's Council on Physical Fitness and Sport, Doreen Greenberg de Fairleigh Dickinson University et Carole Oglesby, de Temple University. Cité dans McGrath et al.

273 « l'étonnante régression » : STERN, Lori, « Disavowing the self in Female Adolescence », dans Women, Girls and Psychotherapy, sous la direction de Carol Gilligan, Annie G. Rogers et Deborah L. Tolman, New York, Haworth Press, 1991, p. 105-106. Lori Stern est Clinical Fellow en psychologie à la faculté de médecine de l'université Harvard.

274 « Je hais le fait » : MIRANDA, Deborah A., « Silver », dans *Bad Girls/Good Girls*, sous la direction de Nan Bauer Mayer et Donna Perry, New Brunswick, N. J., Rutgers University Press, 1996, p. 129.

274 Certaines personnes oublient : fait choquant, dans les villes, le taux du trouble atteint 23 %. En fait, la prévalence du syndrome de stress post-traumatique chez les jeunes gens qui grandissent en milieu urbain est plus élevée que chez les vétérans blessés au combat. Les taux de syndrome de stress post-traumatique sont le plus élevés chez les jeunes, 23 % des jeunes adultes dans les villes. Cité dans l'information sur les traumatismes de David Baldwin, www.trauma-pages.com/ pg2.html.

275 « Spur Posse » : le « posse » était un groupe d'écoliers blancs — des athlètes — qui se faisaient concurrence à l'aide d'un système de points pour évaluer leur « conquêtes » sexuelles. Quand les filles ont fini par se plaindre, plusieurs des membres du groupe ont été accusés de crimes allant de l'agression sexuelle au viol. Certains parents ont excusé, et même défendu, le comportement de leur fils. « Mon fils n'a fait que ce que tout garçon américain normal à sang chaud ferait à son âge », a dit le père

de l'un d'entre eux. Jill SMOLOWE, « Sex with a Scorecard », Time, 5 avril 1993, p. 41.

275 « une collégienne sur cinq » : statistiques fournies par la Corporate Alliance to End Partner Violence, un groupe de défense à Bloomington, Illinois.

275 « La culture du viol par une connaissance » : une étude de 1998 a retracé le lien entre le viol et l'idéation du suicide et le comportement des victimes. Comparativement à une femme sur vingt qui n'avaient pas été violées, une victime de viol sur quatre avait commis des actes suicidaires. Le plus fort prédicteur de comportement suicidaire était la pénétration vaginale à la suite de menaces ou d'utilisation de la force (comparativement à la pénétration sans utilisation de la force et/ou de l'utilisation de la force sans pénétration). S. Stepakoff, « Effects of Sexual Victimization on Suicidal Ideation and Behavior in U.S. College Women », *Suicide and Life Threatening Behavior*, vol. 28, n° 1, printemps 1998, p. 107-126.

275 « Je connais des jeunes filles » : DE BEAUVOIR, Simone, *The Second Sex*, New York, Vintage, 1989, p. 335.

275 « un symptôme médical » : deux autres symptômes de traumatisme sont « l'hyper excitation » (l'état inconfortable et irréaliste de préparation à un danger imminent) et « l'intrusion », dans lequel des fragments de mémoire resurgissent, faisant éclater tout sentiment temporaire de sécurité.

277 « mis tout le poids » : FREUD, S., « Charcot », 1893, dans *Standard Edition of The Complete Psychological Works of Sigmund Freud*, vol. 3, trans. J. Strachey, London, Hogarth Press, 1962, p. 19.

277 « Petit à petit » : *ibid.*

277 « à l'intellect le plus pur » : BREUER, J., et S. FREUD, « Studies on Hysteria » 1893-1895, dans *Standard Edition*, vol. 2, trans. James Strachey, London, Hogarth Press, 1955.

278 « au fond de tout cas » : FREUD, S., « The Aetiology of Hysteria », 1896, dans *Standard Edition*, vol. 2.

278 « descriptions cliniques contemporaines » : LEWIS HERMAN, Judith, *Trauma and Recovery*, New York, Basic Books, 1992, p. 13.

278 « L'hystérie était tellement courante » : *ibid*, p. 14.

278 Cédant aux pressions sociales : *ibid.* Le cas de la célèbre Dora est devenu le chant du cygne de la théorie psychanalytique du traumatisme sexuel. Bien que Freud eut reconnu que sa patiente Dora avait été utilisée comme pion par son père lorsqu'elle était adolescente (son père l'ayant offerte à ses amis comme jouet sexuel), Freud refusait de valider ses sentiments d'humiliation et d'avilissement. Il croyait qu'il serait plus utile pour elle de reconnaître son excitation érotique pendant les expériences traumatisantes et d'en parler. La sexualité réprimée était son problème, pensait-il, et non les abus sexuels.

279 « sans jamais fournir la moindre documentation » : Herman, p. 14.

279 « J'ai finalement été obligé » : FREUD, S., « An Autobiographical Study », 1925, dans *Standard Edition*, vol. 20, trans. J. Strachey, London, Hogarth Press, 1959, p. 34.

280 « De nombreux soldats » : Herman, p. 51

281 « L'hystérie est » : *ibid.*, p. 32.

282 « tous des symptômes semblables » : BURGESS, A. W., et L. L. HOLMSTROM, « Rape Trauma Syndrome », *American Journal of Psychiatry*, vol. 131, 1974, p. 981-986. Herman parle de l'étude de Burgess et Holmstrom à la page 31.

282 « Un sondage épidémiologique sophistiqué » : RUSSELL, D.E.H., *Sexual Exploitation : Rape, Childhood Sexual Abuse, and Sexual Harassment*, Beverley Hills, Calif., Sage, 1984.
Diana Russell, une sociologue et militante en faveur des droits de la personne, a utilisé un échantillon au hasard composé de 900 femmes et leur a fait passer des entrevues en profondeur sur leurs expériences de violence domestique et d'exploitation sexuelle.

282 « Pour une femme, la probabilité » : KILPATRICK, D. G. et al., « Prevalence of Civilian Trauma and Posttraumatic Stress Disorder in a Representative National Sample of Women », *Journal of Consulting Clinical Psychology*, vol. 616, n° 6, décembre 1993, p. 984-991.

283 « environ une femme sur deux » : KOSS et al., p. 119. Les auteurs citent Fitzgerald and Schulman, « Sexual Harassment : A Research Analysis and Agenda for the 1990's », *Journal of Vocational Behavior*, vol. 42, 1993, p. 5-27.

284 « Cela se produit parfois lorsqu'un » : BERTHELSEN, Christian, « Women Are Speaking Out to Heal Trauma and Rape », *The New York Times*, 4 avril 1999, p. A17.

286 « Saisir la main » : UNDERWOOD, William, *Self-Defense for Woman : Combato*, Garden City, New York, Blue Ribbon Books, 1944.
La citation est de Martha McCaughey, *Real Knockouts*, New York, New York University Press, 1997, p. 51.

286 « De toute évidence, ces manuels » : Martha McCaughey, *Real Knockouts*.

287 « plus aptes à blesser » : FELSON, Richard B., « Big People Hit Little People : Sex Differences in Physical Power and Interpersonal Violence », *Criminology*, vol. 34, n° 3, août 1996, p. 433. L'étude était basée sur des entrevues menées en 1980 à Albany, New York. On demanda aux gens de signaler eux-mêmes le rôle qu'ils avaient joué dans des épisodes violents avant cette date. Bien que les hommes étaient deux fois plus portés à perpétrer une attaque violente et quatre fois plus à infliger des blessures lors d'incidents dans lesquels une arme n'était pas utilisée, les femmes étaient plus aptes à causer des blessures lorsqu'elles étaient armées.

287 « Oui ! Il est utile d'essayer » : CONROY, Mary, et RITVO, Edward, *Every Woman Can : The Conroy Method to Safety, Security, and Self-Defense*, New York, Grosset et Dunlap, 1982, p. 96-97.

287 « n'enragez pas » : KEEFE BURG, Kathleen, *The Womanly Art of Self-Defense*, New York, A and W, 1979.

288 « Mais comment saurez-vous s'il est maigre » : STORASKA, Frederick, *How to Say No to a Rapist and Survive*, New York, Random House, 1975, p. 42.
Storaska s'est fait connaître auprès des féministes en conseillant aux femmes de redonner de la dignité à leur assaillant comme moyen d'essayer d'échapper à leur agression.

288 « L'audace vaut mieux » : SLIWA, Lisa, et GREENBERG, Keith Elliot, *Attitude : Common-sense Defense for Women*, New York, Crown, 1986, p. 31-32.

290 « Tribe 8 ne préconisent pas » : Martha McCaughey, *Real Knockouts*, p. 5.

290 « pas une chose qui devait être » : JONES, Ann, « Is This Power Feminism ? », *Ms,* mai-juin 1994, p. 38-44.

293 « Quatre tentatives de viol sur cinq » : BART, Pauline B. et Patricia H. O'BRIEN, *Stopping Rape : Successful Survival Strategies,* New York, Pergamon Press, 1985.
Les données sur les femmes qui résistent sont tirées de l'article de Sarah E. Ullmann et Raymond A. Night intitulé « The Efficacy of Women's Resistance Strategies in Rape Situations », *Psychology of Women Quarterly,* vol. 17, 1993, p. 23-28.

293 « Université du Nebraska » : Cité dans Sharon Bohn Gmelch, *Gender on Campus,* New Brunswick, N. J., Rutgers University Press, 1998, p. 272.

297 « mythe qui s'avère » : un autre mythe de la suprématie mâle est l'idée « que le pouvoir sexuel… prend son origine dans le pénis ». Andrea Dworkin, *Intercourse,* New York, Free Press, 1987.

301 « J'ai appris à donner des coups » : McCAUGHEY, Martha, « The Fighting Spirit : Women's Self-Defense Training and the Discourse of Sexed Embodiment », *Gender and Society,* vol. 12, n° 3, juin 1998, p. 277-300.

301 « Les femmes sont convaincues » : *ibid.*

301 « Elles développent une nouvelle image » : *ibid.*

302 « Dès leur naissance », SWASEY, Elizabeth, « NRA Woman's Voice », *American Rifleman,* vol. 18, 1993.

302 « Dans la cour de l'école » : *ibid.*

304 « lui faisait plus peur » : DENFELD, Rene, *Kill The Body, the Head Will Fall,* New York, Warner Books, 1997, p. 24.

304 « D'une certaine façon » : *ibid.*

304 « C'était super de tabasser » : MCCAUGHEY, *Real Knockouts,* p. 132.

305 « Elles mettent un terme à des relations malsaines » : *ibid.* p. 122.

305 « J'avais toujours eu l'impression » : *ibid.*

305 « d'avoir le droit d'exister » : *ibid.*

Table des matières

Cet ouvrage a été achevé d'imprimer
au Canada en octobre 2001.

Transcontinental
IMPRESSION
IMPRIMERIE GAGNÉ